DAVID SAFIER

Scénariste renommé et primé, David Safier s'est imposé sur la scène littéraire allemande avec son premier roman, *Maudit Karma* (2008), qui a été un best-seller dans son pays, tout comme *Jésus m'aime* (2009), une réjouissante histoire d'amour, de famille et de tolérance. *Sors de ce corps, William !* (2010) est son troisième roman. Tous ont paru aux Presses de la Cité.

JÉSUS M'AIME

DAVID SAFIER

JÉSUS M'AIME

*Traduit de l'allemand
par Catherine Barret*

PRESSES DE LA CITÉ

Titre original :
JESUS LIEBT MICH

© Rowohlt Verlag GmbH, Reinbek bei Hamburg, 2008
Illustrations d'Ulf K.

place
des
éditeurs

© Presses de la Cité, un département de place des éditeurs,
2009 pour la traduction française
ISBN : 978-2-266-20364-7

À Marion, Ben et Daniel
… je vous aime !

1

Le vrai Jésus n'a sûrement jamais ressemblé à ça, pensai-je en contemplant la reproduction de la Cène accrochée dans le bureau du pasteur. C'était quand même un juif arabe ! Pourquoi le représente-t-on presque toujours comme s'il avait été l'un des Bee Gees ?

Je n'allai pas plus loin dans mes réflexions : le pasteur Gabriel venait d'entrer. C'était un homme d'un certain âge, barbu, avec des yeux intimidants et ces profondes rides d'inquiétude qui sont sans doute la marque de tout bon pasteur veillant sur ses brebis depuis plus de trente ans.

Il attaqua sans prendre le temps de me dire bonjour :

— Est-ce que tu l'aimes, Marie ?

— Oui… euh… bien sûr que j'aime Jésus… c'était un grand homme…

— Je te parle de l'homme avec qui tu envisages de te marier dans mon église.

— Ah !

Le pasteur Gabriel avait le chic pour poser des questions indiscrètes. Dans notre petite ville de Malente, la plupart des gens prenaient cela pour le signe qu'il s'intéressait réellement à nous. Moi, je pensais surtout qu'il était d'une curiosité insatiable.

— Oui, bien sûr que je l'aime, répondis-je.

Mon Sven n'était-il pas tout à fait digne d'être aimé ? Un homme doux. Qui me donnait un sentiment de sécurité. Qui ne se formalisait absolument pas à l'idée de vivre avec une femme dont l'indice de masse corporelle était un motif plausible d'assignation en justice. Sans oublier le plus important : je pouvais être certaine que Sven ne me tromperait pas avec une hôtesse de l'air – comme l'avait fait Marc, mon ex, dont j'espérais qu'il rôtirait un jour en enfer. Sous la garde de démons particulièrement inspirés.

— Assieds-toi, Marie, me dit Gabriel en poussant vers son bureau le fauteuil où il s'installait d'habitude pour lire.

Je m'enfonçai dans un vieux cuir brun de soixante-dix ans d'âge, tandis que Gabriel prenait place derrière la table. Je devais lever les yeux pour le voir, et je compris aussitôt que, de son côté, l'angle de vision était soigneusement calculé.

— Alors, comme ça, tu veux te marier à l'église ?

J'aurais bien voulu lui répondre : « Non, au poulailler », car il m'agaçait un peu. Au lieu de cela, je pris ma voix la plus aimable pour dire :

— Oui, je voulais en parler avec vous.

— À ce sujet, Marie, je n'ai qu'une seule question à te poser.

— Laquelle ?

— Pourquoi veux-tu te marier à l'église ?

Si j'avais voulu être honnête, j'aurais dû répondre : « Parce qu'il n'y a rien de moins romantique qu'un mariage à la mairie. Et parce que je rêve de me marier en blanc à l'église depuis que je suis toute petite, même si, intellectuellement, je sais très bien qu'il n'y a rien de plus kitsch, mais de toute façon, le mariage n'a pas grand-chose à voir avec l'intellect, n'est-ce pas ? »

Cependant, avouer cela ne me paraissait pas tellement aller dans le sens voulu, aussi me contentai-je d'arborer mon plus charmant sourire pour bredouiller :

— Je… c'est pour moi un besoin très profond… de me marier à l'église… devant Dieu…

Gabriel me coupa un peu brusquement :

— Marie, je ne te vois pour ainsi dire jamais aux offices !

— Je… je travaille beaucoup.

— Il y a le repos du septième jour.

Je me reposais le septième jour, et même le sixième, et il m'arrivait même de me faire porter pâle l'un des cinq autres jours de la semaine, mais, bien sûr, ce n'était pas de cela que parlait Gabriel.

— Il y a vingt ans, au catéchisme, tu doutais déjà de Dieu.

Il se souvenait encore de ça ? Cet homme avait une de ces mémoires ! À l'époque, j'avais treize ans et je sortais avec Kevin, un garçon génial. Dans ses bras, j'étais comme au paradis, et c'est avec lui que j'ai connu mon premier baiser avec la langue. Malheureusement, il ne voulait pas seulement m'embrasser : il n'arrêtait pas de fourrager sous mon pull. Je ne le laissais pas faire – je trouvais qu'on avait encore le temps. Mais il ne partageait pas mon point de vue, et il avait profité de la fête des jeunes du catéchisme pour fourrager sous le pull d'une autre fille, juste sous mes yeux. Ce fut la fin du monde tel que je l'avais connu jusqu'alors.

Que Kevin ait tripoté les seins des autres filles avec autant de délicatesse qu'un boulanger pétrit la pâte pour les petits pains n'avait pas suffi à me consoler. Ma sœur Kata, qui a deux ans de plus que moi, n'avait pas davantage réussi à me calmer, même avec d'aussi jolies phrases que : « Il ne te méritait pas », « C'est un sale con » ou « On devrait le fusiller ».

J'avais donc couru chez le pasteur Gabriel et lui avais demandé, les larmes aux yeux :

« Dieu peut-il vraiment exister, quand il y a des choses aussi dégueulasses que les chagrins d'amour ? »

— Tu te souviens de ce que je t'avais répondu ? dit Gabriel.

— Dieu permet les chagrins d'amour parce qu'il a donné à l'homme le libre arbitre, récitai-je d'une voix monotone.

Je me souvenais aussi d'avoir pensé que Dieu aurait pu sans problème reprendre son libre arbitre à ce Kevin.

— Moi aussi, j'ai un libre arbitre, déclara Gabriel. Je ne suis pas loin de la retraite, et je ne suis plus obligé de faire confiance à des gens dont la piété ne me paraît pas très convaincante. Attends mon successeur, il sera là dans six mois.

— Mais nous voulons nous marier tout de suite !

— Et alors, c'est mon problème ? dit-il avec défi.

Je ne répondis pas, mais je me demandai si on avait le droit de frapper un pasteur.

— Ça ne me plaît pas qu'on se serve de mon église pour faire la fête, reprit Gabriel en me fixant d'un regard pénétrant.

Pour un peu, je me serais sentie coupable. En tout cas, ma colère avait fait place à un remords diffus.

— Tu sais qu'il y a une autre église évangélique dans ce village, dit Gabriel.

— Oui, mais… je ne veux pas me marier là-bas.

— Pourquoi ?

— Parce que… parce que…

Fallait-il dire la vérité ? Après tout, ça n'avait plus guère d'importance, étant donné l'opinion que le pasteur Gabriel avait déjà de moi. Je répondis donc d'une toute petite voix :

— Parce que c'est l'église où mes parents se sont mariés.

À ma grande surprise, cela le radoucit :

— Tu n'as pas loin de trente-cinq ans maintenant. La séparation de tes parents, ça devrait commencer à être de l'histoire ancienne, tu ne trouves pas ?

— Si, si… bien sûr… Sinon, ce serait vraiment idiot.

Après tout, j'avais quelques heures de psychothérapie à mon actif, même si j'avais fini par laisser tomber, faute d'argent. (Je trouve qu'on devrait obliger tous les parents à ouvrir un compte d'épargne dès la naissance pour que leurs enfants puissent payer les psychologues plus tard.)

— Mais tu as peur que ça te porte malheur de te marier dans la même église que tes parents, c'est bien ça ? insista Gabriel.

Après une petite hésitation, j'acquiesçai :

— Enfin, c'est vrai que je suis un peu superstitieuse.

Il me jeta un regard étonnamment compréhensif. Sa charité chrétienne venait visiblement de se remettre à fonctionner.

— D'accord. Vous pouvez vous marier ici.

Je n'en croyais pas mes oreilles.

— Vous… vous êtes un ange, mon père !

— Je sais, dit-il avec un sourire étrangement mélancolique. Mais va-t'en vite, avant que je change d'avis ! ajouta-t-il en remarquant mon air surpris.

13

Soulagée, je me levai d'un bond et filai en direction de la porte. Au passage, mon regard fut attiré par un autre tableau, cette fois de la Résurrection. Décidément, pensai-je, on jurerait qu'il va se mettre à chanter *Stayin' Alive*.

2

— Je t'avais bien dit que le pasteur Gabriel était très gentil.

Sven était en train de me masser les pieds sur le canapé de notre petit appartement sous les toits. Contrairement à tous les autres hommes, il faisait ça très volontiers, ce que j'attribuais à une déficience génétique rare. Mes anciens amis m'avaient rarement massé les pieds plus de dix minutes d'affilée, et ils attendaient toujours une récompense pour cette remarquable performance. Surtout Marc, l'amateur d'hôtesses de l'air, celui dont j'espérais qu'il rôtirait un jour en enfer sous la garde de démons particulièrement créatifs et spécialement formés à l'art ancestral de la castration.

Avant de faire la connaissance de Sven à la trentaine bien sonnée, j'étais célibataire, et ma vie sexuelle réduite à zéro. Chaque fois que je croisais une femme avec des enfants, j'entendais le tic-tac de mon horloge biologique. Et, chaque fois que ces mères épuisées me souriaient avec compassion et m'expliquaient qu'on ne peut être une femme heureuse, comblée et sereine qu'avec des enfants, l'image déjà particulièrement fragile que j'avais de moi-même en prenait un coup. Dans ces moments-là, je ne pouvais me consoler qu'en me chantonnant une petite chanson que j'avais composée spécialement pour ces situations : « Je n'ai pas de vergetures, tralala, tralalère, je n'ai pas de vergetures, traderidera, ho ! »

J'essayais déjà de m'habituer à l'idée que je finirais comme l'une de ces vieilles qu'une entreprise de débarras découvre dans leur deux-pièces, mortes depuis sept mois et légèrement moisies, quand je rencontrai Sven.

Juste avant cela, dans un café de Malente, je venais de chanter un tout petit peu trop fort ma chanson des vergetures en passant devant une maman de fraîche date particulièrement nerveuse. La jeune mère comblée m'avait fait une démonstration de sérénité en me jetant son café à la figure. J'avais trébuché et, en tombant, m'étais cognée contre un coin de table. Aussitôt conduite à l'hôpital en taxi avec une plaie ouverte au front, j'avais été prise en charge par Sven. Il travaillait là comme infirmier et n'était pas beau à tomber par terre – dès lors, nous étions faits pour nous entendre. Quand je pleurai tandis qu'on recousait ma blessure, il me donna un mouchoir. Quand je gémis à cause des taches sur mon beau chemisier, il me consola. Et, quand je le remerciai de tout cela, il m'invita à manger une pizza. Quinze pizzas plus tard, je déménageais chez lui, folle de joie de dire adieu à jamais à mon petit deux-pièces.

Quatre-vingt-quatre autres dîners plus tard, Sven me fit une demande en mariage en bonne et due forme : à genoux, avec une magnifique bague qui avait dû lui coûter un bon mois de salaire, pendant que les enfants de l'équipe de football dont il était l'entraîneur bénévole tenaient derrière lui un cœur géant fait avec des roses en chantant *Mon cœur t'appartient*.

« Veux-tu devenir ma femme ? » demanda-t-il.

Je réfléchis un instant : « Là, si je dis non, ces enfants seront traumatisés pour le restant de leurs jours. »

Alors, je répondis avec une profonde émotion :

« Bien sûr, d'accord ! »

Sven était donc en train de me masser les pieds avec une huile de massage « ultrasensible » artificiellement parfumée à la rose, quand mon regard tomba sur *Le Courrier de Malente*. Il avait entouré une annonce dans la rubrique Immobilier.

— Tu… tu as coché quelque chose, là ?

— Oui, c'est un nouveau lotissement où le terrain serait dans nos prix.

— Et… tu penses qu'on devrait aller voir ? Mais pour quoi faire ? dis-je, alarmée.

— Ben, ce serait pas mal d'avoir quelque chose d'un peu plus grand… si on veut des enfants.

Des enfants ? Il avait dit « enfants » ? Il est vrai que, dans ma période célibataire, j'avais jeté des regards envieux sur les jeunes mamans, mais, depuis que j'étais avec Sven, je me disais que j'avais encore un peu de temps avant de rejoindre la tribu des zombies aux yeux cernés qui expliquaient aux autres à quel point elles se sentaient comblées.

— Je… trouve que nous devrions profiter encore un peu de notre vie de couple, objectai-je.

— J'ai trente-neuf ans et toi trente-quatre. Chaque nouvelle année qui passe augmente le risque pour nous d'avoir un enfant handicapé.

J'essayai de le prendre avec le sourire :

— Tu as une très jolie façon de convaincre une femme d'avoir des enfants !

— Excuse-moi, dit Sven.

Il s'excusait toujours très rapidement.

— C'est bon.

— Mais… tu en veux quand même ? demanda-t-il.

Que fallait-il répondre à ça ? Voulais-je vraiment des enfants ? Comme ma petite pause se rapprochait dangereusement de la minute de silence, Sven commença à s'inquiéter :

— Marie ?

Et, comme je ne pouvais décidément pas supporter de voir souffrir cet homme si gentil, je répondis sur le ton de la plaisanterie :

— Mais oui ! J'en veux quinze !

— Une équipe de foot avec les remplaçants, s'extasia-t-il.

Et il se mit à m'embrasser dans le cou. C'était sa façon habituelle de débuter les préliminaires. Cette fois, pourtant, il lui fallut un temps exceptionnellement long pour me dégeler.

3

« La station d'épuration a trente ans », tapai-je sans entrain. C'était le titre de mon nouvel article de une. En quittant l'école de journalisme, j'avais bien espéré trouver une place dans un hebdomadaire tel que le *Spiegel*, mais pour ça, il m'aurait fallu une note un peu supérieure à 2,7. À Munich, j'atterris donc d'abord à *Anna*, le magazine de la femme moderne, qui ne nécessitait pas une capacité d'attention de plus d'une demi-heure. Ce n'était pas le boulot rêvé, mais, dans les bons jours, je pouvais presque me prendre pour la Carrie de *Sex and the City*. Tout ce qui me manquait pour être tout à fait comme elle, c'était un budget à cinq chiffres pour me payer des fringues de luxe et une liposuccion.

Je serais peut-être restée indéfiniment à *Anna* si, par malheur, Marc n'en était devenu le rédacteur en chef. Hélas, c'était un charmeur de première. Hélas, nous sommes sortis ensemble. Hélas, il m'a trompée avec une svelte hôtesse de l'air. Et, hélas, je n'ai pas su réagir avec toute la maîtrise souhaitable : j'ai tenté de l'écraser avec ma voiture.

Enfin, pas tout à fait pour de bon.

Mais il avait quand même dû monter un peu précipitamment sur le trottoir.

Après cette action d'éclat, j'avais démissionné d'*Anna*. Sur un marché du journalisme en pleine crise et avec mon curriculum vitae minable, je n'avais pu trouver de place qu'au *Courrier de Malente*, et encore, parce que mon père connaissait le directeur. Revenir à trente et un ans dans ma petite ville natale était pour moi l'équivalent de me promener dans la rue avec un panneau portant l'inscription : « Salut, j'ai à peu près tout raté dans ma vie. »

Le seul avantage de travailler dans une rédaction aussi miteuse, c'est que j'avais tout mon temps pour réfléchir au plan de table du repas de mariage, ce qui est une science à part entière. Une question me tracassait tout spécialement : comment placer mes parents divorcés ? Pendant que je me creusais les méninges à ce sujet, papa vint me voir à la rédaction, porteur de nouvelles complications. Des complications à donner la migraine.

— Il faut que je te parle de toute urgence, me dit-il en guise de bonjour.

Cela m'étonnait d'autant plus qu'il arborait un sourire radieux au lieu de sa mine d'enterrement habituelle. Il s'était abondamment aspergé d'eau de Cologne, et, par exception, avait peigné les rares cheveux qui lui restaient.

— Tu ne peux pas attendre un peu, papa ? demandai-je. Je n'ai pas le temps, je dois écrire un article sur tout ce que je n'ai jamais voulu savoir sur la façon de disposer de nos déjections.

— J'ai une amie, déclara-t-il, incapable de se retenir plus longtemps.

— Tu… tu… mais c'est merveilleux ! bafouillai-je, oubliant le problème de nos déjections.

Papa avait une petite amie ! Pour une surprise, c'était une surprise. J'essayai d'imaginer à quoi elle pouvait ressembler : peut-être une femme entre deux âges qui chantait à la chorale de l'église ? Ou alors, une patiente de son cabinet d'urologue (même si je préférais ne pas me représenter trop précisément leur première rencontre) ?

— Elle s'appelle Svetlana, dit papa, rayonnant.

— Svetlana ? répétai-je, essayant de chasser de mon esprit tout préjugé que j'aurais pu avoir contre les prénoms féminins à consonance slave. Ça sonne… enfin, c'est sympa.

— Elle n'est pas seulement sympa, elle est formidable ! dit-il, de plus en plus rayonnant.

Mon Dieu, il était amoureux ! Je n'avais pas vu ça depuis plus de vingt ans. C'était ce que je lui souhaitais depuis toujours, et pourtant, je me demandais comment je devais le prendre.

— Tu devrais bien t'entendre avec elle, dit papa.

— Ah bon ? Pourquoi ?

— Vous avez le même âge.

— Quoi !

— Enfin, presque.

— Comment ça ? Elle a quarante ans ?

— Non, vingt-cinq.

— Combien ?

— Vingt-cinq.

— Combien ?

— Vingt-cinq.

— COMBIEN ?!?

— Mais pourquoi poses-tu toujours la même question ?

Parce que l'idée que mon père ait une petite amie de vingt-cinq ans mettait mon cerveau au bord de la fusion.

— D'où, d'où, d'où vient-elle exactement ? demandai-je, m'efforçant de trouver une contenance.

— De Minsk.

— En Russie ?

— En Biélorussie, corrigea-t-il.

Je regardai désespérément autour de moi, cherchant la caméra cachée.

— Je sais à quoi tu penses, dit papa.

— Qu'il doit y avoir une caméra cachée quelque part dans cette pièce ?

— Bon, alors, je ne sais pas à quoi tu penses.

— Et qu'as-tu pensé que je pensais ?

— Que Svetlana n'en veut qu'à mon argent, tout ça uniquement parce que j'ai fait sa connaissance par un site de rencontres sur Internet...

— Tu as fait sa connaissance où ? l'interrompis-je.

— Sur www.amore-osteuropa.com.

— Oh, www.amore-osteuropa.com ! Ça m'a l'air tout à fait sérieux !

— Tu ne serais pas un peu ironique ?

— Et toi un peu naïf ? répliquai-je.

— C'était l'agence la mieux cotée de toutes sur le comparateur des sites de rencontres, objecta-t-il.

— Ah, si le comparateur de sites dit ça, alors, je ne doute plus un instant que Svetlana ne soit une femme tout ce qu'il y a de convenable, qui n'est intéressée ni par ton argent, ni par l'obtention de la citoyenneté allemande, persiflai-je.

— Tu ne la connais absolument pas !

Il se sentait terriblement blessé.

— Mais toi, oui ?

— Je suis allé à Minsk le mois dernier...

— Stop, stop, stop ! Je t'arrête ! m'écriai-je en bondissant de ma chaise pour lui faire face. Tu m'as raconté que tu étais allé à Jérusalem avec la chorale de l'église. Tu as même dit que tu avais beaucoup aimé le Saint-Sépulcre !

— J'ai menti.

— Tu as menti à ta propre fille ?

Je n'arrivais pas à le croire.

— Sans cela, tu aurais essayé de m'empêcher d'y aller.

— Et par la force des armes, encore !

Papa prit une profonde inspiration.

— Svetlana est une personne tout à fait charmante.

— Ça, je veux bien le croire. J'en suis déjà tout excitée !

— Mais…

— Il n'y a pas de mais ! S'embarquer avec une femme de ce genre, c'est www.imbécile.com !

À la fois chagriné et en colère, papa me dit d'une voix accusatrice :

— Tu es jalouse de mon bonheur.

Cela fit mouche. Bien sûr que non, je n'étais pas jalouse de son bonheur. Depuis l'âge de douze ans, exactement depuis le jour où maman l'avait quitté, je désirais le voir à nouveau heureux.

Ce jour-là, lorsqu'il était venu, blanc comme un linge, m'expliquer que maman était partie, j'avais eu de la peine à le croire. Je lui avais demandé s'il n'y avait vraiment aucune chance que maman revienne avec nous.

Il s'était tu. Longuement. À la fin, il avait seulement secoué la tête sans rien dire. Puis il s'était mis à pleurer. Il m'avait fallu un petit moment pour me rendre compte de ce qui se passait : mon papa pleurait. Sans pouvoir s'arrêter. Alors, je l'avais pris dans mes bras, et il avait pleuré sur mon épaule.

Une petite fille de douze ans ne devrait jamais voir une chose pareille.

J'étais seulement capable de penser : « Mon Dieu, faites que tout redevienne comme avant. Faites que maman revienne avec papa. » Mais ma prière n'avait pas été exaucée. Dieu était peut-être occupé à sauver des gens d'une inondation au Bangladesh, ou à un truc de ce genre.

Et voilà qu'après tant d'années, papa était à nouveau heureux. Et moi, au lieu de me réjouir pour lui, j'avais peur de le voir à nouveau pleurer. J'étais à peu près sûre que cette Svetlana lui briserait le cœur.

— Et je préfère te dire tout de suite que j'amènerai Svetlana avec moi au mariage, reprit-il d'un air décidé.

Sur quoi il sortit en claquant la porte, de façon un peu trop théâtrale, à mon avis. Je fixai encore la porte pendant quelques instants, puis mon regard se posa sur ma liste d'invitations au mariage. C'est là que j'eus la migraine.

4

Quoi qu'en pensât le pasteur, je priais souvent. C'est vrai que je ne croyais pas à cent pour cent qu'il y eût vraiment au ciel un Dieu tout-puissant, mais je l'espérais très fort. Par exemple, si je prenais un charter, je priais au décollage et à l'atterrissage. Je priais aussi avant le tirage des chiffres du Loto. Ou quand je souhaitais que le ténor lyrique qui répétait à longueur de journée dans l'appartement du dessous se casse la voix.

Mais surtout, je priais pour que cette Svetlana ne brise pas le cœur de mon papa.

Ma sœur aînée, Kata – à qui ses cheveux blonds en bataille donnaient un faux air de Meg Ryan, version rebelle –, trouvait mes prières stupides et ne se gênait pas pour me le dire. À une semaine du mariage, elle venait d'arriver à Malente, et nous faisions du jogging ensemble autour du lac illuminé par le soleil couchant de la fin de l'été.

— Marie, dit Kata en souriant, si Dieu existe, comment expliques-tu qu'il y ait des choses telles que les nazis, les guerres, ou les 2Be3 ?

— C'est parce qu'il a donné aux hommes le libre arbitre, dis-je, citant Gabriel.

— Et pourquoi donne-t-il un libre arbitre aux hommes, si c'est pour qu'ils puissent se faire du mal les uns aux autres ?

Je réfléchis un peu et finis par m'avouer vaincue :

— Un point pour toi.

Kata avait toujours été la plus libérée de nous deux. À dix-sept ans, elle avait envoyé balader les études et était partie pour Berlin (pour elle l'anti-Malente), où elle avait fait son *coming out* de lesbienne et commencé une carrière de dessinatrice dans un quotidien régional. Sa bande dessinée s'appelait *Sisters*. Et ça parlait de nous.

Kata était aussi la plus en forme de nous deux. Au bout de huit cents mètres, alors que l'admirable lac de Malente me paraissait déjà beaucoup moins beau, elle n'était même pas essoufflée.

— Tu veux qu'on arrête de courir ? demanda-t-elle.

— Je dois… encore… perdre deux kilos avant le mariage, ahanai-je.

— Tu en pèseras encore soixante-neuf, dit-elle avec un grand sourire.

— Ça vaut mieux que d'être une emmerdeuse, même mince ! rétorquai-je, pantelante.

Kata changea de sujet pour aborder la question www.amore-osteuropa.com :

— C'est quand même chouette que papa se remette à avoir des relations sexuelles, après vingt ans d'abstinence.

Papa avait des relations sexuelles ?

Je ne voulais surtout pas y penser ! Or, à ma grande terreur, cette image commençait à s'insinuer dans mon cerveau.

— C'est sûrement très bon pour son moral, et…

Je ne la laissai pas continuer. Je me bouchai les oreilles et me mis à chanter très fort :

— Lalala, je ne veux pas le savoir ! Lalalala, ça ne m'intéresse pas !

Kata se tut, et j'ôtai mes mains de mes oreilles.

— Mais, reprit-elle en souriant, c'est sûr que les hommes comme papa, qui restent très longtemps sans relation fixe, vont voir les prostituées de temps en temps…

Je me recollai les mains sur les oreilles et chantai à tue-tête :

— Lalalala, si tu continues, je te tape !

27

— Je suis toujours aussi impressionnée de voir à quel point tu sais te conduire en adulte, dit Kata, sarcastique.

Trop essoufflée pour répondre, je me laissai tomber sur le premier banc venu, qui se trouvait justement à l'ombre d'un beau marronnier.

— Et je suis toujours aussi impressionnée par ta forme physique, ajouta-t-elle.

Je lui lançai un marron à la tête.

Mais cela ne fit que l'amuser. Elle était au moins dix fois plus résistante à la douleur que moi. Je pleurnichais déjà quand je m'abîmais un ongle de pied, et elle, elle ne s'était même pas plainte, près de cinq ans plus tôt, quand on lui avait détecté une tumeur au cerveau. C'est-à-dire, selon sa formule, « l'occasion de découvrir qui sont ses vrais amis ».

Pendant sa maladie, j'avais pris l'avion chaque fin de semaine pour lui rendre visite dans sa clinique de Berlin. C'était dur de voir ma sœur dans cet état. Elle souffrait tellement qu'elle ne pouvait pratiquement plus dormir. Les médicaments ne la soulageaient presque plus, ni les tisanes. La chimiothérapie avait eu encore d'autres effets : ma robuste sœur était devenue chauve et toute maigre. Sous l'insolent foulard à tête de mort qui cachait son crâne nu, on l'imaginait prête à embarquer d'un instant à l'autre sur le *Black Pearl*, le vaisseau pirate du capitaine Jack Sparrow. Au bout de six semaines de visites, je m'étonnai de ne plus rencontrer Lisa, son amie d'alors.

« Nous avons rompu, m'expliqua Kata.

— Mais pourquoi ? fis-je, choquée.

— Nos centres d'intérêt n'étaient pas compatibles, dit-elle sobrement.

— Comment ça ? » insistai-je.

Devant mon air perplexe, Kata eut un sourire mi-figue, mi-raisin :

« Elle aime sortir la nuit, et moi, la chimio me fait tousser. »

Ma sœur était fermement décidée à vaincre la tumeur. Quand je lui demandai d'où elle tirait son extraordinaire volonté, elle me répondit :

« Je n'ai pas le choix. Je ne crois pas à la survie de l'âme. »

Malgré tout, je priais pour elle, sans le lui dire, car ça n'aurait fait que l'agacer.

Elle était presque tirée d'affaire à présent : si elle ne rechutait pas dans les prochains mois, elle pourrait vivre encore très longtemps. Et je saurais enfin si Dieu avait entendu mes prières. Car c'était tout de même de son ressort. Le libre arbitre de l'homme n'est sûrement pas pour grand-chose dans les tumeurs.

— Qu'est-ce que tu regardes avec cet air pensif ? demanda Kata.

Je ne tenais pas à amener la conversation sur sa tumeur. Kata, de façon bien compréhensible, ne supportait pas que je sois toujours plus triste qu'elle-même de sa maladie. Je me levai donc et repris le chemin en sens inverse.

— On ne court plus ? dit Kata.

— Je maigrirai aussi bien en faisant un régime.

— Au fait, pourquoi veux-tu maigrir ? Tu dis toujours que Sven t'aime telle que tu es.

— Lui, peut-être, mais pas moi.

— Et… vous comptez avoir des enfants bientôt ? demanda Kata avec une fausse désinvolture.

— On a le temps.

Kata me jeta un rapide coup d'œil, comme elle faisait toujours quand elle cherchait à me dire quelque chose. J'essayai – pas très adroitement – de détourner la conversation.

— Oh, regarde le cygne noir, là-bas !

— Quand tu étais avec Marc, tu parlais toujours d'avoir des enfants, observa Kata, avec qui on ne changeait pas de sujet comme on voulait.

— Sven et Marc, ça fait deux.

— C'est bien pour ça que je pose la question, dit Kata gravement. Tu étais tellement amoureuse de Marc qu'au bout de deux semaines, tu m'annonçais déjà les prénoms des deux enfants que tu voulais avoir avec lui. Marieke et…

— Maïa, achevai-je à voix basse.

J'avais toujours rêvé d'avoir deux filles qui s'entendraient aussi bien que Kata et moi.

— Et où en es-tu maintenant avec Marieke et Maïa ?

— Je veux profiter de ma vie de couple, dis-je. Les gosses attendront bien encore un peu avant que je m'énerve après eux.

— Ça n'a pas de rapport avec Sven ?

Kata ne laissait pas facilement tomber.

— N'importe quoi !

— Tu protestes un tantinet trop fort, dit Kata en souriant.

Elle cessa de m'asticoter à ce sujet. Mais je me demandai avec inquiétude si, effectivement, je n'avais pas protesté un tantinet trop fort. Était-il possible que je ne veuille pas avoir d'enfants ?

5

Pendant ce temps-là…

Tandis que Marie et Kata s'éloignent du lac de Malente, le cygne noir nage vers la rive. Il marche sur les galets en se dandinant. Parvenu sur le sentier du bord du lac, il secoue son plumage humide et… se transforme en George Clooney.

Clooney passe sa main dans ses cheveux luisants (mais secs), rectifie son élégant costume noir de chez un grand couturier et s'assoit sur le banc ombragé que les deux sœurs viennent de quitter. Il reste là un long moment, attendant quelque chose. Ou quelqu'un. Pour s'occuper, il lance des marrons aux canards du lac, si adroitement et si fort que quelques-uns, mis K.-O., se noient. Mais même ce petit plaisir ne peut réjouir un homme tel que lui. Il est las. Très las. Il souffre d'un sévère burn-out. *Ce fichu siècle dernier l'a vraiment achevé.*

Jusque-là, ça pouvait encore aller, mais depuis, il a beau se démener, les hommes s'y entendent toujours mieux que lui, Satan, à faire de la terre un enfer.

Bien sûr, il a eu quelques bonnes idées pour tourmenter les hommes : le néolibéralisme, la téléréalité, les 2Be3 (il est particulièrement fier de leur tube Toujours là pour toi*), mais, l'un dans l'autre, il ne leur arrive plus* *à la cheville. Avec leur fichu libre arbitre, ils sont bien plus créatifs que lui.*

— Ça faisait longtemps, dit soudain une voix derrière lui.

Satan se retourne et aperçoit… le pasteur Gabriel.

— La dernière fois, c'était il y a presque exactement six mille ans, dit Satan. Quand je me suis éjecté du ciel. Ou plutôt, quand on m'a éjecté.

Gabriel hoche la tête :

— C'était le bon temps.

— Oui, c'est sûr, dit Satan en hochant la tête à son tour.

Ils se sourient comme deux hommes qui ont été amis autrefois et regrettent du fond du cœur de ne plus l'être.

— Tu as l'air fatigué, dit Satan à Gabriel.

— Merci. Toi aussi, répond Gabriel.

Ils se sourient un peu plus.

— Alors, cette rencontre, c'est à quel sujet ? s'enquiert Satan.

— Je dois t'annoncer quelque chose de la part de Dieu, dit Gabriel.

— Quoi donc ?

— Le Jugement dernier est proche.

Satan médite un moment cette information avant de soupirer avec soulagement :

— Il était temps !

6

Notre mariage, comme bien d'autres, débuta par une légère crise de nerfs de la mariée. Alors que les invités attendaient déjà à l'intérieur de l'église, je restais là, tremblante, devant l'entrée. Pourtant, tout était presque exactement comme dans mes rêves d'enfant : les bancs étaient pleins à craquer, tout le monde pourrait bientôt admirer ma magnifique robe blanche – qui m'allait d'ailleurs comme un gant, puisque j'avais réellement réussi à perdre trois kilos. Mieux encore : nous avions obtenu de sauter l'étape du mariage civil ! J'allais donc pouvoir prononcer à l'église un « oui » des plus romantiques, qui serait ensuite légalisé sur place par l'officier d'état civil. Tout était donc parfait, ou presque. Il n'y avait qu'un seul problème : papa ne voulait plus conduire la mariée à l'autel.

— Tu n'aurais pas dû insulter sa Svetlana aussi grossièrement, dit Kata.

— Je ne l'ai pas insultée grossièrement, répliquai-je, les larmes aux yeux.

— Si. Tu l'as traitée de « pétasse buveuse de vodka ».

— Bon, d'accord, je l'ai peut-être un peu insultée.

Avant de monter dans la calèche qui devait me conduire à l'église, je m'étais pourtant bien promis de rester calme pour ma première rencontre avec Svetlana. Mais, quand je me suis trouvée face à cette jeune femme certes trop maquillée, mais jolie et gracieuse, l'évidence m'a sauté aux yeux : elle ne pouvait que briser le cœur de mon papa. En aucun cas ce mannequin ne pouvait s'être amourachée de lui ! J'imaginais déjà papa pleurant dans mes bras comme autrefois. C'était une vision insupportable. Alors, j'ai prié Svetlana de retourner à sa Biélorussie natale. Ou plutôt, de ne pas s'arrêter avant d'être arrivée en Sibérie. Papa s'est mis en colère et m'a engueulée. J'ai essayé de lui expliquer qu'elle se servait de lui. Il a gueulé encore plus. Ça m'a rendue enragée. Du coup, il l'est devenu aussi. C'est à ce moment-là que nous avons dû échanger des gentillesses telles que « pétasse buveuse de vodka », « fille ingrate », ou encore « papa Viagra ».

— Viens, dit Kata en essuyant mes larmes et en me prenant par la main. C'est moi qui vais te conduire.

Elle ouvrit la porte de l'église, et l'organiste se mit à jouer. Au bras de ma sœur chérie, je m'avançai vers l'autel avec toute la dignité possible. La plupart des personnes présentes avaient été invitées par Sven. Beaucoup étaient de sa famille, mais il y avait aussi ses amis du club de football, ses collègues de l'hôpital et toutes sortes de voisins. En fait, la moitié de Malente était apparentée à Sven ou amie avec lui. J'étais loin d'avoir autant d'amis moi-même. À vrai dire, je n'en avais qu'un seul digne de ce nom, assis au cinquième rang : Michi, un maigrichon à l'air fragile et aux cheveux comme de la paille, portant un tee-shirt sur lequel on pouvait lire : « La beauté est très surestimée. »

Nous nous connaissions depuis l'école primaire. À l'époque, il faisait partie d'une minorité carrément marginale : il était enfant de chœur à l'église catholique.

Aujourd'hui encore, Michi était la seule personne de ma connaissance à avoir vraiment la foi. Il lisait la Bible tous les jours.

« Marie, m'avait-il dit un jour, ce qu'on raconte dans la Bible, ça doit être la vérité. Les histoires sont tellement dingues qu'aucun être humain n'a pu inventer ça. »

Quand je passai près de Michi, il m'encouragea d'un signe de tête, et je retrouvai le sourire. Mais quand je vis mon père au troisième rang, mon sourire disparut. Papa était toujours aussi furieux contre moi. Quant à Svetlana, elle regardait par terre, l'air un peu perdu. Elle devait se demander ce que les Allemands entendaient par « hospitalité ». Et par « solidarité familiale ».

Au premier rang, aussi loin que possible de papa, j'aperçus ma mère. Avec ses cheveux courts teints en roux, elle faisait un peu penser à une présidente de comité d'entreprise. En tout cas, elle avait visiblement repris du poil de la bête depuis le jour où, en peignoir de bain bleu, elle s'était assise, les traits tirés, à la table où Kata et moi prenions le petit déjeuner, et nous avait annoncé : « Je me sépare de votre père. »

Pendant que nous encaissions le choc, elle nous avait expliqué avec autant de douceur que possible qu'elle n'aimait plus papa depuis longtemps déjà, qu'elle n'était restée avec lui qu'à cause de nous, et qu'elle ne pouvait tout simplement plus supporter de vivre dans le mensonge.

Je sais aujourd'hui que c'était la seule solution pour elle. Elle pouvait enfin réaliser son rêve de faire des études de psychologie, chose que papa n'avait jamais acceptée. Elle vivait désormais à Hambourg, où, comme par hasard, elle avait ouvert un cabinet de thérapie conjugale, et elle était nettement plus sûre d'elle qu'avant. Pourtant, une partie de moi regrettait encore que maman n'ait pas continué à vivre dans le mensonge.

— Le mariage n'est pas une chose facile, mais tout le reste est plus difficile encore…

Le sermon de Gabriel, prononcé d'une voix sonore, n'était pas précisément du genre « réjouissons-nous et jubilons en ce beau jour », mais, de sa part, il ne fallait pas s'attendre à autre chose. Je m'estimais déjà heureuse qu'il n'ait pas choisi pour thème « ceux qui se servent de mon église pour faire la fête ».

Pendant le sermon, Sven me regardait sans cesse avec une expression de bonheur extraordinaire. Si extraordinaire que je ne pouvais plus supporter de ne pas me sentir aussi heureuse que lui, et pourtant, j'avais vraiment envie d'être extraordinairement heureuse – d'ailleurs, si je ne l'étais pas, c'était uniquement à cause de ma dispute avec papa.

Je m'efforçai donc de rayonner moi aussi. Mais, plus j'essayais, plus je me sentais crispée, et je commençais à avoir mauvaise conscience. Je préférai donc détourner les yeux de Sven. En se promenant dans l'église, mon regard s'arrêta sur un crucifix, et la première pensée qui me vint fut cette vieille plaisanterie du cours de catéchisme : « Hé, Jésus, qu'est-ce que tu fais là-haut ? – Ah, Paul, j'étais venu pour le panorama. »

Et puis, je vis les taches rouges sur ses mains, là où les clous les avaient traversées. Un frisson parcourut mon corps. La crucifixion, quelle vacherie ! Je ne savais pas qui avait pu inventer un truc aussi cruel, mais ce type-là avait sûrement été élevé par des sadiques.

Et Jésus ? Il savait pourtant ce qui allait lui arriver. Pourquoi n'avait-il rien fait pour l'empêcher ? Ah oui, c'est vrai, il devait racheter nos péchés. C'était impressionnant de se sacrifier comme ça pour l'humanité. Mais avait-il vraiment eu le choix ? Dès sa plus tendre enfance, c'était son destin. C'était pour cela que son père l'avait envoyé sur la terre. Mais qu'est-ce que c'était que ce père qui exigeait de son fils pareil sacrifice ? Et qu'aurait dit Super Nanny à un tel père ? Très probablement d'aller s'enfermer quelques jours dans le cabinet noir !

Tout à coup, je pris peur : ce n'était sûrement pas une bonne idée de critiquer Dieu dans sa propre église. Et sûrement pas le jour où on se mariait.

Pardon, Dieu, m'excusai-je en pensée. C'est juste que je me demande si Jésus devait vraiment être torturé comme ça pour mourir. Était-ce indispensable ? Je veux dire… il n'aurait pas pu mourir autrement que crucifié ? D'une manière un peu plus humaine ? Par exemple en prenant un petit somnifère ?

D'un autre côté, je trouvais moi-même que cette solution laissait un peu à désirer : s'il avait bu le bouillon d'onze heures, il y aurait maintenant dans toutes les églises un verre accroché au mur à la place de la croix…

— Marie ! appela avec insistance le pasteur Gabriel.

Je sursautai et le regardai.

— Oui, présente !

— Je t'ai posé une question.

— Oui, bien sûr… j'ai entendu, mentis-je avec embarras.

— Et tu veux peut-être bien y répondre aussi ?

— Euh, oui, pourquoi pas ?

Je jetai un coup d'œil à Sven. Il avait l'air inquiet. Puis je regardai dans la nef, et y vis une foule de paires d'yeux surpris. Je cherchai une idée pour me sortir de là, mais rien ne vint.

— Hum, c'était quoi déjà la question ? fis-je, confuse, en me retournant vers Gabriel.

— Je t'ai demandé si tu voulais épouser Sven.

J'eus chaud, j'eus froid. C'était un de ces instants où on voudrait pouvoir tomber brusquement dans le coma.

La moitié de l'église riait, l'autre moitié paraissait effarée. Quant à Sven, son sourire gêné se transformait peu à peu en grimace.

— C'était juste une petite plaisanterie, dit Gabriel.

Je respirai, soulagée.

— Je t'ai seulement demandé si tu étais prête pour l'échange des serments.

— Excusez-moi, j'étais perdue dans mes pensées, fis-je, penaude.

— Et... à quoi pensais-tu ?

— À Jésus, dis-je en toute sincérité.

Je préférai garder pour moi les détails.

Gabriel parut satisfait de ma réponse, les invités aussi, et Sven eut un sourire soulagé. Ne pas écouter le prêtre le jour de son mariage à cause de Jésus passait apparemment très bien.

— Pouvons-nous maintenant procéder à l'échange des serments ? demanda Gabriel.

J'acquiesçai, et un silence religieux s'établit instantanément dans l'église.

Gabriel s'adressa d'abord à Sven :

— Sven Harder, veux-tu prendre pour épouse Marie Holzmann, que Dieu t'a confiée, l'aimer et l'honorer, et vivre avec elle selon les commandements et la promesse de Dieu, pour le meilleur et pour le pire, jusqu'à ce que la mort vous sépare ? Si tu le veux, réponds : « Oui, avec l'aide de Dieu. »

Des larmes de joie dans les yeux, Sven répondit :

— Oui, avec l'aide de Dieu.

C'était incroyable. Il y avait vraiment un homme qui voulait m'épouser. Qui l'eût cru ?

Gabriel se tourna alors vers moi, et je me sentis terriblement nerveuse – les jambes en coton et un grand creux à l'estomac.

— Marie Holzmann, veux-tu prendre pour époux Sven Harder, que Dieu t'a confié, l'aimer et l'honorer, et vivre avec lui selon les commandements et la promesse de Dieu, pour le meilleur et pour le pire, jusqu'à ce que la mort vous sépare ? Si tu le veux, réponds : « Oui, avec l'aide de Dieu. »

Je comprenais parfaitement qu'à cet instant-là, j'aurais dû dire : « Oui, avec l'aide de Dieu. » Mais, en un éclair, je pris conscience que « jusqu'à ce que la mort vous sépare », ça faisait un sacré bout de temps. On avait sûrement imaginé cette formule à l'époque où les chrétiens avaient une espérance de vie de trente ans avant de mourir dans leurs cabanes en torchis ou d'être bouffés par les lions du Circus Maximus. Mais aujourd'hui, les gens pouvaient vivre quatre-vingts ans, voire quatre-vingt-dix. Si la médecine continuait de progresser à ce rythme, on pouvait sûrement espérer vivre jusqu'à cent vingt ans. D'un autre côté, n'ayant pas de mutuelle, je ne pouvais guère m'attendre à vivre plus de quatre-vingts ou quatre-vingt-dix ans, mais c'était déjà bien assez vieux…

Gabriel se racla significativement la gorge. J'essayai de gagner du temps en émettant un vague gargouillis. Les gens devaient croire que l'émotion m'étouffait. En même temps, je regardais vers la porte. Je repensais au film *Le Lauréat*, où Dustin Hoffman venait enlever la mariée dans l'église, et me demandais si, ayant appris que je me mariais, Marc n'aurait pas pu par hasard venir jusqu'à Malente, s'il n'allait pas apparaître à la porte et se précipiter vers moi… Euh, ce n'était peut-être pas très bon signe de penser à Marc en un tel moment ?

— Marie, c'est maintenant que tu es censée dire oui, fit Gabriel avec une légère impatience dans la voix.

Comme si je ne le savais pas !

Sven se mordait nerveusement les lèvres.

Je vis ma mère dans la foule, et je m'interrogeai : avec Sven, ne vais-je pas finir comme elle ? Ne vais-je pas un jour m'asseoir à la table du petit déjeuner et dire à mes filles : « Marieke, Maïa, je suis désolée, mais je n'aime plus votre père depuis des années » ?

— Marie, maintenant réponds, s'il te plaît ! m'ordonna Gabriel.

On n'entendait plus qu'un seul son dans toute l'église : le gargouillement de mon estomac.

— Marie… supplia Sven, sentant la panique monter en lui.

Je pensai aux larmes de mes petites filles encore à naître. Et, tout à coup, je sus pourquoi je ne voulais pas d'enfants de Sven.

Je l'aimais, mais pas assez pour toute une vie.

Qu'est-ce qui lui ferait le plus mal ? Que je dise non maintenant, ou que nous divorcions plus tard ?

7

— Mais qu'est-ce que j'ai fait ! Mais qu'est-ce que j'ai fait ! sanglotais-je, assise sur le carrelage froid des toilettes pour dames de l'église.

— Tu as dit « non », répondit Kata, assise à côté de moi et occupée à jeter le papier toilette dans la poubelle à serviettes hygiéniques à mesure que je le trempais de mes larmes.

— Je le sais bien, que j'ai dit ça ! beuglai-je.

— Et c'était ce qu'il fallait faire. C'était courageux et honnête, dit Kata d'une voix consolante en me déroulant encore un peu de papier. Beaucoup de gens n'ont pas ce courage. À ta place, la plupart auraient dit « oui », et ç'aurait été une grave erreur. D'accord, tu aurais peut-être pu choisir un meilleur moment pour lui dire ça, mais…

— Les invités sont partis ? questionnai-je.

— Oui. Et les enfants seront sûrement traumatisés pour le restant de leurs jours, chaque fois que quelqu'un prononcera le mot « mariage » devant eux, commenta Kata avec un gentil sourire.

— Et… et Sven, que fait-il ?

— Il est dehors, devant la porte, et il veut te parler.

Je cessai de chouiner. Sven m'attendait devant la porte ? Tout n'était peut-être pas perdu ? Si je lui expliquais, il comprendrait peut-être que j'avais voulu lui épargner des souffrances inutiles ? Nous n'aurions pu qu'être malheureux ensemble. Mais oui, il le comprendrait sûrement, malgré la peine que je lui causais. C'était un homme si compréhensif !

— Va le chercher, demandai-je à Kata.

— Je ne crois pas que ce soit une bonne idée…

— Va le chercher.

— Quand je dis : je ne crois pas que ce soit une bonne idée, je pense plus exactement que c'est une idée complètement pourrie.

— Va le chercher !

— D'accord. Puisque tu insistes…

Kata se leva et sortit. Je me levai à mon tour dans un bruissement de tissu froissé et me regardai dans la glace. J'avais le visage ravagé par les larmes, et mon maquillage avait coulé. Je m'aspergeai d'eau froide. Mon maquillage coula encore un peu plus.

Sven ouvrit la porte des toilettes. Lui aussi avait dû pleurer, car il avait les yeux très rouges. J'espérais qu'il me pardonnerait. C'était un type bien. J'étais sûre qu'il le ferait.

— Sven…

Je cherchais les mots qui pourraient mettre un peu de baume sur ce cœur meurtri. Il m'interrompit aussitôt :

— Tu sais quoi, Marie ?

— Non, quoi ? fis-je prudemment.

— À partir de maintenant, tes pieds, tu pourras te les masser toute seule… si tu y arrives avec ton gros ventre plein de graisse !

Me laissant sous le choc, Sven sortit en coup de vent des toilettes des dames.

Kata posa doucement son bras sur mes épaules :

— On dirait qu'il ne t'aimait pas vraiment telle que tu étais.

J'aurais voulu passer encore quelques années dans les toilettes pour dames de l'église, mais le pasteur, qui ne l'entendait pas de cette oreille, me pria de m'en aller. Pourtant, à ma grande surprise, il ne me fit aucun reproche :

— Après tout, me dit-il, il n'est écrit nulle part dans la Bible qu'on doive obligatoirement répondre « oui » à la question : « veux-tu… »

En sortant de l'église, mon regard tomba une nouvelle fois sur un portrait de Jésus. Je me souvins de Gabriel nous racontant, au catéchisme, comment Jésus avait changé l'eau en vin pour qu'un festin de noce puisse se poursuivre. Oui, eh bien, de nos jours, on n'avait visiblement plus rien à faire de ce genre d'invité.

À mon grand soulagement, aucun des parents et amis de Sven n'était plus devant l'église. Une fraction de seconde, j'avais craint une répétition de la bonne vieille lapidation par les villageois assemblés. Mais il n'y avait plus là que ma petite famille : maman, papa, Michi et Svetlana, cette dernière sûrement en train de se demander chez quelle sorte de gens elle cherchait à s'introduire en douce.

Papa faisait justement des reproches à maman :

— Tout ça, c'est de ta faute. C'est à cause de toi qu'elles sont incapables d'avoir une relation stable.

En entendant cela, je voulus aussitôt retourner aux toilettes. Mais maman me vit la première et se précipita vers moi :

— Ma chérie, si tu as besoin de parler avec quelqu'un…

Aïe ! Il ne me manquait plus que cela : une psycho-thérapie avec maman.

— Si tu veux venir avec moi à Hambourg, pas de problème, offrit-elle, davantage par un mélange de réflexe professionnel et de culpabilité que par véritable amour maternel.

Papa s'approcha de nous et proposa à son tour :

— Tu peux aussi revenir dormir dans ton ancienne chambre.

J'avais offensé sa Svetlana, il m'en voulait encore, mais tant pis : j'étais sa fille, il y aurait toujours une place pour moi à la maison. C'était très émouvant.

Michi ne demandait qu'à m'aider lui aussi :

— Si tu veux, tu peux venir dormir chez moi. J'ai des chouettes films d'horreur pour te changer les idées : *Saw* – le 1 et le 2 –, *Pretty Woman*…

Je ne pus m'empêcher de sourire. Michi avait tou-jours su me faire rire mieux que Sven ou que Marc. Dommage que mes hormones n'aient pas le même sens de l'humour que moi.

— Pioncer chez Michi… et avec Michi ! murmura Kata à mon oreille.

Quoi ! Elle me suggérait ça dans un moment pareil ? Je rougis de colère et de honte.

— Rien de tel pour se changer les idées. Et il attend ça depuis des siècles, ajouta-t-elle.

— D'abord, ça ne fait pas des siècles, répliquai-je. Ensuite, entre Michi et moi, c'est une amitié plato-nique.

— Marie, Platon était un parfait imbécile, dit Kata.

Plutôt que le film d'horreur chez Michi ou la psycho-thérapie chez maman, je finis par me décider pour papa. Quelques minutes plus tard, je me retrouvais dans ma vieille chambre d'enfant. Elle était exactement telle que je l'avais laissée : consternante, et tapissée d'affiches de boys bands dont les membres étaient probablement au RMI à présent. Je me débarrassai de ma robe de mariée et, en sous-vêtements (je n'avais rien d'autre à mettre), m'affalai sur mon bon vieux plumard. Totalement déprimée, je me mis à fixer le plafond, orné d'une large tache d'humidité – la toiture était en mauvais état, et papa voulait la faire réparer prochainement, ce qui était une bonne idée, car j'avais bien l'impression que j'étais condamnée à passer le restant de mes jours dans cette chambre. En tout cas, si c'était pour voir tous ces idiots, j'aimais mieux ne plus jamais sortir de la maison.

Kata s'assit sur le plancher et s'adossa au lit. En silence, elle se mit à travailler à sa bande dessinée. Au bout d'un moment, je regardai le résultat.

— As-tu l'intention de parler de mon mariage catastrophe dans tous tes strips de la semaine prochaine ? demandai-je à Kata.

— En tout cas dans les deux prochains, dit-elle en souriant.

— Et tu penses dessiner cette série jusqu'à quand ?

— Jusqu'à ce que tu sois adulte, répondit-elle avec affection.

— Mais je suis adulte ! protestai-je faiblement.

Elle me regarda d'un air compatissant.

— Non, tu ne l'es pas, dit-elle simplement.

— Et c'est une femme qui ne veut plus s'engager dans aucune relation qui me dit ça ! répliquai-je, vexée.

Depuis que Lisa l'avait quittée pendant son séjour à l'hôpital, Kata n'avait plus que des aventures d'une nuit.

— Il est incontestablement plus sage de ne s'attacher à rien ni à personne, et de jouir de l'instant présent, déclara Kata d'un ton désinvolte.

C'était là encore une phrase qui montrait à quel point, au fond, elle avait perdu toute illusion au sujet de l'amour. Toute illusion et tout espoir. Mais je n'étais pas en état de la contredire.

— Peux-tu me laisser, maintenant ? dis-je après un bref silence.

— On peut te laisser seule ? demanda-t-elle, prudente.

— On peut, lui assurai-je courageusement.

Ma sœur m'embrassa sur le front, ramassa son bloc-notes et sortit. Je pris une feuille de papier et un crayon sur mon vieux bureau et, installée sur le lit, entrepris d'établir une liste des points positifs et négatifs dans ma vie. Ma thérapeute m'avait suggéré un jour de faire cela dans les moments de crise pour me convaincre que ma vie n'était pas aussi pourrie que je le pensais.

Point négatifs dans ma vie

1) J'ai saboté mon mariage parce que je n'éprouve pas assez de sentiments envers l'homme que je voulais épouser.

2) Et que j'en éprouve trop pour un homme qui m'a trompée avec une fille qui taille du 34.

3) La dernière fois que j'ai pu m'habiller en 34, j'avais treize ans.

4) Je déteste encore plus mon boulot qu'un Palestinien moyen déteste les Israéliens.

5) Et je n'ai à peu près aucune chance d'en trouver un autre.

6) En plus, je n'ai pour ainsi dire aucun ami.

7) Et je suis sûre que la moitié des Malentois me détestent pour ce que je viens de faire à Sven.

8) Je suis revenue dormir dans ma chambre d'enfant.

9) À presque trente-cinq ans.

10) Kata a visiblement raison : je ne suis vraiment pas adulte.

C'était tout ce qui me venait à l'esprit. Seulement dix points négatifs. On était loin de la douzaine. Pas si mal. Il est vrai que ces points incluaient tout ce qu'il y avait de plus important dans ma vie : amour, travail, amis, personnalité.

Mais tout n'était pas perdu : je n'avais pas encore fait ma liste positive !

Points positifs dans ma vie

1) J'ai la chance d'avoir une sœur telle que Kata.

Il me fallut très, très longtemps pour trouver un deuxième point.

2) Ça ne peut pas aller encore plus mal.

C'est à ce moment-là que, dans la chambre en dessous, j'entendis mon père gémir.

Et Svetlana crier : « Oui ! Vas-y ! »

Alors, je rayai le point deux de ma liste.

8

Pendant ce temps-là...

Par amour, certains sacrifient leur honneur, d'autres leur profession, d'autres encore leur système nerveux. Mais tous ces gens n'étaient que de pitoyables amateurs en comparaison du pasteur Gabriel. Trente ans plus tôt, il avait sacrifié non seulement la vie qu'il avait menée jusque-là, mais encore des avantages aussi considérables qu'une paire d'ailes et l'immortalité. Tout ça parce que cet ange s'était amouraché d'une mortelle. Cela arrive à beaucoup d'anges, mais Gabriel avait toujours pensé que cela ne lui arriverait jamais. Pas à un archange comme lui – Gabriel, le premier de tous les anges ! Celui qui avait annoncé à Marie la venue de son enfant !

Un jour, pourtant, il avait aperçu sur la terre une jeune femme qui avait profondément touché son cœur (au sens figuré, car les anges n'ont pas d'organes). Plus encore : en la voyant, il s'était réjoui de ne pas avoir d'organes, sans quoi, avait-il pensé, son corps aurait pu en être irrémédiablement chamboulé.

Dès le premier regard qu'il posa sur cette créature, Gabriel fut perdu. Au cours de son existence immortelle, il avait pourtant vu des femmes plus belles : Cléopâtre, Marie Madeleine, cette jeune femme énigmatique peinte par Léonard de Vinci... Gabriel avait aussi remarqué toutes sortes de femmes courageuses, cette Jeanne d'Arc, par exemple, vraiment impressionnante, bien qu'un peu déconcertante par moments.

À l'inverse, celle dont il était tombé amoureux n'avait rien d'extraordinaire. Il y en avait des milliers, et même des millions comme elle. Il ne comprenait pas pourquoi c'était celle-là entre toutes qui le fascinait, pourquoi il lui prenait subitement des envies stupides, comme celle de lui caresser les cheveux pendant des heures. Oui, l'amour était comme ça : totalement inexplicable. Même pour un ange. C'était très agaçant.

Longtemps, Gabriel avait lutté contre ses sentiments. Il avait fini par supplier Dieu de le faire homme, afin qu'il puisse prétendre à la main de cette femme. Dieu l'avait exaucé. Gabriel avait perdu ses ailes, était descendu sur terre comme un simple mortel et avait tenté de conquérir le cœur de sa belle. En vain : elle ne l'aimait pas.

Ces humains, quels idiots avec leur libre arbitre !

Au lieu de cela, elle en avait épousé un autre. Et avait eu deux enfants avec lui. Kata et Marie.

Le lendemain du mariage raté de Marie, Gabriel était à Hambourg, et, chose étonnante, il sonnait à la porte de l'appartement de Silvia, la mère de Marie, qu'il n'avait jamais perdue de vue pendant toutes ces années. Elle ne savait pas qu'il l'aimait toujours. Elle ne savait pas non plus que Gabriel avait été un ange. Comme aux trois cents autres anges devenus humains par amour au fil des millénaires (Audrey Hepburn en faisait partie), Dieu lui avait interdit de jamais divulguer son origine.

— Silvia, questionna Gabriel d'un ton pressant dès qu'elle eut ouvert la porte, as-tu lu, dans la Bible, la Révélation de Jean ?

— Oui. C'est assez surprenant, dans le genre histoire à faire peur.

— La plupart des gens ne connaissent pas l'Apocalypse, ronchonna Gabriel. Ce sont pourtant les vingt-deux derniers chapitres de la Bible.

— Oh, la plupart des gens ne lisent pas les livres jusqu'au bout, dit Silvia en souriant.

— Mais c'est important de les lire en entier ! insista Gabriel.

Cela le contrariait que tant de gens considèrent la Bible comme une sorte de buffet où ils pouvaient picorer au gré de leur vision du monde. Lorsqu'il se trouvait lui-même devant un buffet, il prenait de tous les plats ! Autrefois, du moins, parce que, depuis quelque temps, il avait souvent des brûlures d'estomac. Être mortel n'allait décidément pas sans inconvénients.

— Allons donc ! Cette partie de la Bible parle d'une bataille finale entre le Bien et le Mal. On dirait une première version refusée du Seigneur des anneaux !

— Ça n'a rien à voir avec Le Seigneur des anneaux, protesta Gabriel.

— Presque : Satan envoie sur terre les trois cavaliers de l'Apocalypse...

— Les quatre cavaliers ! corrigea Gabriel. La Guerre, la Famine, la Peste et la Mort.

— Alors, Jésus revient sur terre et triomphe de Satan et de ses fringants cavaliers, dit Silvia, moqueuse.

— Parfaitement, c'est ce qu'il fera.

— Après quoi Jésus, avec l'aide de Dieu, fonde le royaume des cieux sur terre, conclut Silvia, que cela amusait visiblement beaucoup.

— Mais c'est ce qui arrivera !

— J'ai plutôt l'impression que, pour écrire des choses pareilles, ce Jean devait cultiver du chanvre en dehors des heures de boulot.

Gabriel avait terriblement peur que son adorée ne prenne pas la Bible au sérieux. Il en vint donc au fait :

— Jésus n'accueillera pas tous les hommes au royaume des cieux.

— Tu ne voudrais tout de même pas que je devienne croyante sur mes vieux jours ? dit Silvia.

En un sens, elle trouvait ça touchant, de la part de Gabriel, de s'inquiéter autant pour elle.

— Nom de Dieu, mais si ! s'écria-t-il.

— C'est la première fois que je t'entends jurer, fit-elle avec surprise.

Gabriel baissa d'un ton :

— Tous les impies seront punis, déclara-t-il, l'air préoccupé.

— Si nous avons une vie meilleure ici et maintenant, nous les impies, c'est parce que nous ne nous laissons pas intimider par des textes bibliques qui cherchent à nous effrayer.

Puis Silvia regarda sa montre et se rappela qu'elle avait un rendez-vous à son cabinet. Mais vraiment, Gabriel était trop mignon quand il se fâchait comme ça. Pourquoi ne l'avait-elle jamais remarqué avant ce jour ? Sûrement parce qu'elle avait vu son ex-mari avec cette grande sauterelle biélorusse, et qu'elle avait soudain eu peur de vieillir seule. Sa raison logique de psychanalyste lui disait cela. Mais aussi qu'il était tout à fait normal de réagir de cette façon devant le nouvel amour d'un ex-mari. Et qu'il fallait suivre ses envies pendant qu'il en était encore temps.

— Je passerai te voir ce soir, dit-elle à Gabriel.

Et elle l'embrassa amicalement sur la joue avant de descendre d'un pas leste l'escalier de l'immeuble.

Troublé, Gabriel posa la main sur sa joue. Un baiser d'elle, cela faisait donc cet effet-là. Il voulait moins que jamais la perdre à présent. Mais il ne lui restait plus beaucoup de temps pour sauver son grand amour. Jésus était déjà de retour en ce monde.

9

En me réveillant dans ma chambre d'enfant, je sus que le doute n'était plus permis : j'étais une l.i.m.a.c.e. (**L**oque **I**ncapable de se **M**arier et d'**A**voir **C**onfiance en **E**lle). Triste et abattue, me sentant totalement misérable, je n'avais pas le courage de sortir du lit. J'avais passé une nuit épouvantable, et voilà qu'il pleuvait. Au lieu de voler vers Formentera pour ma lune de miel, au lieu de me faire servir des croissants chauds par une hôtesse de l'air, j'étais couchée dans ma petite chambre et je regardais la tache s'élargir au plafond sous l'effet de la pluie, en me demandant si ce n'était pas le moment rêvé pour devenir alcoolique.

Je détournai les yeux de la tache humide pour regarder autour de moi, et j'avisai ma vieille chaîne stéréo compacte. Adolescente, chaque fois que j'avais un chagrin d'amour, j'écoutais *I Will Survive* et je dansais dans ma chambre en sautant comme un kangourou sous ecstasy.

J'en avais alors pour quatre bonnes minutes à me sentir regonflée à bloc, jusqu'à ce que je m'écroule à nouveau en me demandant si j'allais réellement survivre. C'est là que, encore en sueur, je mettais *I Am What I Am*, mais cette chanson me faisait encore moins d'effet que l'autre, d'autant qu'en l'écoutant je ne pouvais pas m'empêcher de me poser la question : et moi, *what am I* exactement ?

Je ne me posais plus cette question aujourd'hui. Ce que j'étais, je le savais exactement : une l.i.m.a.c.e. Et il était tout aussi certain que je ne survivrais pas à cette affaire, à moins d'un miracle.

Je joignis les mains et me mis à prier pour que le miracle ait lieu :

— S'il te plaît, mon Dieu, s'il te plaît, fais que tout s'arrange. Je ne sais pas comment. Fais comme tu voudras. L'essentiel, c'est que tout s'arrange. Si tu fais ça, j'irai à l'église tous les dimanches. Promis. Je le jure. Tant pis si les sermons sont ennuyeux. Et je ne bâillerai plus, et je ne penserai plus à Jésus… Enfin, si, mais pas de la même façon qu'hier. Et je donnerai le dixième de ce que je gagne, ou, comme tu appelles ça, la dîme, à des bonnes œuvres… ou peut-être le vingtième ? Parce que sinon, j'aurai du mal à joindre les deux bouts. D'un autre côté, si tu y tiens vraiment, je pourrais aller jusqu'à un quinzième. J'y arriverais encore, même avec une voiture… Bon, bon, s'il le faut, ce sera un dixième ! Le principal, c'est que je ne me sente plus aussi misérable. Ça vaut tout l'argent du monde. On peut toujours se passer de voiture, c'est mauvais pour le climat. Que penses-tu de ce deal ? Je deviens pieuse et altruiste, je produis moins de CO_2, et toi, tu arranges tout ? Si tu es d'accord, envoie-moi un signe… euh, non, non, attends ! On va faire autrement : si tu es d'accord, c'est simple, ne m'envoie PAS de signe.

Je me recueillis quelques instants. Si aucun signe ne venait maintenant, ce qui n'était pas absolument invraisemblable et donc à mon avis la proposition était plutôt honnête de ma part, alors, tout s'arrangerait. Je pouvais être heureuse, même en ayant moins d'argent, en perdant ma voiture et en passant mes dimanches à l'église.

J'espérais tellement que Dieu ne m'enverrait pas de signe !

À cet instant, je reçus en pleine figure un morceau de l'enduit du plafond, totalement imbibé de pluie. Je me relevai, mortifiée, m'essuyai le visage et recrachai la poussière de plâtre. Si Dieu existait vraiment, alors, c'était un signe. Et le signe qu'il refusait mon offre, pourtant admirable. Je cherchai un moyen de surenchérir. Dieu ne pouvait tout de même pas exiger de moi que je me fasse nonne. D'un autre côté, si ça continuait comme ça, je ne ferais plus jamais l'amour, alors que les nonnes, elles, avaient l'air de bien s'amuser, du moins une partie d'entre elles – en tout cas, dans les films et les livres, elles paraissaient toujours très strictes au début, mais par la suite, on s'apercevait qu'elles ne manquaient pas de bon sens et d'esprit... Peut-être même aurions-nous la visite d'un prêtre, qui viendrait par exemple pour la cueillette des pommes, un type dans le genre de Matthew McConaughey... Il aurait le cœur brisé, tout comme moi, peut-être parce que sa femme serait tombée par accident d'une falaise en Irlande... avec leur bébé dans les bras, en plus... après ça, il n'aurait plus jamais pu éprouver aucun sentiment d'amour, mais, bien sûr, tout changerait subitement à l'instant même où il m'apercevrait...

C'est alors qu'on frappa à la porte.

— Qui est-ce ? demandai-je avec hésitation.

— C'est moi, dit papa d'une voix quelque peu sévère.

Il voulait bien m'accueillir chez lui, mais on était encore loin de la réconciliation.

— Que... qu'est-ce que tu veux ?

Une dispute avec mon père était bien la dernière chose dont j'avais envie. Je ne m'en sentais tout simplement pas la force.

— Le charpentier est arrivé, il voudrait voir le toit.

Je regardai les débris par terre. J'avais encore le goût du plâtre dans la bouche. Ce sacré charpentier aurait mieux fait de venir un jour plus tôt, pensai-je.

— Il a besoin de passer par la trappe de ta chambre pour monter sur le toit, cria papa.

J'avais le visage ravagé par les larmes, j'étais couverte de poussière, et je me sentais parfaitement minable. Je ne pouvais pas me montrer dans cet état. D'un autre côté, étant donné ce que la quasi-totalité des Malentois pensaient de moi, l'opinion d'un charpentier n'y changerait pas grand-chose. D'ailleurs, si je devais passer le reste de ma vie à végéter dans cette chambre, il valait peut-être mieux que le plafond ne me tombe pas sur la tête.

— Un instant, criai-je à mon père à travers la porte. Il faut que je m'habille.

C'était déjà pas mal d'avoir du plâtre sur la figure, je n'allais pas en plus m'exhiber en sous-vêtements.

Évidemment, je n'avais pas de vêtements sur place – ils étaient encore dans l'appartement que je partageais avec Sven –, mais il devait bien rester quelque chose dans mon ancienne armoire. Je l'ouvris et y trouvai des tee-shirts et des jeans. J'enfilai un vieux pull norvégien : là-dedans, je ressemblais à un vrai boudin nordique avec le nombril à l'air. Quant aux pantalons, je n'arrivais même pas à les remonter jusqu'aux cuisses. Visiblement, j'avais pris un bourrelet à chaque décennie, comme les arbres prennent un cerne par an.

— Tu en as encore pour longtemps, Marie ? me cria papa, qui s'impatientait.

Je réfléchis à toute vitesse : je n'entrerais pas davantage dans les vêtements de Kata, ni dans ceux de Svetlana. Ce n'était même pas la peine de demander.

— Marie !

La voix de mon père se faisait pressante. Il ne me restait qu'une solution : remettre ma robe de mariée. Avec ma figure pleine de poussière, j'avais l'air d'un fantôme. Il ne me manquait plus que de porter ma tête sous mon bras – j'avais d'ailleurs bien envie d'essayer – pour que le tableau soit complet.

J'ouvris la porte. Papa resta quelques secondes interdit devant le spectacle.

— Je commençais à trouver le temps long, dit-il enfin.

Puis il fit signe à quelqu'un d'approcher :

— Marie, puis-je te présenter Joshua ? Il a bien voulu venir réparer notre toit.

L'homme apparut dans l'encadrement de la porte. De taille moyenne, il portait un jean, une chemise et des bottes en daim. Il avait le teint vaguement méditerranéen, des cheveux longs légèrement ondulés et une barbe très classe. Pendant un dixième de seconde, je lui trouvai, malgré la poussière dans mes yeux, une certaine ressemblance avec l'un des Bee Gees.

10

— Joshua, voici ma fille Marie, dit papa en guise de présentations. Elle n'est pas tout le temps comme ça, crut-il bon de préciser.

Les yeux brun foncé du charpentier étaient empreints d'une sorte de gravité, comme s'ils avaient déjà vu bien des choses. Devant ce regard d'une extraordinaire douceur, je me sentis complètement chavirée.

— Bonjour, Marie, dit-il d'une merveilleuse voix de basse qui acheva de me bouleverser.

Il me tendit la main, et sa poignée de main était ferme. Aussi étrange que cela puisse paraître, le contact de cette main me donna un profond sentiment de sécurité.

— Vrchmm, bafouillai-je.

Je n'étais plus en état de prononcer une parole sensée.

— Je suis heureux de faire ta connaissance, poursuivit-il gravement.

Mais avec quelle voix !

— Mjrmchch, répondis-je.

— Je vais aller jeter un coup d'œil à votre toit.

— Bzrmblm, approuvai-je avec empressement.

Il lâcha ma main, et je me sentis subitement beaucoup moins en sécurité. Je voulais qu'il reprenne ma main ! Tout de suite !

Déjà, Joshua ouvrait la trappe du plafond avec le crochet. Il fit descendre l'échelle escamotable et y grimpa prestement. Il avait une façon de se mouvoir à la fois nerveuse et élégante, et je me surpris à regarder fixement ses fesses. Ce n'est que lorsqu'il eut disparu sous les combles que je retrouvai mes esprits. Renonçant provisoirement à la contemplation, je courus frapper à la porte de l'ancienne chambre de Kata. Ma sœur, en sous-vêtements, m'ouvrit en bâillant comme un alligator en phase de digestion.

— Peux-tu me trouver des fringues ? attaquai-je sans préambule.

— Tu veux que j'aille t'en chercher chez Sven, c'est ça ?

— Si j'y vais moi-même, ça pourrait tourner à l'homicide conflictuel sur personne de l'entourage.

— Vu son état d'hier, c'est bien possible, reconnut Kata.

Elle bâilla encore une fois en s'étirant, et eut un brusque tressaillement. Elle avait mal à la tête, me dit-elle. Je sentis la panique me gagner. Kata s'en aperçut :

— Ce n'est pas une rechute, dit-elle pour me rassurer. C'est juste que j'ai encore bu un vin rouge pas terrible hier soir.

Soulagée, je voulus l'embrasser, mais elle leva les mains dans un geste de défense :

— Avant d'embrasser quelqu'un, va d'abord te laver !

Quand j'eus pris une douche, je restai à lambiner dans la cuisine devant ma tasse de café. Seule. Papa était parti en excursion pour la journée avec Svetlana au bord de la Baltique. Je fis de violents efforts pour chasser de mon esprit l'idée que cette femme pourrait devenir ma nouvelle maman. Quand j'y parvins enfin, je me mis à méditer sur ma vie ratée. Comment dit-on ? Ah, oui : qu'il faut apprendre de ses échecs. Ce serait vraiment le comble si je n'étais pas capable de mettre à profit cette crise pour prendre un nouveau départ et devenir plus heureuse ! Parfaitement !

Oui, mais... si je n'y arrivais pas ? Si je restais toute ma vie aussi nulle et aussi malheureuse que maintenant ?

Je préférais encore penser à Svetlana.

Et surtout à ce Joshua.

Quel rayonnement extraordinaire ! Et ces yeux, cette voix ! En cas de besoin, je parie que ce charpentier serait capable de mobiliser un tas de gens pour une bonne cause, par exemple... je ne sais pas, moi : l'isolation thermique ?

Qu'avait-il dit, au fait ? Qu'il était heureux de faire ma connaissance – et il avait dit cela d'un air sincère. Sans même me regarder fixement au niveau de la poitrine, comme la plupart des hommes dans ces cas-là.

Il m'avait tutoyée sans me demander mon avis. Mais c'était peut-être parce qu'il venait d'un pays du Sud. D'Italie, ou quelque part par là. Il avait peut-être une maison en Toscane, bâtie de ses propres mains... torse nu...

Mais que faisait-il ici ? Avait-il eu des problèmes dans son pays ? Ou peut-être avec son travail ?

C'était vraiment étonnant, tout ce que je pouvais imaginer à propos d'un homme devant qui j'avais à peine été capable de bredouiller quelques syllabes inaudibles.

Ma rêverie fut interrompue par le retour de Kata, chargée de deux valises de mes vêtements récupérés chez Sven.

— Comment va-t-il ? questionnai-je.

— Il a le même genre de tête que toi.

— Une mine de papier mâché ?

— Exactement.

Je me sentais terriblement coupable. C'était la première fois de ma vie que je rendais un homme aussi malheureux. D'habitude, c'étaient eux qui me faisaient souffrir. Je soupirai et demandai à Kata :

— Tu dois vraiment repartir aujourd'hui ?

Je n'avais pas du tout envie qu'elle me quitte déjà.

— Il vaut mieux que je reste encore un peu avec toi, dit-elle. Jusqu'à ce que tu ailles mieux.

— Les cent prochaines années ? fis-je tristement.

— Aussi longtemps qu'il le faudra, répondit-elle en souriant.

Je la serrai dans mes bras.

— Tu m'étouffes ! gémit-elle.

— C'est ce que je veux ! dis-je avec tendresse.

Au bout de cinq minutes, ayant suffisamment serré Kata dans mes bras, je me changeai. J'étais contente de pouvoir enfin mettre un jean et un pull. Puis nous montâmes dans la chambre de Kata, avec l'intention de faire chacune ce qui nous paraissait le plus urgent à ce moment-là : elle dessiner, moi m'apitoyer douloureusement sur mon sort.

Cependant, en passant devant ma chambre, j'entendis Joshua chanter sous le toit. Dans une langue que je ne connaissais pas, mais qui n'était pas de l'italien. Il chantait d'une voix grave, profondément émouvante. Je suppose qu'il aurait aussi bien pu émouvoir les gens en chantant un truc du genre : « D'où venez-vous donc comme ça ? Du village des Schtroumpfs, lala ! »

Je dis à Kata que j'avais quelque chose à prendre, et que je la rejoindrais dans un instant. Puis j'entrai dans ma chambre et grimpai au grenier par l'échelle de meunier.

Joshua venait justement de sortir de son cadre une fenêtre qui joignait mal, et il était en train de la réparer, l'air à la fois concentré et très détendu. C'était visiblement quelqu'un qui, lorsqu'il travaillait, oubliait tout le reste.

En m'apercevant, Joshua interrompit sa tâche. Curieuse de savoir ce qu'il chantait, je lui posai la question :

— Krvchcht ?

Ça ne pouvait plus durer. Très vite, je baissai les yeux vers le plancher, me concentrai et pris mon élan pour recommencer :

— Qu'est-ce… que… vous… chantiez ?

— Un psaume sur la joie au travail.

— Ah ! D'accord.

J'étais perplexe. J'utilisais rarement les mots « joie » et « travail » ensemble dans la même phrase. Et le mot « psaume », jamais.

— Et… c'était en quelle langue ?

À présent, je réussissais à le regarder tout en prononçant une phrase presque sans me tromper. Le tout était de ne pas plonger mes yeux dans ce regard brun si profond.

— En hébreu, dit Joshua.

— C'est votre langue maternelle ?

— Oui, je viens de ce qu'on appelle aujourd'hui la Palestine.

La Palestine. Ce n'était pas tout à fait aussi romantique que la Toscane. Joshua était-il par hasard un réfugié ?

— Pourquoi en êtes-vous parti ? m'enquis-je.

— Mon temps là-bas touchait à sa fin, répondit-il du ton d'un homme qui prend vraiment les choses comme elles viennent.

Il paraissait tout à fait serein. Mais quel sérieux incroyable ! C'était trop. À quoi pouvait bien ressembler un tel homme lorsqu'il se mettait à rire de bon cœur ?

— Voudriez-vous manger avec moi ce soir ?

Ma question le surprit. Mais pas moitié autant qu'elle me surprit moi-même. Il n'y avait pas vingt heures que j'avais abandonné Sven au pied de l'autel, et je proposais déjà un rendez-vous à un type, juste pour voir à quoi il ressemblait quand il riait !

— Comment ? dit-il.

— Grjmvvv...

Affolée, j'envisageai de faire marche arrière, avant d'opter pour la fuite en avant et une tentative assez lamentable de montrer l'intensité de ma vie spirituelle :

— Il doit bien y avoir aussi un psaume sur la nourriture ?

Il me regarda d'un air encore plus surpris. Mon Dieu, comme c'était pénible !

Pendant le silence qui suivit, je m'efforçai de lire sur le visage du charpentier s'il acceptait un rendez-vous avec moi, ou s'il me prenait plutôt pour une casse-pieds qui ne s'y connaissait pas plus en psaumes qu'en physique des particules.

Mais son visage était impénétrable. Il ne ressemblait à aucun autre. Et pas seulement à cause de la barbe.

Je me remis à fixer le plancher, et j'étais sur le point de marmonner avec embarras quelque chose comme : « Oubliez ça », quand il me répondit :

— Beaucoup de psaumes parlent du pain et de la nourriture.

Je levai à nouveau les yeux vers lui.

— Je mangerai volontiers avec toi ce soir, Marie, dit-il alors.

Et il me sourit pour la première fois. Ce n'était qu'un petit sourire. Rien à voir avec un rire franc et massif. Mais c'était tout simplement divin.

Avec ce sourire, il aurait pu me vendre encore bien d'autres choses que de l'isolation thermique.

11

— Mon Dieu, mais pourquoi lui ai-je proposé un rendez-vous ? me lamentai-je lorsque j'eus un peu recouvré mes esprits.

Devant le miroir de la salle de bains, j'essayais de me maquiller avant de sortir, du moins suffisamment pour que mon visage tuméfié par les larmes cesse de ressembler à La Nouvelle-Orléans après le passage de l'ouragan Katrina.

— Ce charpentier n'est pourtant pas du tout mon genre, expliquai-je à Kata. Il a une barbe. Je ne supporte pas les barbes.

— Autrefois, tu adorais ça, dit Kata en souriant.

— Quand j'avais six ans !

Kata sourit un peu plus largement et me passa de l'ombre à paupières.

— Et puis, Joshua est palestinien. Et il chante des psaumes !

— Je ne vois pas où tu veux en venir, mais je suppose que tu vas me le dire ? demanda Kata.

— Eh bien, c'est peut-être un fanatique religieux ? Si ça se trouve, c'est un de ces types qui prennent des cours de pilotage et qui ne s'intéressent ni au décollage ni à l'atterrissage, mais seulement aux collisions avec des gratte-ciel !

— J'admire ton ouverture d'esprit et ton absence de préjugés, dit Kata.

Je réfléchis à la question de savoir si je devais avoir honte de mes préjugés, et conclus que je n'en avais pas envie. J'avais déjà épuisé l'essentiel de mon capital-honte.

— La barbe et les cours de pilotage, ce sont des prétextes, dit Kata. En fait, tu te sens coupable envers Sven.

— Ça ne me paraît pas très correct d'avoir un rendez-vous, reconnus-je.

— Et quel mal y a-t-il à s'amuser un peu ? demanda Kata.

— Comment pourrais-je m'amuser, alors qu'hier encore, mon mariage tournait à l'horreur ?

— C'est très simple : ça te ferait plaisir que le charpentier te montre ses outils…

Je la fixai avec insistance, et elle renonça à pousser plus loin la plaisanterie.

Revenant au miroir, je ne pus que constater que le maquillage ne faisait pas de miracles, et que tout dépendait de ce sur quoi on l'appliquait.

— Je renonce, dis-je à Kata.

— Et qu'est-ce que tu vas faire, alors ?

— Réfléchir sur ma vie…

— Alors là, tu es sûre de bien t'amuser.

Elle avait raison. J'allais encore rester allongée sur mon lit à me dire qu'il faudrait que je trouve un nouvel appartement, mais que je n'avais de quoi payer ni la caution ni l'agence, parce que j'avais déjà pris un gros crédit pour la fête de mariage que j'avais fichue en l'air. Au total, cela signifiait que je serais obligée

d'habiter encore quelque temps chez papa, et de continuer à entendre Svetlana crier « Vas-y ! », cela à la
limite de la zone de fréquence où les chiens se mettent
à hurler à la mort.

Kata, qui lisait littéralement dans mes pensées,
trouva l'argument décisif :

— Va à ton rendez-vous. N'importe quoi vaudra
mieux que de faire une dépression.

Je devais retrouver Joshua chez Giovanni, un restaurant italien bourré d'avantages : non seulement il était
situé au bord du lac, dans un endroit idyllique, mais on
y mangeait très bien et Giovanni avait autrefois piqué
la copine de Sven, avec qui il avait maintenant quatre
enfants. Autant dire que Sven boycottait le restaurant à
vie. J'étais donc assurée qu'il ne me verrait pas en
compagnie de Joshua, ce qui nous éviterait un gros titre
du genre « Folie meurtrière au bord du lac » le lendemain dans *Le Courrier de Malente*.

À peine Giovanni m'avait-il installée à une table sur
la terrasse avec vue sur le lac que Joshua arriva. Il avait
gardé ses vêtements de travail, et, comme par miracle,
ceux-ci n'avaient absolument pas l'air sales.

— Bonsoir, Marie, me dit-il en souriant.

Il avait vraiment un sourire incroyable. Est-ce qu'il
utilisait du blanchissant pour les dents ?

— Bonsoir, Joshua.

Il s'assit en face de moi, et j'attendis qu'il se lance sur
un sujet quelconque. Mais il ne prononça pas une parole.
Il paraissait simplement content d'être là, à regarder le
lac en laissant les derniers rayons du soleil lui caresser
le visage. J'essayai donc d'engager la conversation :

— Depuis combien de temps es-tu à Malente ?

— Je suis arrivé hier.

— Et on t'a déjà proposé de réparer notre toit ? fis-je avec étonnement.

— Gabriel savait que ton père cherchait un charpentier.

— Gabriel ? Le pasteur ?

— Pour le moment, je loge dans sa chambre d'amis.

Mon Dieu ! Pourvu que Gabriel ne lui ait pas raconté quelle tordue j'étais !

— Depuis combien de temps connais-tu Gabriel ? demandai-je, cherchant à savoir si le vieux pasteur avait pu lui raconter la scène catastrophique de la veille. Je veux dire, vous connaissez-vous suffisamment pour discuter ensemble ?

— Gabriel connaissait déjà ma mère. C'est lui qui lui a annoncé que j'allais venir au monde.

Cette réponse me laissa perplexe. Gabriel avait-il eu entre les mains le test de grossesse de la maman de Joshua ? Et si oui, en quel honneur ? Il n'était pas gynécologue. En tout cas, sûrement pas en Palestine. Gabriel avait-il eu une liaison avec sa mère ?

Mais toutes ces questions étaient bien trop indiscrètes pour une première rencontre, peut-être même pour une dix-septième. J'en posai donc une autre :

— Quand as-tu quitté la Palestine ?

— Il y a près de deux mille ans.

Joshua ne sourit pas en disant cela. Soit c'était le plus grand pince-sans-rire du monde, soit il prenait réellement des cours de pilotage.

— Et... où as-tu vécu pendant ces deux mille ans ?

Je tâchais de plaisanter avec lui, sans être sûre à cent pour cent qu'il plaisantât lui-même.

— Au ciel, répondit-il sans la moindre trace d'ironie.

— Tu ne dis pas ça sérieusement !

— Bien sûr que si.

Et merde ! C'était donc bien les cours de pilotage !

Mais non, me dis-je pour tenter de me rassurer. Joshua devait être un type tout à fait normal, qui vivait en Allemagne depuis un bon bout de temps, sans quoi il n'aurait pas aussi bien maîtrisé la langue. Il avait certes un curieux sens de l'humour, mais peut-être était-ce seulement que ses plaisanteries perdaient à la traduction ?

Nous restâmes à contempler le lac en silence, attendant qu'on nous apporte le menu. Joshua ne voyait aucun inconvénient à rester assis en silence. Moi, si. J'avais une autre conception du plaisir.

Mais à quoi m'étais-je attendue ? À ce que nous soyons sur la même longueur d'onde ? Un mystique comme lui et une dépressive comme moi ? Nous étions bien trop différents.

Je commençais à me demander si je ne ferais pas mieux de me lever et de m'en aller après lui avoir expliqué que je m'étais trompée, que mon idée était complètement idiote. Il n'était sûrement pas trop tard pour que je rentre me réfugier dans mon lit et passer le reste de la soirée avec cette angoissante question : serais-je à nouveau heureuse un jour sans prendre de tranquillisants ?

Joshua dut lire sur mon visage mon accablement, car il dit une chose merveilleuse :

— Regarde cet oiseau.

Mais ce qui fut merveilleux, c'est plutôt ce qu'il dit ensuite :

— Il ne sème ni ne récolte, et pourtant, il ne s'inquiète de rien.

J'observai l'oiseau, un rossignol, pour être précise. En tout cas, me dis-je, ceux-là n'avaient pas à se soucier de trouver un compagnon pour la vie. Mais seulement à faire attention, pendant leur voyage vers le sud, de ne pas tomber sur un Italien qui les passerait à la casserole.

— Et les hommes ne doivent pas s'inquiéter davantage, poursuivait Joshua. Qui peut d'ailleurs, en s'en inquiétant, ajouter une seule coudée à la longueur de sa vie ?

Là, je ne lui donnais pas tort, même s'il parlait un peu comme quelqu'un qui aurait lu trop de livres de conseils de Dale Carnegie.

— Ne t'inquiète donc pas du lendemain : demain s'inquiétera de lui-même, dit Joshua.

C'était une phrase simple, mais belle. Et, quand l'homme qui la prononçait avait ce charisme, cette voix et ces yeux, on y croyait.

Pour la première fois depuis mon « non » au pied de l'autel, je me sentis un tout petit peu plus sûre de moi.

Je décidai donc de rester, au moins le temps de manger une pizza. Giovanni venait justement d'apporter la carte, et Joshua avait du mal à s'y retrouver. Je dus même lui expliquer ce qu'était une pizza. Il se décida finalement pour une pizza végétarienne.

— La viande et le fromage ensemble, ce n'est pas kasher, m'expliqua-t-il pour justifier son choix.

— Pas kasher ? Les musulmans disent cela aussi ? demandai-je.

— Je ne suis pas musulman, je suis juif.

Un juif palestinien, ça alors ! Ça me fit plaisir, parce que les juifs n'avaient pas l'habitude de s'écraser contre des gratte-ciel. Tout de suite après, je me remis à douter : n'était-il pas par hasard un de ces colons juifs complètement mabouls ? Mais, dans ce cas, il aurait dû avoir les cheveux roulés en papillotes sur les côtés, non ? À propos, comment se faisaient-ils ces boucles, avec un fer à friser ?

— Et toi ? me questionna Joshua, interrompant mes méditations sur la capilliculture juive orthodoxe.

— Euh… moi, quoi ?

— En quel Dieu crois-tu ?

— Eh bien… euh… je suis chrétienne, répondis-je.

Cela le fit sourire. Qu'est-ce que j'avais dit de si drôle ? Gabriel lui avait-il raconté des choses à mon sujet ?

— Excuse-moi, dit-il, mais je n'ai pas encore l'habitude d'employer le mot « chrétien » pour désigner un croyant.

Et cette fois, il rit de bon cœur. Pas aux éclats, pas très fort, juste un tout petit peu. Mais cela suffit pour que je me sente formidablement bien.

Dans les minutes qui suivirent, la conversation démarra enfin. Je lui demandai où il avait appris son métier, et il m'expliqua que son beau-père lui avait tout enseigné.

Son beau-père ? Était-il donc, comme moi, un enfant névrosé du divorce ? Pourvu que non !

Giovanni apporta les plats, et Joshua dégusta sa pizza et sa salade comme si c'était réellement la première fois qu'il mangeait depuis deux mille ans. En goûtant le vin, il soupira même :

— Ah, comme il m'a manqué !

Le charpentier semblait peu à peu gagné par une sorte de joie de vivre, et nous bavardions avec de plus en plus d'animation. Je me mis à lui parler de mon enfance :

— Quand j'étais petite, j'adorais les barbes comme la tienne. J'aurais même voulu en avoir une !

Cela le fit sourire.

— Et tu sais ce que ma mère me répondait quand je lui disais ça ?

— Non, raconte-moi, demanda-t-il avec amusement.

— Elle disait qu'une barbe comme ça, c'est le cimetière des reliefs de repas.

Cette fois, il rit franchement – il avait l'air de connaître le problème.

C'était un rire fantastique, et tellement gai !

Un rire libérateur.

— Je n'avais pas ri depuis une éternité, constata-t-il.

Il resta songeur quelques instants avant de reprendre d'un air pénétré :

— C'est le rire qui m'a le plus manqué.

Et moi, je n'avais jamais été aussi heureuse de faire rire quelqu'un.

Oui, cet homme était surprenant, étrange, hors du commun – mais aussi, en vérité je vous le dis, vraiment fascinant.

12

Je voulais en savoir davantage sur Joshua. Je décidai donc de passer à l'étape suivante : celle où l'on vérifie si l'autre a déjà une petite amie. Et, dans le cas contraire, s'il n'y a pas dans le tableau une ex qui le fait encore soupirer.

— Et avant, qui est-ce qui te faisait rire ? demandai-je.

— Une femme merveilleuse.

Il y avait une femme merveilleuse dans sa vie. Cela me perturbait plus que je ne l'aurais souhaité.

— Qu'est... qu'est-elle devenue ?

— Elle est morte.

Oh, mon Dieu ! Si jamais je devais attendre quelque chose de lui – ce qui n'était pas le cas, bien sûr, mais on ne sait jamais, cela aurait pu me venir à l'idée un jour –, il me faudrait rivaliser avec une morte. Une perspective fort désagréable, et pas seulement à cause de l'odeur de putréfaction.

Je décidai donc de ne jamais rien attendre de Joshua.

Puis je lus la tristesse dans ses yeux, et j'oubliai aussitôt mes résolutions. Ce que j'aurais vraiment voulu, c'était le prendre dans mes bras pour le consoler.

Il avait l'air de quelqu'un qu'on n'a pas souvent pris dans ses bras.

— Elle s'appelait comme toi, dit Joshua avec une grande nostalgie.

— Holzmann ? demandai-je, étonnée.

— Marie.

Mon Dieu, quelle imbécile j'étais !

— Marie plaisantait avec tant d'esprit sur les rabbins, soupira-t-il.

— Sur les rabbins ? balbutiai-je, déconcertée.

— Et sur les Romains.

— Les Romains ?!?

— Et les pharisiens.

D'accord, me dis-je, et je m'efforçai de chasser de mon esprit toute idée d'araignée au plafond.

— Bien qu'en réalité on ne soit pas censé plaisanter sur les pharisiens, précisa Joshua.

— Oui... non... évidemment, bafouillai-je. Les pharisiens, c'est... tout ce qu'il y a de sérieux.

Joshua se tut, le regard rêveusement tourné vers le lac, pensant de toute évidence à son ex. C'est alors qu'il déclara :

— Je la reverrai bientôt.

Ça, c'était franchement morbide !

— Quand le royaume des cieux viendra sur terre, acheva Joshua.

Le royaume des cieux ? Là, mon cerveau sonnait l'alerte rouge ! Assis au poste de commandement sur le pont de mon lobe frontal, le capitaine Kirk cria dans l'interphone :

— Fichons le camp, Scotty ! Sors-nous de là tout de suite !

— Ce n'est pas possible, capitaine, répondit Scotty de la salle des machines à l'arrière de mon cerveau.

— Pourquoi ?

— Nous n'avons pas payé les pizzas.

— Il faut combien de temps pour que Giovanni apporte l'addition ? aboya Kirk, sa voix dominant le hurlement toujours plus strident de l'alarme.

— Au moins dix minutes. Huit, si nous crions : « S'il vous plaît, nous voudrions payer, nous sommes pressés ! », répondit la salle des machines.

— Huit minutes, c'est beaucoup trop, il est en train de nous parler du royaume des cieux !

— Alors, capitaine, nous sommes perdus.

Puisque la fuite était impossible, il ne me restait qu'une solution : détourner la conversation. Je cherchai laborieusement un prétexte pour changer de sujet, et j'en trouvai un :

— Oh, regarde, Joshua, il y a quelqu'un qui pisse dans les buissons !

J'admets qu'il y a des façons plus élégantes de détourner la conversation.

Mais le fait est qu'au bord du lac, il y avait un SDF en train de pisser dans les ronces. Eh oui, même un endroit aussi idyllique que Malente a ses chômeurs et ses RMIstes, et ses types qui engueulent les réverbères dans la zone piétonne.

— Cet homme est un mendiant, constata Joshua.

— Oui, tout à fait, répondis-je.

— Nous devons rompre le pain avec lui.

— Quoi ? m'écriai-je, surprise.

— Donnons-lui de notre pain, répéta Joshua.

Donner du pain ? pensai-je. On fait ça avec les canards !

Mais déjà, Joshua s'était levé et s'apprêtait à aller chercher l'homme, un gros type mal rasé, pour le

76

ramener à notre table. Ce rendez-vous menaçait sérieusement de virer au cauchemar.

— Il vaudrait mieux ne pas partager notre pain avec lui, fis-je d'une voix qui tendait à monter vers les aigus.

— Donne-moi une bonne raison à cela, répondit calmement Joshua.

— Euh…

Je cherchai un argument rationnel, mais n'en trouvai qu'un seul :

— Nous n'avons pas de pain, seulement des pizzas.

— Alors, nous partagerons les pizzas, dit-il en souriant.

Sur quoi il alla inviter le SDF à se joindre à nous.

Le clochard, qui se présenta sous le nom de Frank, devait avoir un peu moins de quarante ans, et sa conception du partage différait légèrement de la mienne : il s'appropria nos pizzas et nous laissa seulement les deux feuilles de salade noyées dans la vinaigrette. Tout en mangeant, il nous raconta qu'il sortait de prison, où il avait passé un an pour avoir braqué une boutique de télécoms parce qu'il n'avait plus d'argent.

— Pourquoi une boutique de télécoms et pas une banque ? voulus-je savoir.

— Je trouvais qu'ils le méritaient, avec leurs tarifs incompréhensibles.

On pouvait reprocher bien des choses à Frank, comme son peu d'intérêt pour les déodorants, mais il ne manquait pas de logique.

— Comment es-tu tombé dans la misère ? s'enquit Joshua lorsque Frank lui eut expliqué ce qu'était une boutique de télécoms.

En même temps, Joshua resservait un peu de vin au clochard. Il se montrait compatissant. Beaucoup trop à mon goût. Je me penchai vers lui et lui dis à voix basse :

— Et si on payait et qu'on fichait le camp d'ici ?

Joshua me fit bien comprendre que ce n'était pas le moment :

— Rompons encore le pain avec lui.

J'étais furieuse. Un type qui puait autant, j'avais bien envie de lui rompre d'autres choses.

Cependant, Frank continuait de répondre aux questions de Joshua :

— Je travaillais chez un assureur, mais j'ai perdu mon travail.

— Pourquoi ?

— J'ai arrêté d'y aller.

— Tu avais une raison pour cela ? demanda Joshua.

Frank hésita. C'était visiblement un souvenir douloureux.

— Tu peux t'exprimer tranquillement, dit Joshua de cette voix apaisante qui signifiait à l'autre : « Tu peux me faire confiance, tu ne risques rien. »

— Ma femme est morte dans un accident de voiture.

Mon Dieu ! pensai-je.

— Et c'était de ma faute.

Cette fois, j'eus pitié de Frank. Je lui resservis moi-même du vin.

Et à moi aussi, par la même occasion.

Frank commença à nous raconter combien il aimait Caroline, sa femme, et comment le terrible accident était arrivé. C'était la première fois qu'il en parlait aussi longuement. Ce soir-là, ils roulaient sur une route de campagne, se rendant à une fête entre amis. En sens inverse, un représentant de commerce faisait une manœuvre de dépassement. Les deux voitures s'étaient heurtées de front, Caroline avait été tuée sur le coup. Elle qui faisait tant de projets d'avenir ! Par exemple, elle venait tout juste de s'inscrire à un cours de danse du ventre.

J'essayai de comprendre :

— Tu conduisais trop vite ?

Frank fit non de la tête.

— Tu penses que tu aurais pu réagir autrement ? insistai-je.

De nouveau, il secoua la tête. J'avalai une gorgée de vin et demandai :

— Alors, pourquoi te sens-tu coupable ?

— Parce que… parce qu'elle est morte, et pas moi ! dit-il en se mettant à pleurer.

C'était la première fois qu'il parlait à quelqu'un de son sentiment de culpabilité, mais aussi qu'il pouvait donner libre cours à son chagrin. Joshua lui prit la main et le laissa pleurer un bon moment avant de demander :

— Ta femme était-elle une bonne personne ?

— La meilleure de toutes ! répondit Frank.

— Alors, tu l'es aussi, dit Joshua de sa voix douce et persuasive.

Frank cessa de pleurer et demanda, non sans humour :

— Et je dois sans doute renoncer à braquer des boutiques de télécoms ?

Joshua hocha la tête.

Repoussant son verre, Frank nous remercia chaleureusement, se leva et partit. On l'imaginait volontiers restant sobre pour quelque temps. Décidément, ce Joshua aurait pu se faire un maximum de fric en ouvrant une clinique de désintoxication à Beverly Hills !

— Il suffit parfois d'écouter un homme pour chasser ses démons, me dit-il en souriant.

Et, tout à coup, je trouvai ça très bien que nous ayons partagé notre pain.

13

En sortant du restaurant, nous marchâmes en silence le long du lac, en direction du centre-ville. À présent, le silence ne me dérangeait plus. Je contemplai le coucher du soleil avec Joshua. Sur le lac de Malente, il n'était pas aussi impressionnant qu'aux Baléares, mais il y avait tout de même de quoi passer quelques moments formidables.

Joshua me déconcertait : tantôt j'avais envie de m'enfuir à toutes jambes, tantôt je voulais juste entendre le son de sa voix. Parfois aussi, j'éprouvais une envie irrésistible de le toucher. Or, je ne savais pas s'il en avait envie lui aussi. Objectivement, il ne m'avait pas une seule fois donné l'occasion de le penser. Il ne m'avait jamais détaillée de haut en bas, n'avait rien tenté qui ressemble à du flirt. Mais pourquoi ? Étais-je si peu attirante ? Peut-être ne me trouvait-il pas assez bien pour lui ? Qu'est-ce que ce garçon s'imaginait ? Sur le marché du célibat, un charpentier n'était sûrement pas l'objet de toutes les convoitises !

— Pourquoi me regardes-tu avec cet air fâché ? demanda Joshua.

— Non, non, ce n'est rien, fis-je avec embarras. J'ai parfois l'air un peu contrariée, mais c'est juste mon expression naturelle.

— Pas du tout. Tu as l'air très gentille.

Il avait dit cela sans la moindre trace d'ironie. Il y avait d'ailleurs chez lui une absence d'ironie tout à fait inhabituelle. Je n'avais à aucun moment l'impression que ses actions ou ses attitudes puissent être affectées, étudiées ou calculées. S'il disait qu'il me trouvait l'air aimable, c'est qu'il le pensait. Était-ce un compliment ? En tout cas, ça valait beaucoup mieux que le leitmotiv de Sven : « Je t'aime jusqu'au dernier kilo ! »

Je souris. Joshua me sourit à son tour. Avec un peu de bonne volonté, on pouvait interpréter cela comme du flirt.

En flânant dans les rues du centre-ville, nous entendîmes des beuglements en provenance d'un bar, le Poco-Loco. Une horde d'amateurs de Wolfgang Petry braillait en chœur les paroles de sa chanson *Folie, pourquoi m'envoies-tu en enfer ?*

Joshua s'arrêta, l'air inquiet.

— Qu'est-ce qui se passe ? questionnai-je.

— Ce chant parle de Satan !

Sans me laisser le temps de répondre, il se précipita dans le bar, où je le suivis en hâte. Il y avait là une vingtaine de jeunes gens des deux sexes, genre employés de caisse d'épargne, assemblés devant une machine de karaoké. Les hommes avaient desserré leurs cravates, les femmes ôté leurs vestes de tailleur. Dans cette ambiance décontractée, tout le monde chantait et se balançait en rythme. C'était une soirée karaoké comme seuls peuvent en organiser des gens qui passent leurs journées à manipuler des formulaires de virement.

Mais Joshua était troublé. Cela ne lui plaisait pas du tout qu'on chante des paroles « diaboliques » en dansant autour de quelque chose.

— C'est comme s'ils dansaient autour du veau d'or ! dit-il.

— Il ne faut rien exagérer, grommelai-je. Ce n'est jamais qu'une machine de karaoké. Et Wolfgang Petry, d'accord, c'est l'enfer, mais pas plus que ça...

Tout de même, je me dirigeai vers l'employé de caisse d'épargne qui tenait le micro et tendis la main en disant :

— Vous permettez ?

Le mec, du genre commercial classique avec gel sur les cheveux, était encore en train de réfléchir à ce qu'il devait répondre que je lui avais déjà arraché le micro et l'avais collé dans la main de Joshua :

— Que voudrais-tu chanter ?

Il hésita, ne comprenant pas bien ce que j'attendais de lui.

— C'est pour se faire plaisir ! l'encourageai-je. Quelles sont tes chansons préférées ?

Après réflexion, Joshua se décida :

— J'aime particulièrement les psaumes du roi David.

Je jetai un coup d'œil sur le programme proposé par la machine.

— Bon, je te mets *La Bamba* !

J'appuyai sur la touche, la machine démarra, mais Joshua avait du mal à prendre le rythme, malgré ses efforts – car il essayait visiblement de me faire plaisir. Il suivit sans enthousiasme pendant un petit moment, mais, arrivé au passage où il fallait chanter « *Soy capitán, soy capitán* », il posa le micro. Ce n'était vraiment pas son truc. Non seulement j'avais tapé à côté, mais je regrettais de lui avoir infligé cette épreuve.

Le type aux cheveux gominés s'approcha de moi et demanda :

— Ça y est, vous avez fini de casser l'ambiance ?

Ne voyant autour de moi que des visages d'employés de caisse d'épargne énervés, je confirmai :

— Apparemment, oui.

J'allais rendre le micro, quand Joshua intervint :

— J'aimerais bien chanter. Peut-être y a-t-il des choses un peu plus méditatives dans cette machine ?

— On ne veut pas de méditation ! s'écria le type. On veut *99 Luftballons* !

Joshua semblait avoir réellement l'intention de chanter. Peut-être pour ne pas me décevoir. D'une certaine manière, c'était émouvant.

Alors, je pris à part le type de la caisse d'épargne et lui murmurai :

— Laisse-le chanter, ou je te donne un coup de pied dans tes ballons à toi, et il n'en restera plus que 97 !

Intimidé, le type répondit :

— D'un autre côté, une chanson un peu calme ne peut pas nous faire de mal. Ça nous changera.

Je retournai à la machine et cherchai un moment dans la liste avant de tomber sur un morceau de Xavier Naidoo, notre grand chanteur catho. Joshua prit le micro et, de sa voix merveilleuse, se mit à chanter *Ce chemin* :

— Ce chemin sera malaisé / Oui, il est long et rocailleux / Ils seront peu à t'approuver / Mais cette vie vaut tellement mieux...

À la fin, la moitié de la caisse d'épargne de Malente était en larmes.

Tout le monde se mit à crier :

— Encore, encore, encore !

Une mignonne jeune femme s'approcha de Joshua pour faire une proposition :

— Vous connaissez *We Will Rock You* ?

— Est-ce une chanson sur une lapidation ? demanda Joshua, déconcerté.

Mais pas moitié autant que la jeune femme et moi.

Je passai de nouveau en revue le catalogue de la machine et n'y trouvai que des chansons selon moi tout à fait inappropriées, comme *Do You Think I'm Sexy*, *Bad*, ou encore cette chanson du groupe Les Princes qui parle d'un chien gay… Alors, je dis à Joshua :

— Je crois que nous pouvons nous en aller.

Mais les gens de la caisse d'épargne, fascinés, ne voulaient plus le laisser partir. Joshua demanda à la foule :

— Puis-je vous chanter un psaume ?

— Je ne sais pas ce que c'est, mais d'accord, répondit le gominé.

Et Joshua lui montra ce que c'était. Il avait choisi – apparemment d'instinct – un magnifique psaume parfait pour des banquiers, puisqu'il contenait ces vers : « Aux richesses, quand elles s'accroissent, n'attachez pas votre cœur ! »

Quand ce fut fini, les gens de la caisse d'épargne applaudirent avec enthousiasme, criant « Bravo ! », « Encore ! », et « Une autre, une autre ! ».

Joshua chanta donc un autre psaume, puis, sous les encouragements, un autre encore. Et un autre. Huit au total, jusqu'à la fermeture du bar. Profondément ému, le patron refusa de nous faire payer le vin – même les gens de la caisse d'épargne avaient laissé tomber les caïpirinhas pour le vin rouge –, et tout le monde prit congé après avoir remercié Joshua. En regardant partir ces employés inspirés, je me dis qu'on allait accorder les crédits à la consommation très généreusement le lendemain à la caisse d'épargne de Malente.

Joshua me raccompagna chez mon père. J'étais à la fois d'excellente humeur et ivre de musique. Avec cet homme, j'avais bu comme cela ne m'était pas arrivé depuis longtemps (quant à lui, on aurait pu croire qu'il était à jeun : avait-il une telle habitude de boire, ou était-ce seulement une question de métabolisme ?). C'était aussi, à coup sûr, la soirée la plus étonnante que j'aie jamais passée avec un homme, si on excepte le jour où, dans un hôtel bondé des Baléares, Sven m'avait déclaré que, pour une nuit, nous pouvions bien partager une chambre avec sa mère.

Joshua avait l'art d'émouvoir les gens. Moi aussi, il m'émouvait. Mais je n'étais absolument pas sûre que ce fût réciproque. Il n'avait toujours pas eu un seul regard pour mes seins. Et s'il était gay ? Ça pouvait expliquer que ce soit un mec aussi chouette.

— J'ai passé une soirée merveilleuse, dit Joshua avec un sourire.

Ah ? Peut-être lui plaisais-je quand même ?

— J'ai mangé, j'ai chanté, et surtout, j'ai ri ! poursuivit-il. Cela faisait longtemps que je n'avais pas connu une aussi belle soirée sur cette terre. Et c'est à toi que je le dois, Marie. Merci !

Ses yeux fantastiques étaient pleins de gratitude. On aurait vraiment cru qu'il ne s'était pas autant amusé depuis des lustres.

On pouvait aussi interpréter cela comme de l'intérêt pour moi, si on le voulait bien. Et je le voulais, ça oui ! Mes jambes flageolaient tellement que j'avais l'impression que mes genoux dansaient le charleston.

— Veux-tu monter là-haut avec moi ? proposai-je sans réfléchir.

Aussitôt après, je me demandai avec effroi quel tour m'avait joué mon subconscient : voulais-je coucher avec cet homme ?

— Monter là-haut ? Pour quoi faire ? questionna Joshua en toute innocence.

Non, je n'avais pas le droit de le mettre dans mon lit. C'était mal, pour un tas de raisons : à cause de Sven, à cause de Sven, et à cause de Sven. Un peu aussi à cause de Kata, qui ne manquerait pas de me taquiner à propos d'outils pendant les quelques années à venir.

— Marie ?

— Oui ?

— Je t'ai posé une question.

— Oui, c'est vrai, confirmai-je.

— Vas-tu me donner une réponse ?

— Bien sûr !

Silence.

— Marie ?

— Oui ?

— Tu devais me donner une réponse.

— Euh… oui, c'était quoi déjà, la question ?

— Pourquoi je devais t'accompagner là-haut, répéta calmement Joshua.

Il semblait ne pas en avoir la moindre idée. C'était vraiment dingue. Il était si innocent ! D'une certaine manière, cela le rendait encore dix fois plus séduisant.

Mais, s'il n'avait aucune idée de ce que je voulais faire là-haut avec lui, je pouvais donc m'en tirer à bon compte, éviter de commettre déjà l'irréparable. Ou, pire, de me prendre un râteau.

Il devait être facile de tourner la chose de manière à l'atténuer un peu. Je n'avais qu'à éviter, malgré le vin qui me tournait la tête, de prononcer des paroles compromettantes du genre « prendre un café ».

— Que veux-tu faire avec moi ? questionna à nouveau Joshua.

— Limer.

— Limer ?

Putain de vin rouge !

— Euh… je voulais dire, lamer.

— Lamer ?

— Oui, fis-je avec un sourire qui devait avoir tout de la grimace.

— Qu'est-ce que ça veut dire ?

Mon Dieu, si je le savais moi-même !

— Je… enfin… je voulais bien dire limer… réparer la charpente ! m'empressai-je d'expliquer.

— Tu voudrais que nous travaillions ensemble à la charpente ?

— Oui ! fis-je, tout heureuse d'avoir réussi à négocier le virage.

— Mais, à cette heure-ci, nous allons réveiller ton père et ta sœur, argumenta Joshua.

— Très juste. Il vaut donc mieux laisser tomber ! m'écriai-je, à la fois soulagée et un peu affolée.

Joshua me regarda avec perplexité. Je lui souris avec embarras. Alors, il dit :

— Très bien. Dans ce cas, nous limerons ensemble demain.

— J'ai tout entendu ! lança derrière nous une voix aussi agressive que pâteuse.

Je me retournai et, de derrière le prunier qui borde le grand jardin devant notre maison, je vis sortir Sven. M'avait-il attendue là pendant toute la soirée ? Complètement ivre, enragé et furieux, il faisait peur à voir.

— Tu m'as trompé ! cria-t-il.

— Pas du tout, dis-je.

— Non, bien sûr que non, persifla-t-il avec amertume. Je parie que, pendant tout ce temps-là, tu fricotais déjà avec ce macaque à poil long !

Joshua s'interposa entre nous :

— Ami, dit-il calmement, n'élève pas la voix contre Marie.

— Fous le camp, hippie, ou je t'arrange le portrait ! menaça Sven.

— Ne fais pas cela, l'exhorta doucement Joshua.

Mais déjà, Sven lui envoyait une gifle en pleine figure.

— Mon Dieu ! m'écriai-je en regardant Joshua.

Il se tenait la joue. Sven avait dû frapper très fort.

— Viens te battre si t'es un homme ! hurla Sven.

Mais Joshua ne bougea pas, ne fit pas un seul geste. Il aurait certainement pu étriller Sven : il avait l'air bien plus baraqué que lui. Sans compter que Sven était complètement ivre. Pourtant, Joshua ne paraissait absolument pas disposé à répondre à la provocation.

— Je ne me battrai pas avec toi, mon am…

— Je ne suis pas ton ami !

Sven frappa de nouveau, cette fois avec le poing.

Joshua poussa un gémissement. Ça avait dû faire très mal.

— Défends-toi ! le défia Sven.

Mais Joshua restait devant lui, sans esquisser le moindre geste agressif, tel un Gandhi du pauvre. Alors que Sven, lui, n'hésitait pas à frapper encore. Cette fois, Joshua alla au tapis. Sven se jeta sur lui et se mit à lui taper dessus à bras raccourcis en criant :

— Défends-toi, espèce de lavette !

Paniquée, je pensai : « Oui, Joshua, défends-toi ! Ne te laisse pas faire comme ça ! »

Mais il ne rendait pas les coups, et Sven continuait à frapper. N'y tenant plus, je saisis Sven par le col et l'écartai de Joshua en hurlant :

— Arrête ça tout de suite !

Sven me regarda avec fureur, me soufflant à la figure son haleine alcoolisée. Un court instant, je crus qu'il allait me frapper moi aussi. Mais non. Il lâcha Joshua et, avant de tourner les talons, me lança :

— Je ne veux plus jamais te revoir.

Tandis qu'il s'éloignait, je lui criai de toutes mes forces :

— Pour ça, pas de problème !

Puis je regardai Joshua, qui se redressait, la lèvre fendue. Ma conscience me tourmentait. Après tout, c'était à cause de moi que Sven était dans une telle rage. Mais j'en voulais aussi à Joshua : s'il s'était un tant soit peu défendu, il ne se serait certainement pas retrouvé dans cet état, et je ne me serais pas sentie aussi coupable !

— Pourquoi l'as-tu laissé faire ? demandai-je, partagée entre la colère et le remords.

— Si quelqu'un te frappe sur la joue, tends-lui l'autre joue, répondit paisiblement Joshua.

Cette fois, j'étais vraiment fâchée :

— Mais tu te prends pour qui ? Pour Jésus ? dis-je d'une voix pleine de reproche.

Joshua se releva. Il tremblait. Il me regarda droit dans les yeux et dit enfin :

— Oui, c'est moi.

14

— Scotty !!!! Sors-nous de là, vite ! s'écria Kirk.

— Mais, capitaine…

— Il n'y a pas de mais ! Il se prend réellement pour Jésus !

— On ne peut pas se défiler comme ça.

— Pourquoi ? demanda le capitaine, sur le point de craquer.

— Parce qu'il est blessé, dit Scotty.

Kirk réfléchit : Scotty avait raison, on ne pouvait pas laisser Joshua seul dans l'état où il était. Mais tout ça ne lui disait rien qui vaille.

— Scotty ?

— Oui, capitaine ?

— Il y a une chose que je voulais te dire depuis longtemps.

— Laquelle ?

— Tu m'énerves !

Joshua tenait à peine sur ses jambes, sa lèvre saignait encore. Pourtant, il restait très calme.

— Tu veux sans doute savoir pourquoi je suis ici ? me demanda-t-il.

Non, je ne voulais pas ! Ça ne m'intéressait absolument pas de savoir de quelle bande de cinglés il sortait !

— Surtout, ne parle pas, dis-je. Il faut te ménager. Je te raccompagne chez Gabriel.

— Ce n'est pas nécessaire, je peux y aller seul, répondit Joshua.

J'espérai que c'était vrai, parce que j'étais pressée de le voir partir.

Mais, pas de chance, il ne fit pas plus de deux pas avant de s'écrouler. Sven l'avait frappé plus fort que je ne pensais. Je dus le soutenir tout le long du chemin jusqu'au presbytère.

À peine arrivé, Joshua recommença :

— Je suis venu sur terre parce que…

— Chut ! fis-je simplement.

Je ne voulais plus rien entendre. Il y avait déjà un tas d'histoires dingues dans ma vie. Les siennes par-dessus le marché, c'était trop.

Je sonnai à la porte du presbytère. Gabriel vint ouvrir – en maillot de corps à fines côtes, un spectacle dont je me serais aisément passée.

Mais Gabriel ne s'intéressait absolument pas à moi. Il était bien trop choqué de voir Joshua dans un tel état.

— Qu'est-ce que tu lui as fait ? me demanda-t-il simplement.

— Oh, je lui ai juste expédié un bon crochet du gauche à la douzième reprise, répliquai-je, agacée.

— C'est pas le moment de faire des remarques spirituelles, dit Gabriel d'un ton infiniment plus sévère que celui des cours de catéchisme.

Alors, je lui racontai ce qui s'était passé. Le regard furibond, il m'attira à l'écart et marmonna entre ses dents :

— Maintenant, tu vas le laisser tranquille !

— Avec grand, grand, grand, grand plaisir !!! répliquai-je sur le même ton.

Prenant Joshua par le bras pour le soutenir, Gabriel le fit entrer dans la maison. C'est à ce moment-là seulement que je remarquai trois choses vraiment bizarres. D'abord, Gabriel traitait Joshua avec autant d'égards qu'un serviteur son maître. Ensuite, il y avait dans le dos de Gabriel deux énormes cicatrices. Enfin, d'une pièce du fond, j'entendis une voix crier : « Qu'est-ce qui se passe ? », et cette voix ressemblait furieusement à celle de ma mère !

À peine Gabriel avait-il refermé la porte que je courais à une fenêtre pour regarder à l'intérieur. Et c'était vrai : ma mère était là. En petite culotte et soutien-gorge.

Cette fois, j'étais tout à fait dégrisée.

15

Pendant ce temps-là…

Gabriel emmena Joshua jusqu'à la chambre d'amis et pansa ses blessures. Soucieux, il resta près de son lit à le veiller jusqu'à ce qu'il fût endormi. Mais qu'était donc allé faire le Messie avec cette Marie ? Faute de trouver une réponse plausible à cette question, Gabriel finit par rejoindre la mère de Marie, qui l'attendait, pelotonnée dans son lit. L'ancien ange avait peine à y croire : pendant des décennies, il avait désiré cette union entre eux, et son rêve s'était enfin réalisé ! Malgré lui, il sourit. Les anges savent depuis toujours que Dieu a un sens de l'humour peu commun, mais ce n'était qu'à présent que Gabriel en percevait toute l'étendue : que les êtres humains se reproduisent selon le principe de la scie, c'était tout de même une jolie plaisanterie de la part du Tout-Puissant.

Et aussi une merveilleuse idée.

Dommage que le monde touche à sa fin, et que les chances d'entrer au royaume des cieux soient si proches du zéro pour la bien-aimée de Gabriel. Il avait bien essayé de convertir Silvia, mais, quand il lui avait tendu la Bible, elle l'avait simplement reposée sur la table de nuit et s'était mise à lui mordiller le lobe de l'oreille. Sur quoi il avait carrément oublié son désir de la convertir.

D'ailleurs, même s'il réussissait à faire entrer son grand amour au royaume des cieux, il doutait qu'on y ait prévu la pratique de ce merveilleux mécanisme de la scie.

— Pourquoi as-tu cet air soucieux ? questionna la mère de Marie.

Gabriel lui assura que tout allait bien et l'embrassa.

— Ça a quelque chose à voir avec le charpentier ? insista Silvia.

En bonne psychologue, elle ne laissait pas facilement tomber.

Gabriel réfléchissait. Il ne pouvait pas tout lui dévoiler. Il ne pouvait pas lui dire qu'avant son grand retour à Jérusalem pour le dernier combat du Bien contre le Mal, Jésus avait voulu vivre encore une fois parmi les hommes pour y exercer son cher métier de charpentier, et que si, pour cela, le Messie était venu chez lui, Gabriel, c'était parce qu'il était l'ange que Jésus aimait le plus, que lui, Gabriel, avait bien prévenu Jésus que les temps avaient beaucoup changé et qu'il ne trouverait peut-être pas ça si agréable d'être de nouveau parmi les hommes, mais que le Messie était un garçon très obstiné, qu'il était très difficile de le faire changer d'avis une fois qu'il s'était mis une idée en tête (les rabbins du Temple s'étaient assez lamentés à ce sujet). Et Gabriel pouvait encore moins révéler à Silvia que, ce soir-là, Jésus avait eu rendez-vous avec sa fille, entre toutes les femmes.

Mais qu'attendait-il donc de Marie ?

— Alors, cette réponse, c'est pour aujourd'hui ou pour demain ? dit Silvia.

Il se tourna vers elle.

— *Le charpentier est un grand homme,* déclara-t-il simplement.

La mère de Marie sourit d'un air entendu :

— *Pour la taille, tu ne crains personne !*

Gabriel rougit. Une chose était claire : le peu de jours que le monde avait encore à vivre sous sa forme actuelle ne lui suffirait pas pour s'habituer aux remarques scabreuses de Silvia sur son organe scieur.

Elle recommença à l'embrasser. Elle s'intéressait à ses problèmes, bien sûr, mais cela faisait si longtemps qu'elle n'avait pas eu d'homme auprès d'elle ! La séance de psy attendrait.

Cependant, Gabriel répondait à ses cajoleries avec moins de conviction. Il était inquiet pour Joshua. Sa tâche était immense. Il devait fonder le royaume de Dieu sur terre. Nul n'avait le droit de le gêner dans cette œuvre. D'un autre côté, une personne aussi ordinaire que Marie n'était tout de même pas capable de jeter du sable dans l'engrenage de la fin des temps ! Ou alors...

16

Complètement sonnée, je rentrai chez mon père et tombai sur Svetlana, pieds nus, en peignoir de bain. En pleine nuit, elle buvait un petit café, appuyée contre l'évier de la cuisine. Je vis comme si j'avais assisté à la scène qu'elle venait de coucher avec mon père... J'aurais préféré avoir moins d'imagination !

— Qu'est-ce que c'était que ce bruit, dehors ? s'enquit Svetlana. On aurait dit une bagarre.

Elle parlait vraiment très bien l'allemand. Elle prétendait l'avoir étudié, mais ce devait être à l'université biélorusse des arts appliqués, section escroquerie au mariage.

J'étais folle de rage. Est-ce que ça la regardait, d'où ce bruit venait ? Je n'avais rien à lui dire ! Pourquoi n'était-elle pas restée à Minsk ? Pourquoi ce crétin de rideau de fer était-il tombé ? Si on ne pouvait plus compter sur les régimes totalitaires, juste au moment où on avait besoin d'eux !

— Laisse-moi tranquille, dis-je. Et ne te promène pas dans la maison en petite tenue.

Svetlana me jeta un regard courroucé. Je soutins son regard – avec un peu de chance, j'arriverais à lui faire détourner les yeux ! Superman, lui, l'aurait carrément réduite en cendres.

— Tu es très impolie, reprit-elle. J'aimerais que tu changes d'attitude envers moi.

— D'accord ! Je serai encore plus impolie, avec plaisir !

— Tu veux que je m'en aille, constata-t-elle.

— Oh, pas forcément. Une combustion spontanée m'irait tout aussi bien.

— Que tu le croies ou non, j'aime ton père.

— Bien sûr ! D'autant que ça fait déjà trois semaines que tu le connais, persiflai-je.

— Il suffit parfois d'un instant pour tomber amoureux, répliqua-t-elle.

Pourquoi, en cet instant, l'image de Joshua me traversa-t-elle l'esprit ? Je me hâtai de chasser cette pensée pour revenir à la charge :

— Tu es passée par une agence de rencontres, uniquement pour trouver un homme qui t'emmènerait à l'Ouest.

— Oui, et je remercie Dieu de m'avoir permis de tomber sur un homme tel que ton père. Il est vraiment merveilleux.

Je soufflai avec mépris.

— Et il sera un père formidable pour ma fille.

— Ta quoi ? sursautai-je.

— Ma fille.

— Ta quoi ?

— Ma fille. Pour le moment, elle est encore chez sa grand-mère, à Minsk.

— Ta quoi ?

— Tu aimes te répéter.

— Ta quoi ?

— C'est bien ce que je disais.

Ça dépassait tout ce que je pouvais imaginer : mon père allait aussi casquer pour sa mioche !

— Ma mère prend l'avion pour Hambourg aujourd'hui avec la petite.

— La grand-mère va venir habiter ici aussi ?

— N'aie pas peur, elle repartira pour Minsk par le premier vol.

— Vous faites vraiment des économies !

— La petite n'a pas le droit de voyager seule. Et ma mère n'a pu prendre qu'un jour de congé, elle travaille dans une administration.

— Et qui paie le voyage ?

— À ton avis ? répondit Svetlana avec un soupçon de tristesse dans la voix.

— Tu es vraiment la dernière des dernières, murmurai-je.

— Tu ne sais absolument rien de ma vie ! Et tu n'as pas le droit de me juger.

— Mais si, j'ai le droit. Il s'agit de mon père ! dis-je en m'efforçant de rendre mon regard aussi menaçant que possible.

Svetlana inspira profondément. Puis, avec un calme remarquable, elle prononça ces paroles :

— Je comprends que tu t'inquiètes pour ton père. Mais je ne lui ferai jamais autant de mal que tu n'en as fait à ton fiancé.

J'avalai ma salive. Qu'est-ce que je pouvais répondre à ça ? Svetlana allait sortir de la cuisine. Sur le pas de la porte, elle se retourna vers moi et dit :

— Ne jugez pas, si vous ne voulez pas être jugés.

Je la regardai partir. Avec une grande envie de la tuer.

Qu'est-ce que j'allais faire maintenant ? Boire un café moi aussi ? Après une telle soirée, même la caféine pouvait me calmer. C'est alors que, sur la table de la cuisine, j'aperçus le carnet de croquis de Kata. Elle avait dessiné un nouveau strip qui changea instantanément le cours de mes pensées.

Je reposai la BD de Kata. Était-ce la vérité ? Tombais-je réellement toujours amoureuse de l'homme qu'il ne fallait pas ?

Dans mon lit, tout en regardant fixement – pour changer un peu – la tache au plafond, je repensai aux hommes qui avaient traversé ma vie : Kevin, le peloteur, Marc, l'infidèle, et surtout Sven. Je n'aurais jamais cru qu'il puisse devenir aussi violent. J'avais beau éprouver du remords d'avoir été l'élément déclencheur de ce passage à l'acte, je me sentais tout à coup très heureuse de l'avoir échappé belle au pied de l'autel.

Joshua, lui, ne ressemblait à aucun autre. Il était doux, altruiste, humain… Et il chantait si bien ! C'était vraiment dommage qu'il ait le cerveau un peu fêlé.

J'étais tout de même curieuse de savoir de quel genre de fêlure il s'agissait. J'empruntai l'ordinateur portable de mon père et, en cherchant sur le Web, trouvai deux articles concernant des types qui se prenaient pour Jésus. Le premier était vraiment marteau. Son rêve ne s'était brisé que le jour où, pour prouver ses facultés divines, il avait sauté du toit d'un garage. L'autre était un prêtre de Los Angeles qui affirmait être Jésus, grâce à quoi il avait déjà soutiré quelques centaines de millions de dollars à ses disciples. Devant ce gourou sans scrupules, on avait plutôt envie de dire : « Hé, si on le crucifiait, pour voir s'il est vraiment Jésus ? » Joshua n'était certainement pas du genre exploiteur. C'était donc plutôt un membre de la fraction des garages. Qu'est-ce qui avait bien pu le faire dérailler comme ça ? Peut-être la mort de son ex ?

Pour un charpentier qui avait une araignée au plafond, je pensais décidément beaucoup trop à lui.

Une fois recouchée et la lumière éteinte, je décidai de penser à autre chose qu'à Joshua… à sa voix merveilleuse… à son rire fantastique… à ses gestes fascinants… et à ces yeux… ces yeux… ces… Et merde !

Je tâchai de penser à quelqu'un d'autre. Un chouette mec, n'importe lequel. Tiens, George Clooney, par exemple – excellente idée : le meilleur acteur du monde connu... il n'avait quand même pas un aussi chouette rire que Joshua... ni des yeux aussi fantastiques... et ces yeux...

Mon Dieu ! Même George Clooney ne pouvait pas m'empêcher de penser à Joshua !

Je n'avais plus qu'une solution : penser à Marc. Après tout, c'était à cause de mon vieux reste de sentiments pour lui que j'avais laissé Sven en plan devant l'autel. Je pensai donc à Marc... le beau Marc... et son charme... tout de même pas comparable à celui de Joshua... car Joshua avait un rayonnement fantastique... et puis, lui au moins était bon... sa voix était bien plus chouette... et ces yeux... ces yeux... yeux... yeux... yeux...

Oh, non ! Joshua était un cinglé, mais même Marc n'arrivait pas à le déloger de mon esprit. Ma sœur avait raison : quand il s'agissait de tomber amoureuse de l'homme qu'il ne fallait pas, j'étais la championne toutes catégories.

17

— Jésus ?!?

Kata riait comme une baleine à la table du petit déjeuner. Quelle idée j'avais eue de lui raconter mon rendez-vous de la veille ! Au bout d'une longue minute, elle se calma enfin et me dit soudain, l'air grave :

— Tu as fait un test de grossesse ?

— Je n'ai pas couché avec lui ! répondis-je, furieuse.

— Mais tu oublies l'Immaculée Conception ! dit Kata avant de repartir d'un rire convulsif.

Je lui lançai un petit pain. Puis une cuillère. Puis un coquetier. Elle ne cessa de rire que quand je pris le pot de confiture.

— C'est pas drôle, boudai-je.

— Non, non, bien sûr, pouffa-t-elle – et c'était reparti.

Quand elle fut enfin calmée, elle tendit la main vers un petit pain, et ses traits se crispèrent. Le mal de tête lancinant était revenu.

— Cette fois, ce n'est pas le vin, observai-je avec inquiétude.

— Mais si, protesta-t-elle un peu trop vigoureusement.

— Quand a lieu ton prochain contrôle de routine ?

— Dans trois semaines.

— Tu ne peux pas le faire avancer ?

— Ce n'est rien, je t'assure.

— Et si ce n'est pas rien ?

Je me faisais vraiment du souci pour elle.

— Dans ce cas, dit-elle avec un sourire, ton Jésus me guérira miraculeusement.

Je lui jetai un autre petit pain à la tête.

C'est alors qu'on sonna à la porte d'entrée. Nous regardâmes par la fenêtre de la cuisine : c'était Joshua, sa boîte à outils à la main.

— Quand on parle du Messie… plaisanta Kata tout en sirotant son café.

— Vais-je passer le reste de la journée à entendre des blagues à propos de Jésus ? demandai-je.

— Tu en verras même quelques-unes dans mon prochain strip, dit Kata.

On sonna à nouveau.

— Tu ne vas pas ouvrir au fils de Dieu ?

— Non, je préfère taper sur les filles d'urologues ! répliquai-je avec un sourire mi-figue mi-raisin.

— Toute cette colère déplairait beaucoup à Jésus, dit Kata d'un ton réprobateur.

Et elle me prit des mains *Le Courrier de Malente* – ça me rappelait que je n'avais plus que cinq jours de congé –, me laissant le soin d'aller ouvrir. Il est vrai que papa ne pouvait pas le faire : il était parti avec Svetlana chercher la gamine à l'aéroport de Hambourg. Je me levai en soupirant et me dirigeai vers la porte d'entrée.

La vue de Joshua me stupéfia : il ne portait plus la moindre trace de blessure. Pas d'œil au beurre noir, pas de lèvre enflée, pas la moindre égratignure.

— Bonjour, Marie.

Il paraissait très content de me voir. Et, devant son sourire joyeux, je sentis de nouveau mes jambes flageoler.

— Eh bien, je suis prêt à limer avec toi ! reprit-il gaiement.

J'entendis Kata éclater de rire dans la cuisine. Je me hâtai de fermer la porte.

— Je ne suis pas sûre que ce soit une si bonne idée, dis-je.

— Tu ne crois pas que je suis Jésus, constata-t-il.

N'aurait-il pas pu dire tout simplement : « Écoute, ce numéro de Jésus, je sais que c'était une blague idiote. J'ai fait ça uniquement parce que je suis un petit rigolo » ?

J'aurais pu m'en accommoder. On pouvait toujours envisager un avenir commun sur une telle base.

— Tu manques de foi, constata objectivement Joshua.

Et toi, tu as besoin d'une bonne camisole, pensai-je.

— Écoute, dis-je, agacée, si tu es vraiment Jésus, tu n'as qu'à sauter du toit d'un garage.

— Pardon ? fit-il, légèrement surpris malgré tout.

— Ou changer l'eau en vin, ou marcher sur le lac, ou changer le lac en vin, ce qui ferait très plaisir aux gens. Ou alors, suggérai-je, fais quelque chose pour que les édulcorants aient meilleur goût.

— Je crois que tu ne comprends pas la raison des miracles, répondit Joshua d'une voix sévère.

Et, réprimant sa colère, il passa devant moi pour se diriger vers l'escalier.

Qu'est-ce qu'il se croyait, pour me sermonner comme ça ? Lui aussi, j'aurais voulu lui jeter un pot de confiture à la tête. Et, tout de suite après, j'aurais léché la confiture sur son corps.

Aïe ! À sa vue, mes hormones avaient recommencé à battre la campagne.

Devais-je monter l'escalier à sa suite ? Ou plutôt me tenir à distance ? Et faire des choses aussi idiotes que remettre de l'ordre dans ma vie ? Ou peut-être réfléchir à une nouvelle carrière – tout ça pour découvrir à l'épreuve des faits qu'avec mes qualifications, je ne pouvais pas prétendre à mieux ?

Je choisis la solution la plus simple : aller traîner chez un ami.

Michi tenait une vidéothèque, sa vie amoureuse était aussi catastrophique que la mienne, et, avant de rencontrer Sven, je passais pratiquement toutes mes soirées avec lui. Après la fermeture de son magasin, vers 21 heures (très tard pour les habitudes nocturnes des Malentois), nous partagions souvent un petit repas équilibré – pizza livrée à domicile, chips et Coca light – en regardant des DVD que nous commentions non-stop :

« Ça y est, Leonardo est complètement gelé.

— Ah, s'il n'avait pas gagné ce voyage sur le *Titanic* !

— Regarde ! Kate le lâche, maintenant…

— … et il s'enfonce dans la mer glaciale.

— Je crois que le message de *Titanic*, c'est : Il faut parfois aussi savoir lâcher prise. »

Tout en sirotant un café au comptoir de la vidéothèque, je racontai à Michi, qui était très calé sur la Bible, ce que je savais de Joshua. Je lui cachai seulement quelques menus détails, comme le fait que je nourrissais de tendres sentiments pour le charpentier.

Michi m'apprit que les belles paroles de Joshua au bord du lac, sur le thème « Vis sans te soucier de rien », avaient déjà été prononcées par Jésus dans la Bible. Il m'expliqua aussi que Jésus était la traduction latine du nom hébreu Jehoshua, dont Joshua était la version anglo-saxonne moderne.

— Pour un cinglé, ton charpentier est drôlement bien informé, dit Michi en connaisseur.

— C'est donc un cinglé professionnel, conclus-je.

— Exactement. Et les professionnels sont toujours dignes d'admiration.

Je soupirai, ce qui provoqua cette question étonnée de Michi :

— Tu n'aurais pas un faible pour lui, par hasard ?

— Mais non, pas du tout, répondis-je en fixant obstinément le boîtier d'une cassette vidéo.

— Depuis quand tu t'intéresses au porno ? demanda Michi.

Je lâchai aussitôt la boîte, en essayant de ne pas penser au genre d'homme qui avait tenu en main cette boîte, et après quels actes.

— Tu en pinces vraiment pour ce charpentier, constata Michi.

— Suis-je aussi transparente que ça ?

— Qu'est-ce que tu as envie d'entendre ?

— Mens-moi.

— Tu n'es absolument pas transparente, commença Michi. Au contraire, tu es une femme pleine de mystère, dont les pensées sont aussi difficiles à deviner que celles de Mata Hari. Que dis-je ! Auprès de toi, Mata Hari était une vraie lavette !

— Menteur… Ah, qu'est-ce que j'aimerais ne pas être aussi transparente !

Michi essaya de me consoler :

— Il y a pire. Par exemple, être seul au monde.

— Mais je le suis aussi ! gémis-je.

— Non, tu n'es pas seule, dit Michi en me prenant dans ses bras.

Avec lui, je me sentais comme avec un frère, et j'étais comme une sœur pour lui (même si Kata prétendait qu'il fallait plutôt dire : comme une sœur avec qui on aimerait avoir une relation incestueuse).

— Si tu éprouves quelque chose pour ce Joshua, il faut savoir si c'est vraiment un malade mental ou s'il fait seulement semblant, quelle qu'en soit la raison, dit Michi.

— Mais comment faire ? Cambrioler sa caisse d'assurance maladie pour avoir son dossier ?

Michi sourit.

— Ça, ou interroger le pasteur Gabriel. Il doit bien le connaître.

— Tu as raison. Mais j'aurais préféré voler son dossier à la Sécu, soupirai-je.

Devant le presbytère, je rencontrai ma mère, qui en sortait en sifflotant gaiement. Elle paraissait très contente, et je réalisai tout à coup qu'en ce moment, tant ma mère que mon père avaient une vie sexuelle nettement plus agitée que la mienne. Un constat qui pouvait plonger dans la dépression des trentenaires aux nerfs plus solides que les miens. Maman me demanda avec un sourire :

— Comment ça va, Marie ?

— Je me suis déjà marrée davantage…

J'hésitais à l'interroger au sujet de sa relation avec Gabriel. Ça risquait encore de finir en dispute. Comme chaque fois que je lui avais posé des questions sur ses amants. Mon Dieu, pourquoi mes parents ne pouvaient-ils pas faire comme tous les autres couples de leur âge : s'ennuyer ensemble sur le canapé ?

— Tu te demandes sans doute pourquoi j'étais chez Gabriel. Et tu as le droit de le savoir.

Je n'étais pas certaine d'avoir envie d'user de ce droit. Mais, à l'idée de me retrouver un jour avec Svetlana comme belle-mère et peut-être Gabriel comme beau-père, je posai tout de même la question :

— Oui, qu'est-ce que tu faisais chez Gabriel ?

— « *Girls just wanna have fun* », chantonna ma mère en guise de réponse.

— La dernière fois que tu as été une *girl*, c'était pendant le dernier millénaire, fis-je, agacée.

— Toi aussi ! répliqua-t-elle.

— La conversation devient un peu ennuyeuse, grommelai-je et je voulus passer, mais elle me barra le chemin.

— Si tu as besoin d'aide… commença-t-elle.

— Je n'irai sûrement pas m'allonger sur ton divan ! la coupai-je.

— Mais c'est moi qui suis la cause de tous tes problèmes, parce que j'ai divorcé de ton père.

Je hochai la tête : j'étais absolument d'accord avec ce résumé de la situation.

— Tu sais, Marie, on finit toujours par arriver à un âge où il faut cesser de rendre ses parents responsables de tout. Et là, il faut commencer à prendre sa vie en main.

— Et c'est à quel âge exactement ? fis-je, sarcastique.

— Oh, vers vingt et un ou vingt-deux ans, dit-elle en souriant.

Puis elle ajouta, pour faire bonne mesure :

— Mais si jamais tu as besoin d'une aide psychologique, je peux t'indiquer l'adresse d'un bon thérapeute.

Je la regardai s'éloigner. Avec son arrogance, elle avait encore réussi à me mettre dans une telle fureur que j'avais surtout envie qu'on me donne l'adresse d'un bon tueur à gages.

En entrant dans le bureau de Gabriel, je jetai un nouveau coup d'œil à la reproduction de la Cène, pour constater qu'effectivement, Jésus avait une certaine ressemblance avec Joshua, peut-être même davantage qu'avec un des Bee Gees. C'était assez dérangeant. Gabriel, pour une raison que j'ignorais, était occupé à rayer de son agenda tous ses rendez-vous de la semaine suivante. Sans lever les yeux, il me dit :

— Alors, tu veux encore te marier ?

Après trente ans de sermons sans arracher un rire à ses paroissiens, Gabriel n'avait toujours pas compris que son sens de l'humour laissait à désirer.

— Je… je voudrais vous demander quelque chose. À propos de Joshua.

Gabriel daigna lever les yeux. Il me regarda d'un air sévère, mais j'étais décidée. Prenant mon courage à deux mains, je bafouillai :

— Il… il m'a dit qu'il était Jésus. Est-ce que… est-ce qu'il est fou ?

Au lieu de répondre, Gabriel me demanda d'une voix encore plus sévère :

— Qu'est-ce que tu lui veux ?

Dieu merci, je n'avais pas bu, et, au lieu de gaffer à nouveau avec des histoires de limes, je répétai ma question :

— Est-ce qu'il est fou ?

— Non, pas du tout.

— Alors, pourquoi m'a-t-il menti ? insistai-je.

— Marie, Joshua ne répondra jamais à tes sentiments, dit Gabriel, ignorant ma question.

— Mais pourquoi ? demandai-je sans me rendre compte que j'admettais ainsi avoir des sentiments pour Joshua.

— Crois-moi, cet homme ne tombera jamais amoureux d'aucune femme, déclara Gabriel d'un ton ferme.

Mon Dieu ! pensai-je. Alors, Joshua est vraiment homosexuel !

Je rentrai à la maison, la tête bourdonnante. Pourtant, Joshua m'avait bien parlé d'une autre femme. Pouvait-il vraiment être homosexuel ? D'un autre côté, en Palestine, ce devait être très dur de faire son *coming out*. Sûrement presque aussi dur que de devenir footballeur professionnel. Qui sait, là-bas, quand on voulait repousser une femme, on lui disait peut-être plus facilement : « Je suis Jésus » que : « J'aime bien porter de la lingerie rose ! »

Kata était sortie. Faute de pouvoir discuter avec elle de mes soupçons, je montai directement retrouver Joshua au grenier. Il était occupé à scier une poutre neuve, et il chantait l'un de ses psaumes. En me voyant, il cessa de chanter et me regarda avec douceur. Sa colère contre moi s'était visiblement envolée. J'attaquai aussitôt l'opération « Se renseigner sans en avoir l'air » :

— Dis-moi, Joshua… Est-ce que, dans ton pays aussi, tu chantais tes psaumes seul ?

Joshua me jeta un regard étonné.

— Non, pas seul, répondit-il.

— Avec qui chantais-tu ?

— J'avais des amis.

— Des hommes ?

— Oui, des hommes.

Quand même, pensai-je. Je risquai le tout pour le tout :

— Et… il y en avait un que tu aimais, parmi eux ?

— Je les aimais tous.

Tous ? Là, je commençais à avoir peur.

— Combien étaient-ils donc ?

— Douze, répondit Joshua.

Mon Dieu !

— Mais… pas tous en même temps, quand même ? fis-je avec un petit rire inquiet.

— Si, bien sûr.

Oh, misère !!!

— C'étaient des gens tout à fait ordinaires, des pêcheurs, un collecteur d'impôts…

Il avait aussi un percepteur comme amant ? Ah, il faut vraiment de tout pour faire un monde ! Avalant ma salive, je sortis ma dernière carte :

— Mais… et Marie dans tout ça ?

Joshua comprit alors ma perplexité :

— Tu penses que j'étais lié à ces hommes par une forme d'amour physique ? demanda-t-il.

— Non, non, non, non, fis-je très vite.

Mais il n'y avait pas moyen de mentir à cet homme :

— Non, non, non… oui, reconnus-je enfin d'une toute petite voix.

Joshua éclata d'un rire tonitruant. Toute la charpente se mit à vibrer. Mais, pour une fois, je ne trouvai pas ce rire merveilleux.

Soudain, un grand cri d'enfant résonna dans la maison, au-dessous de nous. Joshua se tut, et nous tendîmes l'oreille.

— Il faut l'allonger par terre, fit la voix de Svetlana dans l'escalier.

Son inquiétude était clairement perceptible. Je me précipitai dans l'escalier avec Joshua. Avec l'aide de mon père, Svetlana maintenait au sol sa petite fille, une frêle blondinette de huit ans. En pleine crise d'épilepsie, agitée de soubresauts, elle avait l'écume à la bouche.

— Est-ce que Lilliana souffre ? demanda mon père, inquiet.

— Non, si elle a crié, c'était à cause de l'air qui entrait trop brutalement dans ses poumons, expliqua Svetlana, qui essayait tant bien que mal de garder son calme. Normalement, ce genre de crise dure à peu près deux minutes, ajouta-t-elle.

Mon père hocha la tête et continua à l'aider à tenir l'enfant pour l'empêcher de se blesser en se cognant. Alors, Joshua s'avança et se pencha vers la petite.

— Qu'est-ce que vous voulez ? dit Svetlana agressivement.

On sentait que, pour son enfant, cette mère aurait défié un champion de kung-fu. Et qu'elle l'aurait probablement battu.

Au lieu de répondre, Joshua toucha la petite. Aussitôt, les tressautements s'interrompirent. Elle ouvrit les yeux et sourit gaiement, comme si rien ne s'était passé.

— Dès cet instant, l'enfant est guérie, annonça Joshua.

Svetlana et mon père regardaient l'enfant avec stupéfaction. Et moi, plus stupéfaite encore, je regardais Joshua.

18

Pendant quelques minutes, ce fut vraiment un sacré bip-bip – « bip-bip » étant mis ici à la place d'un mot interdit aux enfants.

Tout le monde était sens dessus dessous : papa, Svetlana, moi. Mais pas la petite. Après s'être essuyé la bouche sur sa manche, elle s'avança vers Joshua, souriante, et lui posa une question en biélorusse – à supposer que cette langue existe, parce que le belge non plus n'existe pas, donc je suppose que ce devait être du russe. Joshua lui répondit dans la même langue aux accents râpeux. Ils continuèrent à discuter ainsi un moment, jusqu'à ce que Joshua éclate de rire, puis remonte au grenier.

Pour la première fois, j'adressai la parole à Svetlana sans la moindre acrimonie. J'avais trop envie de savoir de quoi ces deux-là avaient parlé. De son côté, Svetlana était si bouleversée qu'il ne lui vint même pas à l'idée de ne pas être aimable.

— Lilliana a d'abord demandé ce qui lui était arrivé, dit Svetlana. Ensuite, l'homme lui a dit que Dieu l'avait guérie, et Lilliana a demandé si Dieu pouvait tout faire, et il a confirmé que oui, que Dieu pouvait tout. Alors, Lilliana a dit qu'elle souhaitait que Dieu lui

114

envoie une PlayStation portable. Et qu'il me fasse trouver un homme beaucoup plus jeune.

Papa lui lança un regard indigné. En cet instant, il était difficile de concevoir qu'il puisse jamais se prendre d'affection pour cette petite.

— Et qu'est-ce que Joshua lui a répondu ? questionnai-je avec empressement.

— Il a ri et dit que Lilliana avait encore beaucoup à apprendre sur Dieu.

Quand je demandai à Svetlana si elle avait déjà vu sa fille se remettre aussi vite d'une crise, elle me répondit que non, ce n'était jamais arrivé. Et, vu la façon dont elle le prononça, ce « jamais » signifiait bien : « Jamais dans les annales de la recherche médicale sur l'épilepsie. » Un tel événement ne correspondait absolument pas au tableau symptomatique de la maladie.

Ne voulant pas en entendre davantage, je courus rejoindre Joshua. Je le trouvai dans ma chambre, d'où il s'apprêtait à monter au grenier, et l'interrogeai :

— Tu... tu parles russe ?

J'aurais aussi bien pu lui demander tout de suite s'il faisait des guérisons miraculeuses, mais, comme je n'étais pas trop sûre de ce que j'avais vu, je préférais attendre un peu. D'ailleurs, je redoutais beaucoup trop la réponse.

— C'était du biélorusse, rectifia Joshua.

— Ça, je m'en fous, ronchonnai-je. Réponds plutôt à ma question !

— Je peux parler toutes les langues des hommes.

Une chose était claire : il ne pouvait pas répondre à une question sans avoir l'air encore plus cinglé qu'avant.

— Prouve-le, fis-je impulsivement.

— Si tu le veux, répondit-il avec un sourire.

Et il commença une petite litanie qui débutait par « Aie confiance en Dieu » et se poursuivait en toutes sortes de langues. Certaines m'étaient inconnues, d'autres ressemblaient à de l'anglais, à de l'espagnol, ou à ce que se disaient les serveurs libanais de la pizzeria italienne quand ils taillaient une bavette dans leur coin. Il y avait aussi des langues chantonnantes, et quelque chose qui sonnait comme lorsqu'on a une laryngite – probablement du néerlandais.

Je me sentais comme à « Questions pour un champion », sauf que personne n'intervenait pour dire : « C'est du turc », ou « du suisse allemand », ou encore : « C'est du swahili. »

S'il y avait un truc, il était vraiment fantastique et demandait une très longue préparation. En tout cas, après cette démonstration, je n'osais plus poser ma question sur la guérison miraculeuse. J'avais encore plus peur qu'avant de la réponse.

— Veux-tu venir travailler avec moi, maintenant ? proposa-t-il.

Il était réellement d'accord pour passer la journée avec moi à polir des poutres !

— Je… je crois que je ne t'aiderais pas beaucoup, bredouillai-je.

Et je le laissai en plan. Tout ça était bien trop bizarre pour moi.

Peu après, j'entrai en coup de vent au presbytère. J'avais l'intention de demander à Gabriel de vraies explications, et pas des déclarations sibyllines qui ne feraient qu'entraîner de nouveaux quiproquos gênants (« Oups, je t'avais pris pour un homo… »).

Mais Gabriel était absent. Je ressortis aussitôt et me précipitai à l'église. Elle était vide. J'en profitai pour savourer quelques instants l'agréable fraîcheur. Car, entre-temps, la chaleur extérieure était devenue très lourde en cette fin d'été. Revoyant Jésus sur la croix, je pensai : Si Joshua a vraiment subi tout cela, c'est surprenant qu'il ait encore autant d'amour pour les hommes...

Mon Dieu ! Je commençais vraiment à croire à ces histoires de Sauveur !

C'est alors que j'entendis la voix de Gabriel monter de la crypte. Tout d'abord, je ne compris pas ce qu'il disait. Je m'approchai de l'entrée et distinguai ces mots :

— Tu es la merveille...

Oh, non ! Il ne faisait quand même pas ça dans la crypte avec ma mère ?

— Seigneur qui es au ciel...

Ouf ! C'était une prière.

Prenant mon courage à deux mains, je descendis dans cette espèce de cave voûtée à l'odeur de moisi, si basse de plafond que des basketteurs n'auraient pu s'y tenir debout. Gabriel était là, à genoux. Bien qu'il se fût aperçu de ma présence, il continuait à prier. Voulait-il que je m'agenouille moi aussi ? Mais après ? Je ne connaissais aucune des prières officielles de l'Église, seulement mes versions personnelles commençant par : « Mon Dieu, fais que... »

Je décidai de me taire en attendant que Gabriel ait terminé. D'ailleurs, j'avais toujours trouvé étonnant qu'on se mette à genoux pour prier. Pourquoi Dieu exigeait-il cela de nous ? Pourquoi fallait-il se soumettre à lui de cette façon ? Le Tout-Puissant avait-il besoin de ça pour se rassurer ?

Ça aurait pu donner un dialogue intéressant dans un cabinet de psy : « Mon Dieu, allonge-toi sur le divan... et maintenant, raconte-moi pourquoi tu veux que tout le monde s'agenouille devant toi ! »

Tandis que j'étais encore occupée à imaginer le thérapeute essayant de faire parler Dieu de son enfance (ça, c'était une question intéressante ! Qui avait créé Dieu ? Lui-même ? Comment avait-il fait ?), Gabriel leva les yeux et me demanda :

— Pourquoi n'es-tu pas venue t'agenouiller à côté de moi ?

J'expliquai que, s'agissant de prier, je n'étais pas tout à fait sûre de mon texte.

— Chacun peut s'adresser à Dieu de la manière qu'il veut, dit Gabriel.

Alors, je lui fis part de mes réticences au sujet de la génuflexion.

— Dieu s'intéresse à des questions plus importantes que celle de savoir comment on l'adore, ou même si on le fait ou pas.

— Et quelles sont ces questions ? demandai-je, non sans curiosité.

— Tu le découvriras peut-être un jour, répondit Gabriel.

Mais, au ton de sa voix, on comprenait bien qu'il jugeait cela hautement improbable. Je préférai donc changer de sujet. Tout excitée, je lui racontai les exploits de Joshua : le fait qu'il connaissait toutes les langues, la guérison miraculeuse...

— Alors, qu'est-ce qui s'est réellement passé ?

Gabriel ne répondit pas tout de suite. Après un petit silence, il posa à son tour une question :

— Que dirais-tu si je te répondais que le charpentier est bien Jésus ?

— Je dirais que vous vous foutez de moi, rétorquai-je, agacée.

— Très bien, dit Gabriel en souriant. Alors, je te le dis : le charpentier est réellement Jésus.

Ma mine s'allongea.

— Tu as pourtant reçu suffisamment de signes, reprit Gabriel. Joshua parle toutes les langues, il a accompli une guérison miraculeuse. La seule chose qui puisse t'empêcher d'y croire, c'est...

— Le bon sens ?

— Non, ton manque de foi.

— Si c'est pour me faire passer pour une conne, je peux m'en charger toute seule, grommelai-je.

— Je m'en suis aperçu à ton mariage, répliqua sobrement Gabriel.

Ses tentatives pour faire de l'esprit me tapaient de plus en plus sur les nerfs.

— Je vais te donner un conseil, dit Gabriel.

— Lequel ?

Mon intérêt pour les conseils qu'il pouvait me donner était extrêmement limité.

— Trouve la foi. Et vite.

Le ton était si pressant que cela pouvait passer pour un avertissement.

— La foi, et puis quoi encore ?

Je pestais toute seule sur mon pédalo au milieu du lac de Malente. Je ne voulais pas rentrer à la maison, parce que Joshua y était encore, sans compter Svetlana et sa fille qui trouvait mon père trop vieux. Aller voir Michi, ce n'était pas possible : après la sortie des bureaux, la vidéothèque était toujours pleine de gens qui venaient emprunter des films pour adultes et qui vous regardaient bizarrement. Comme je n'arrivais pas non plus à joindre Kata sur son portable (qu'est-ce qu'elle fabriquait, d'ailleurs ?), j'avais décidé de faire un tour en pédalo sur le lac, ce qui ne m'était pas arrivé depuis mon adolescence. À cette époque-là, je partais faire un tour sur le lac chaque fois que ça n'allait pas très bien. Autrement dit, à peu près tous les deux jours.

J'avais le lac pour moi toute seule : les vacances touchaient à leur fin, et, ce jour-là, les adolescents déprimés avaient apparemment trouvé autre chose à faire que du pédalo, par exemple chercher sur Internet comment on fabrique une bombe artisanale. En outre, la chaleur était accablante et il y avait de l'orage dans l'air – mais, perdue que j'étais dans mes ruminations sur le thème « Qu'est-ce que c'est que ce type dont je suis allée m'amouracher », je ne m'étais aperçue de rien. Je ne réagis même pas quand les premières gouttes se mirent à tomber, tant Joshua et ma conversation avec Gabriel m'avaient perturbée. Ce n'est qu'au premier coup de tonnerre que je sursautai. Levant les yeux, je vis les nuages d'un noir d'encre qui couraient dans le ciel. Un vent glacé me cingla le visage. Je regardai en hâte vers le rivage. Aïe, il aurait pu être un peu moins loin !

Je me mis à pédaler avec énergie : il ne fallait en aucun cas que je sois encore sur le lac quand les éclairs s'y abattraient. Le tonnerre se rapprochait, mais pour le rivage, ce n'était pas du tout le cas. Je ne l'atteindrais pas avant un bon moment. Si seulement je m'étais aperçue plus tôt que l'orage approchait ! L'amour, quelle vacherie ! Ça vous met la tête à l'envers.

L'averse se déclencha d'un seul coup. Les gouttes se mirent à crépiter sur mon visage. En quelques instants, j'étais complètement trempée. À force de pédaler, je commençais à m'essouffler. J'avais la poitrine et les jambes en feu, mais, malgré mes efforts, je n'avançais pas : les vagues soulevées par l'orage repoussaient sans cesse le pédalo vers le large. Le coup de tonnerre suivant fut si assourdissant que j'eus vraiment la trouille.

Il était évident que je ne parviendrais pas à rejoindre la rive. Pourvu qu'aucun éclair ne tombe sur le lac !

Pleine d'angoisse, je voulus prier. Un instant, j'envisageai même de m'agenouiller, puisque cela plaisait tellement à Dieu. Mais il n'était pas facile de s'agenouiller sur ce genre de pédalo. Je laissai tomber et me décidai plus modestement pour les mains jointes. Cependant, avant que j'aie eu le temps de commencer ma prière, un éclair frappa l'extrémité du lac. La détonation fut gigantesque, la lumière aveuglante. L'énorme secousse déclenchée par l'impact fit chavirer ma frêle embarcation, et je tombai à l'eau. Pour me sentir aspirée vers le fond.

Envahie par la panique et la peur de mourir, j'essayai malgré tout de me calmer : je savais nager – pas très bien, il est vrai, et mon prof d'éducation physique saluait généralement mes performances d'un : « Enfin, tu as sûrement d'autres talents » (sans que nous ayons la moindre idée l'un et l'autre de quels talents il pouvait s'agir). Mais, pour pédaler vers le haut, ça devait suffire. Si je réussissais à remonter à la surface avant de manquer d'air, et si, une fois là, je parvenais à me hisser sur le pédalo, j'avais une chance de survivre. Je me mis à pédaler de toutes mes forces vers la surface, et, de fait, j'y étais presque, quand je fus prise d'une crampe à la jambe. Je poussai un cri, ce qui était une très mauvaise idée : l'eau entra à flots dans mes poumons, et cela fit si mal que je crus qu'ils allaient éclater. L'air s'échappa de ma bouche, et je vis les bulles monter vers la surface tandis que, folle de terreur, je descendais à nouveau vers le fond. Je me débattais désespérément, mais, avec les poumons en feu et une jambe hors d'état, je n'avais plus assez d'énergie pour nager vers le haut. En un éclair, je pris conscience de la réalité : j'allais mourir.

Je ne pouvais plus lutter contre mon destin. Je cessai de me débattre et m'enfonçai lentement. La douleur et la panique n'avaient pas cessé d'occuper mon corps et mon esprit, mais je ne les percevais plus que comme un lointain écho.

Allais-je me retrouver au ciel ? Ou en enfer ? Dans ma vie, je n'avais jamais rien fait de vraiment méchant, à part abandonner Sven au pied de l'autel. Ce qui était certes très mal. Je me sentis soudain terriblement coupable. Mais n'avais-je pas accompli toutes sortes de bonnes actions ?

Oui, qu'est-ce que j'avais fait de bien dans ma vie ? Je ne parvenais pas à me rappeler quoi que ce soit de vraiment marquant. Je n'avais été ni bénévole de l'aide au développement, ni médecin sans frontières, je n'avais même pas fait preuve une seule fois d'une grande générosité. Difficile de croire que saint Pierre, à la porte du paradis, m'accueillerait avec une joie délirante : « Bienvenue à toi, Marie, qui jetais toujours tes centimes de reste dans les soucoupes des mendiants de la zone piétonne ! »

Aucune bulle d'air ne sortait plus de ma bouche depuis un petit moment déjà. Je commençais à perdre conscience, tout devenait noir autour de moi. Mes pieds touchèrent le fond du lac, et je fermai les yeux. Je n'allais pas tarder à savoir s'il existait vraiment quelque chose comme un paradis et un enfer.

C'est alors que, tout à coup, quelqu'un saisit ma main.

On me tira vers la surface, on me sortit de l'eau. En suffoquant, j'aspirai une grande bouffée d'air. Une douleur plus fulgurante encore que la précédente cisailla mes poumons. L'eau du lac, violemment agitée, me fouettait le visage. La pluie tombait toujours à verse. L'orage tonnait, les éclairs zébraient le ciel et m'aveuglaient. Au milieu de cet enfer, je vis celui qui tenait ma main : c'était Joshua.

Et il marchait sur les eaux.

19

Joshua me portait sur le lac.

Oui, il me portait sur le lac. Vraiment. Et je me disais en moi-même, non sans à-propos : « Il me porte sur le lac. »

Vu la situation, j'aurais pu me dire aussi : « Joshua m'a sortie du fond du lac. Il m'a sauvé la vie. » Et surtout : « Merde alors, c'est vraiment Jésus ! »

Mais mon cerveau ne pouvait pas penser plus loin que : « Il me porte sur le lac. » Il se raccrochait à ce fait comme un ordinateur qui n'arrive pas à démarrer un programme. Il était incapable de traiter une information du niveau « Merde alors, c'est vraiment Jésus ».

Lorsqu'il redevint enfin un tout petit peu plus opérationnel, mon cerveau, par sécurité, préféra se cantonner dans des pensées inoffensives, par exemple : « Aucun homme n'avait jamais réussi à me porter. » La fois où Sven, dans un accès de romantisme, avait voulu me faire franchir le seuil dans ses bras, il avait frôlé la hernie discale.

La pluie et le vent me fouettaient toujours le visage, jusqu'au moment où Joshua menaça le ciel et interpella le lac en criant :

— Silence, apaise-toi !

Le vent tomba, un grand silence se fit. Ah, cet homme n'avait besoin ni de fer à friser ni de parapluie !

Quand, cinq minutes plus tard, Joshua mit le pied sur la berge, tous les nuages noirs avaient disparu à l'horizon du crépuscule. Il me déposa sur un banc du parc. Contrairement à lui, j'étais trempée jusqu'aux os, et je n'avais jamais eu aussi froid de ma vie. Mes poumons me brûlaient toujours. D'une voix très calme, Joshua me dit :

— Je peux t'ôter la douleur.

Il allait me toucher, comme il l'avait fait avec la fille de Svetlana, mais je hurlai :

— Noooooooonnnnnnnn !!!!

Je ne pouvais tout simplement pas supporter l'idée qu'il pose sa main sur moi. Tout cela était déjà bien trop pour moi. Infiniment trop !

Joshua arrêta son geste. Si jamais mon hurlement hystérique l'avait surpris, il n'en laissait rien paraître.

— Mais tu as très froid, dit-il en avançant de nouveau la main.

— Ne me touche pas ! aboyai-je.

J'avais une peur bleue de lui, réaction somme toute bien naturelle en présence du surnaturel.

— Tu as peur de moi ?

Il comprenait vite.

— N'aie aucune crainte, reprit-il d'une voix douce.

Mais sa douceur ne pouvait rien contre une telle panique.

— Ne me touche pas !

— Comme tu voudras, dit-il en inclinant la tête.

— Disparais ! lui criai-je de toutes mes forces, ce qui déclencha une quinte de toux.

Joshua me considérait toujours avec inquiétude. Représentais-je quelque chose pour lui, ou témoignait-il la même sollicitude à tous ceux qu'il sauvait de la noyade ?

— Quand je dis : disparais, ça veut dire : fous le camp ! coassai-je éperdument avant de me remettre à tousser.

— Comme tu voudras, répéta-t-il d'une voix calme et respectueuse.

Et il s'en alla, me laissant tousser et trembler de froid sur mon banc, puisque c'était ce que je voulais.

Lorsqu'il eut disparu de mon champ de vision, je commençai à me demander comment j'allais rentrer à la maison. Grâce à son intervention, la pluie avait tout à fait cessé, mais j'étais encore trempée. Je frissonnais de plus en plus et la toux devenait intolérable. Si je restais sur ce banc, je risquais de mourir d'une pneumonie. Courageusement, je me levai. Je pouvais sûrement arriver jusqu'à la maison. Tu parles ! J'avais à peine fait un demi-pas que je m'écroulais sans connaissance.

20

En me réveillant, j'entendis à côté de moi un genre de « tchip, tchip, tchip ». J'étais sur un lit d'hôpital, reliée à une machine qui faisait « tchip, tchip, tchip ». Mais pourquoi si fort ? On ne pouvait pas laisser les malades se reposer en paix, au lieu de leur infliger des « tchip, tchip » ? Je baissai les yeux pour voir à quoi je ressemblais : on m'avait déshabillée et passé une chemise de nuit d'hôpital. Dehors, il faisait déjà nuit. Devais-je sonner l'infirmière de garde ?

« Tchip, tchip, tchip… » Cette fois, je donnai un petit coup contre la machine, et elle cessa enfin de piailler. C'est alors que les pensées qui auraient dû me venir à l'esprit quand j'étais sur le lac commencèrent à m'assaillir : « Joshua m'a tirée du fond du lac. » « Il m'a sauvé la vie. » Et surtout : « Merde alors, c'est vraiment Jésus ! »

Puis je me rendis compte d'une chose encore plus grave : « Mon Dieu, c'est Jésus, et j'ai regardé ses fesses avec convoitise ! »

Je respirai à fond et tentai de me calmer. Peut-être tout cela s'était-il passé dans mon imagination ? Peut-être le séjour sous l'eau m'avait-il abîmé le cerveau et avais-je été victime d'hallucinations ? Ce n'était donc pas Joshua qui m'avait sauvée, je m'en étais sortie toute seule. Dieu sait comment. D'une façon ou d'une autre. Oui, mais… comment avais-je fait pour m'en sortir seule ? Jamais je n'aurais été capable de nager jusqu'à la rive. Mais quelle était l'autre solution ? Si je n'avais pas eu d'hallucinations, Joshua était réellement Jésus ! Et dans ce cas, je pouvais vraiment m'estimer heureuse de ne pas m'être noyée, parce que j'étais bonne pour l'enfer. N'avais-je pas pratiquement proposé à Jésus de monter dans ma chambre, avec l'idée de coucher avec lui ?

Bon, c'est vrai qu'il m'aurait très probablement envoyée sur les roses.

Mais je suis sûre qu'à la porte du paradis, avoir seulement essayé de draguer le Sauveur doit valoir des points en moins.

Et le pire, c'est qu'après tout ça, je lui avais crié : « Fous le camp ! »

Mon vieux, autant dire que la vie après la mort, pour moi c'était râpé !

C'est alors que la porte s'ouvrit. Un instant, je craignis de voir Joshua entrer dans la chambre. Ou y flotter. Mais ce n'était pas Joshua : c'était Sven. Il travaillait comme infirmier dans cet hôpital, et il était de garde de nuit. Était-ce lui qui m'avait déshabillée ? Je n'aimais pas du tout cette idée.

Il me regarda d'un air compatissant.

— Ça va mieux ? demanda-t-il.

J'aurais voulu crier : « Non ! Ça ne va pas du tout ! Soit je suis déjà cinglée, soit j'ai vu Jésus et je vais le devenir ! » Au lieu de cela, je hochai vaguement la tête.

Sven s'approcha du lit et dit :

— Un passant t'a trouvée au bord du lac, complètement trempée. Qu'est-ce qui t'est arrivé ?

Je lui racontai l'histoire du pédalo, mais sans plus de détails. Avec un doux sourire, il se mit à me chantonner *Tretboot in Seenot*, cette vieille scie des années 1980 :

— « Sur un vieux pédalo branlant / nous voguons au soleil couchant… Pas de sonde, pas de SOS / sur le vieux pédalo en détresse… »

— Une chanson qu'on a bien fait d'oublier ! grognai-je.

Et voilà que Sven me prenait la main et déclarait :

— Je suis avec toi. Je me suis même arrangé pour qu'on te donne la seule chambre individuelle encore libre.

Je me sentais vraiment bizarre avec ma main dans celle de Sven. Il me semblait qu'un seul homme avait le droit de me tenir la main : Joshua.

Je retirai ma main et priai Sven de ne plus me toucher. Cela le choqua beaucoup. Il avait sans doute espéré qu'en situation de faiblesse, je retomberais dans ses bras. À présent, il n'espérait plus. Il prit un air offensé et m'annonça d'une voix professionnelle :

— Très bien. Nous allons donc passer à la piqûre.

— Une piqûre ? fis-je, alarmée.

— Je dois te faire une piqûre à la fesse, c'est le médecin qui l'a ordonné.

Et il saisit la seringue posée sur la table de chevet.

J'avalai ma salive. En temps normal, une piqûre à la fesse n'a déjà rien de particulièrement réjouissant, mais devoir subir ça de la part de son ex…

À contrecœur, je me mis à plat ventre et dégageai une petite place. Je ne me sentais déjà pas très à l'aise quand Sven me tenait la main, mais lui tendre mon

128

derrière était franchement déplaisant. Je serrai très fort les paupières... et ce fut encore bien plus déplaisant, car Sven piqua dans une contracture.

— Aïe ! m'écriai-je.

— Oups ! Désolé, j'étais un peu à côté, dit-il d'un air innocent. Je dois recommencer.

Aussitôt, il me replanta l'aiguille dans la fesse.

— AHHH ! hurlai-je.

— Zut, encore à côté ! Mais je suis vraiment trop, trop, trop, trop bête ! fit-il avec enjouement

Je tournai la tête et, en voyant son expression, je compris :

— Le... le médecin n'a pas demandé de piqûres, hein ?

Il n'essayait même plus de jouer les innocents :

— Si je pique encore deux fois, ça fera presque un Smiley sur ton derrière, ricana-t-il en plantant l'aiguille.

— AAAHHHH !!!!

Je me levai d'un bond et remontai ma culotte en hurlant :

— Mais tu es malade !

Puis je me précipitai vers la porte, mais Sven me barra le passage :

— Ce n'est pas fini, le médecin voulait aussi que je te donne un laxatif.

La situation était grave. Avoir été abandonné au pied de l'autel avait apparemment révélé chez Sven une face sombre longtemps restée cachée. Mais je me souvenais du conseil que ma sœur m'avait donné un jour pour le cas où ce genre de chose m'arriverait : « Il n'existe aucun problème qui ne puisse être résolu par un bon coup de pied dans les valseuses. »

Sven se mit à glapir tandis que je m'enfuyais en courant. Une fois sortie de l'hôpital, je continuai à courir dans les rues encore mouillées, jusqu'à ce que je n'en puisse vraiment plus. Alors seulement, je regardai derrière moi. Sven ne m'avait pas suivie. Il devait être encore en train d'aboyer comme un coyote à la pleine lune.

Je traversai en hâte Malente endormie. J'avais si froid dans ma chemise de nuit d'hôpital que je ne sentais presque plus mes pieds nus, et je tremblais de tout mon corps. Quand j'arrivai enfin à la porte de la maison, je n'eus d'autre choix que de sonner. Dieu merci, ce ne fut pas mon père qui m'ouvrit, mais Kata. Devant son air surpris, je dis simplement à voix basse :

— Ne pose pas de questions.

— Très bien.

Aussitôt après, elle demanda d'un air inquiet :

— Qu'est-ce qui se passe ?

Je lui racontai l'histoire du pédalo et celle de Sven, mais bien sûr sans parler de Joshua marchant sur les eaux. Je ne voulais pas me retrouver internée à la demande de ma propre sœur.

Kata m'emmena dans la salle de bains prendre une douche pour me débarrasser enfin de l'odeur de la vase. Papa, Svetlana et la petite dormaient déjà, me dit-elle. Quant à moi, je n'avais aucune envie de dormir, partagée que j'étais entre le ciel (Joshua) et l'enfer (Sven). Une fois douchée et rhabillée, je rejoignis Kata dans sa chambre. Elle venait tout juste de terminer un nouveau strip.

C'était un dessin surprenant. D'habitude, la petite Kata ne s'apitoyait guère sur elle-même, et Dieu n'apparaissait que lorsqu'elle se sentait particulièrement découragée. Pour moi, il était clair que quelque chose n'allait pas.

— Tu as vu le médecin, constatai-je.

— Oui.

— Alors ?

— Je dois attendre les résultats des analyses, répondit-elle en essayant de prendre un air détaché.

— Ils craignent donc quelque chose.

— C'est la routine, pas de quoi s'inquiéter, dit-elle sans émotion apparente.

Je n'étais pas sûre qu'il fallait la croire. Ma sœur savait remarquablement bien mentir, surtout lorsqu'il s'agissait de ses propres angoisses. Mais je savais aussi que je ne devais pas la brusquer. Je cherchai donc des indices qui me montrent si j'avais ou non lieu de m'inquiéter. Sur la table, j'aperçus un autre strip qu'elle avait dessiné le même jour :

C'était un dessin beaucoup plus gai que le précédent. Elle n'était donc pas d'une humeur de fin du monde. Autrement dit, je n'avais vraiment pas de raison de m'inquiéter.

Si je n'avais pas été aussi bouleversée par mon histoire de « Joshua marchant sur les eaux », j'aurais peut-être remarqué qu'il était plutôt étonnant que Kata fasse des dessins pour Noël avant même la fin de l'été. Et je me serais aussi aperçue que, dans ces nouveaux strips, l'existence de bons vieillards à barbe blanche était fortement mise en doute. Du moins, c'était une interprétation possible de cette histoire de Père Noël. L'autre étant qu'au fond d'elle-même, Kata désirait très fort qu'un bon vieux barbu lui pardonne tous ses péchés.

21

Pendant ce temps-là...

Dans la cuisine du presbytère, Gabriel veillait, attendant le retour de Jésus. Sa bien-aimée Silvia avait un rendez-vous à Hambourg et n'avait pu rester pour passer la nuit avec lui. Dieu, comme elle lui manquait déjà ! Il n'y avait pourtant que quelques heures qu'elle était partie. Quand il se sentait de cette humeur mélancolique, Gabriel était convaincu que l'amour avait plus d'inconvénients que d'avantages. Et que Dieu devait être dans une mauvaise passe le jour où il avait inventé une chose aussi imparfaite.

En tant qu'ancien ange, il savait, bien sûr, que le Tout-Puissant ne pouvait pas connaître de mauvaises passes. Mais quelle autre explication trouver à sa douloureuse nostalgie ? Quel sens tout cela avait-il ?

C'était comme les brûlures d'estomac. Il ne comprenait pas le divin mystère qui présidait à ces choses-là.

Jésus arriva enfin au presbytère. Il semblait perdu dans ses pensées.

— Qu'est-ce qui te préoccupe, Seigneur ? demanda Gabriel.

— Que sais-tu de Marie ? dit Jésus.

Oh, non ! pensa Gabriel. Le Messie continuait à se soucier de cette femme ?

— *Pardonne-moi, Seigneur, répondit-il, mais Marie est ce que, sur cette terre, nous appelons en langage profane une personne « ordinaire ».*

— *Elle ne m'apparaît pas du tout comme une personne ordinaire. Au contraire, je vois en elle quelque chose de spécial.*

— *De spécial ? fit Gabriel d'une voix qui avait tendance à filer vers les aigus. Parlons-nous bien de la même Marie ?*

— *Elle m'a fait rire, l'interrompit Jésus.*

— *Comment ça, en se cognant contre un mur ?*

À peine Gabriel avait-il dit cela qu'il prit peur. Car il sentait la colère monter en lui. Cette Marie ne pouvait-elle pas laisser le Messie en paix ?

— *Non, elle ne s'est pas cognée contre un mur. Qu'est-ce qui te fait penser cela ? demanda Jésus (et, en cet instant, Gabriel se réjouit qu'il ignorât à ce point l'ironie). Quelque chose manque-t-il à sa foi ? insista-t-il.*

— *Quelque chose ?*

Gabriel poussa un petit soupir et garda pour lui le fond de sa pensée : le « quelque chose » qui manquait à la foi de Marie était à peu près de la taille d'un Goliath.

Jésus paraissait songeur.

— *Tu ne veux tout de même pas la convertir ? demanda Gabriel d'une voix un peu hésitante. Tu n'en as pas le temps. Songe à ta mission.*

— *Je veux simplement en savoir davantage sur elle, dit Jésus.*

Et il s'éclipsa dans sa chambre.

Devant la porte fermée, Gabriel s'interrogea : Jésus éprouvait-il réellement quelque chose pour Marie ?

Puis il se trouva ridicule d'avoir pu imaginer cela. L'idée était complètement absurde. Non que Jésus fût incapable de tels sentiments. Mais Marie était loin d'avoir l'envergure d'une Marie Madeleine. Elle n'était même pas de la classe d'une Salomé. Tout au plus de celle de la femme de Loth. Non, Jésus ne voulait sans doute rien d'autre que convertir une brebis égarée.

22

Après tout ce qui m'était arrivé, je croyais ne pas pouvoir fermer l'œil de la nuit. Cependant, j'avais failli me noyer, puis traversé tout Malente pieds nus en courant pour échapper à Sven. Malgré mon esprit en ébullition, mon corps ne demandait qu'à sombrer dans l'inconscience. Je m'endormis donc en un temps record. Et fis un cauchemar : j'étais devant l'autel, Gabriel me posait la question rituelle… mais celui qui se tenait près de moi n'était pas ce malade de Sven. C'était Joshua. Derrière lui, sur le mur, la croix était vide, comme s'il avait sauté à terre pour revêtir un élégant costume de marié.

Du fond du cœur, je répondais à Gabriel : « Oui, je le veux. »

Joshua s'approchait pour m'embrasser. Ses mains caressaient doucement mon visage, et c'était tout simplement merveilleux. Mon cœur battait, je tremblais d'impatience tandis que ses lèvres se rapprochaient des miennes. Sa barbe frôlait déjà mon visage. Il allait m'embrasser… J'en mourais d'envie… Ses lèvres touchèrent les miennes… Et je m'éveillai en hurlant.

Quand je cessai enfin de crier, je me rendis compte de ce que cela signifiait : mon subconscient voulait épouser Joshua ?!?!

Cet imbécile de subconscient ne pouvait donc pas me laisser vivre en paix ?

Un coup d'œil au réveil m'apprit qu'il était 8 h 56. Déjà ? Dans quatre minutes, Joshua serait devant la porte – il arrivait toujours vers 9 heures pour travailler à la charpente. Je ne voulais pas le voir ! J'avais bien trop peur de lui ! C'était pour une part la sorte de peur qu'éprouvent les femmes dans les films d'horreur, quand elles sentent approcher le type à l'innommable tronçonneuse fétiche. Mais pour le reste, c'était la peur de mes propres sentiments.

Je m'habillai en hâte, renonçant à des choses aussi superflues que me laver, me peigner, me brosser les dents et nouer mes lacets de chaussures, sortis de la maison en quatrième vitesse et me cassai la figure. Saletés de lacets !

La fille de Svetlana était justement là, occupée à dessiner à la craie sur le trottoir. En me voyant trébucher, elle éclata de rire. Je me relevai, attachai mes lacets et dus encore supporter de l'entendre dire :

— T'as de drôles de cheveux.

Sa mère lui avait appris l'allemand. Je n'étais pas pour cette forme d'entente entre les peuples.

— Ma maman a des cheveux plus chouettes que toi, insistait la gamine avec son accent biélorusse, et sur le ton du « na-na-nère ».

— Tu as quel âge ? lui demandai-je.

— Huit ans.

— Si tu continues comme ça, tu n'arriveras pas jusqu'à neuf.

De saisissement, elle laissa tomber sa craie. C'est alors que je vis Joshua tourner le coin de la rue. Je me mis à courir plus vite que Forrest Gump après une injection d'EPO, en priant pour que Joshua ne m'ait pas vue m'enfuir. Jusqu'à ce que je m'avise que, s'agissant de Joshua, je ferais peut-être aussi bien de ne pas m'adresser à Dieu.

J'arrivai enfin au bord du lac et, pantelante, m'assis sur un débarcadère. Quand j'eus un peu repris haleine, je me mis à contempler l'eau qui miroitait au soleil. Quelques touristes étaient même revenus et faisaient du pédalo. Une brise légère caressait ma peau. Les événements de la veille me paraissaient maintenant tout à fait irréels, comme si j'avais rêvé. Oui, j'avais dû imaginer ce sauvetage par Jésus. C'était la seule explication logique. Et une explication rassurante, même si cela risquait de me conduire plus tard à entendre de temps en temps des phrases telles que : « Marie, ces deux jeunes costauds vont maintenant t'emmener à ta séance d'électrochocs. »

De toute façon, dans cette affaire, Joshua était aussi cinglé que moi. Lui, il se prenait pour Jésus, et moi, je voyais Jésus. Nous étions donc parfaitement assortis. Par la suite, nous pourrions avoir une ribambelle de mignons bébés, tous aussi cinglés que nous...

Minute. Je ne voulais pas seulement l'épouser, je voulais aussi faire des enfants avec lui ?

Comme avec Marc, alors ? Il ne me manquait plus que de chercher des prénoms pour les enfants. J'étais donc bien plus amoureuse que je ne le croyais.

Plus que je ne l'avais jamais été.

Et merde !

À peine étais-je parvenue à cette conclusion qu'une voix merveilleuse s'élevait derrière moi :

— Marie ?

Joshua était sur le débarcadère. Il m'avait suivie.

— Je suis content de te voir, dit-il avec un gentil sourire.

— Jrvvlll, répondis-je.

— Tu as peur de moi, constata-t-il calmement.

— Brjvvzz…

— C'est pour cela que tu t'es enfuie.

— Vrchchll…

— N'aie aucune crainte.

Et il prononça ces mots avec une telle douceur que la peur me quitta aussitôt.

— J'ai une question à te poser, dit Joshua.

— Pas de problème, fis-je aimablement.

Sans cette peur stupide, j'étais de nouveau capable d'articuler deux mots à la suite.

— Accepterais-tu de manger encore avec moi ce soir ?

J'avais du mal à le croire. Il voulait sortir avec moi !

— Cela représente beaucoup pour moi, ajouta-t-il.

Il le pensait vraiment, cela se sentait. Ça avait réellement une importance pour lui.

Autrement dit, j'avais de l'importance pour lui !

Autrement dit : Youpi ! Ouais ! Ouais !

Je souris comme un petit cheval en pain d'épices qui aurait fumé du hasch, et Joshua s'assit près de moi sur le débarcadère. Tout près de moi. Sa vue me mettait les jambes en coton, et mon estomac se nouait merveilleusement. À présent, nos pieds se balançaient de concert au-dessus de l'eau. Ç'aurait pu être un chouette moment entre deux cinglés. Malheureusement, c'est celui que Joshua choisit pour dire une chose qui fit sombrer tous mes espoirs que nous soyons simplement mûrs pour le cabanon :

— Le lac est beaucoup plus calme qu'hier.

— Tu étais là hier aussi ? dis-je avec effroi.

— Je t'ai portée sur le lac, ne t'en souviens-tu pas ?

Ce n'était donc pas une hallucination. Je n'avais raconté cela à personne. Comment Joshua aurait-il pu le savoir, si ce n'était pas précisément ce qui s'était passé ?

— Alors… alors… tu es vraiment Jésus, fis-je d'une voix sourde.

— Oui, bien sûr.

— Oh.

C'est tout ce que je trouvai à gémir. Pas de : « Je suis devant le fils de Dieu ! », pas de : « Il est revenu sur terre ! », ni de : « C'est un miracle ! » Non, juste un malheureux « Oh ». Tout mon être n'était plus qu'un faible « Oh » épuisé, paralysé, dépassé.

— Tu ne te sens pas bien ? s'enquit Jésus avec compassion.

— Oh.

— Marie ? Ça va ?

Cette fois, il paraissait quand même un peu inquiet.

Non, ça n'allait pas du tout. S'il était Jésus, une personne telle que moi avait tout à y perdre.

— Pourquoi, dis-je d'une voix éteinte, pourquoi veux-tu spécialement manger avec moi ?

— Parce que tu es un être humain tout à fait ordinaire.

— Un être humain ordinaire ?

— Oui, c'est cela.

Il y avait des compliments plus flatteurs. Des milliers. Et on les connaissait sûrement déjà à l'époque, autour des fontaines de Palestine. Mais quelle idée de m'attendre à ce que Jésus me fasse des compliments ! Le simple fait d'en avoir envie était déjà absurde. Ridicule. Pathétique.

Je regardai le lac, qui s'apaisait de minute en minute. Plus trace de vagues ni de tempête. Pourtant, quelques éclairs m'auraient paru tout à fait indiqués, après la révélation que j'avais eue d'être assise à côté de Jésus.

— Tu ne dis rien.

Bien observé, pensai-je.

— Qu'est-ce que tu as ?

— Je… je crois que ce n'est pas une bonne idée pour toi de me fréquenter.

— Pourquoi donc ?

— Je ne le mérite pas. Tu devrais plutôt être assis à côté du pape. Par exemple.

Ou flanquer la frousse de sa vie au Dalaï-Lama, complétai-je en pensée.

— Tu vaux exactement autant que le pape, dit Jésus.

— C'est normal que tu dises ça, puisque tu es Jésus. Tu es bien obligé de trouver tous les hommes égaux. Mais, crois-moi, je ne suis pas digne d'être près de toi.

— Tu en es digne.

Ça montrait seulement qu'il ne savait pas à quel point j'étais une ratée. Savoir qu'on n'a rien fait d'intéressant dans sa vie, c'est une chose. Mais s'en rendre compte en présence du fils de Dieu, c'est tout à fait différent.

— J'ai quelque chose à te demander, dit Jésus en me regardant droit dans les yeux.

— Quelle chose ?

— Passe la soirée avec moi comme tu la passerais avec n'importe qui.

— Mais tu n'es pas n'importe qui.

— Si. Tout homme peut me ressembler, pour peu qu'il le veuille.

C'est sûr, pensai-je. La prochaine fois, moi aussi je marcherai sur l'eau.

— Pourquoi y tiens-tu tellement ? demandai-je.

— Parce que... parce que...

Il n'arrivait pas à le dire. C'était la première fois que je le voyais réellement hésiter. Se pouvait-il qu'il ait un faible pour moi ? Et que ce soit pour cela qu'il m'ait proposé ce rendez-vous ?

Non, cette seule pensée était blasphématoire ! Le fils de Dieu ne pouvait pas tomber amoureux d'une mortelle. En tout cas, sûrement pas de moi.

Jésus toussota avant de répondre, cette fois d'une voix ferme :

— Parce que je suis curieux de savoir comment vivent les hommes d'aujourd'hui.

C'était donc ça. Il avait besoin d'un guide en terre étrangère. Vaincue, je fis un signe d'assentiment. Il s'en réjouit sincèrement.

Tandis que Joshua repartait à la maison pour terminer la réparation de la charpente, je restai sur le débarcadère à regarder stupidement le lac. J'avais accepté un rendez-vous avec Jésus. Sans doute un nouveau record sur l'échelle ouverte de Richter du « Jusqu'où une vie de dingue peut-elle aller ? »

Mais, quand le fils de Dieu vous demande de lui montrer le monde, pouvez-vous lui répondre : « Désolée, j'avais prévu de m'épiler les sourcils » ?

Pendant un bon moment encore, je restai assise au bord du lac, essayant de remettre de l'ordre dans mes pensées. En tête de liste des informations à traiter figurait l'idée absurde qu'une personne comme moi puisse s'enticher de Jésus. Finalement, c'était assez simple à traiter : savoir que j'avais affaire à Jésus avait subitement paralysé tous mes sentiments. Je n'éprouvais plus rien pour lui. Dieu soit loué.

Au lieu de m'inquiéter de cela, je me mis donc à réfléchir à la façon dont nous allions passer la soirée. Qu'est-ce qu'une personne comme Jésus pouvait avoir envie de connaître ? Je m'aperçus que je n'en avais pas la moindre idée. Tout de suite après, je m'aperçus que je ne savais pas grand-chose de lui non plus.

Pour remédier à cela, je me rendis dans la belle librairie de Malente et dis à la vendeuse que je voulais acheter une bible.

— Quelle édition ? demanda-t-elle.

Très franchement, je n'avais aucune idée de ce qu'elle voulait dire par là. Existait-il plusieurs Bible ? Et si oui, pourquoi ? Y avait-il des versions remixées ?

— Standard, répondis-je, jouant les connaisseuses.

Une fois sortie de la librairie, je m'installai dans un café devant un milk-shake et me mis à feuilleter ma bible. Comme autrefois au catéchisme, je constatai que son langage m'ennuyait prodigieusement, même à présent que j'avais un intérêt tout particulier pour le sujet. Je décidai donc de recourir au moyen le plus évident : j'allai sonner à la porte de la vidéothèque de Michi. Il m'ouvrit, pas rasé et l'air mal réveillé, en tee-shirt *Star Wars* portant une inscription assez en rapport avec ma propre situation : « Tu dois désapprendre tout ce que tu as appris. »

— Qu'est-ce que tu veux ? bâilla-t-il en se frottant les yeux.

— Je… j'avais envie de te voir, dis-je.

— À cette heure-ci ?

— Il est 11 heures du matin.

— C'est bien ce que je dis, la nuit n'est pas terminée.

— J'aimerais bien voir un ou deux films.

— Quel genre ? demanda Michi.

— Sur Jésus… fis-je d'une toute petite voix.

— Ce Joshua te met vraiment dans tous tes états, constata Michi avec inquiétude et, si j'avais bien entendu, une petite trace de jalousie qui me surprit.

— Non, non…

Après tout ce qui m'était arrivé ces derniers jours, j'avais du mal à paraître convaincante.

— En tout cas, je peux t'assurer d'une chose, dis-je à Michi. Je n'éprouve plus rien pour lui.

Ça, au moins, c'était vrai. Enchanté de cette nouvelle, Michi me fit entrer dans le magasin et commença par préparer du café.

Puis il me concocta une petite rétrospective sur Jésus que nous regardâmes sur l'écran plat de la vidéothèque. J'eus d'abord droit à *La Passion du Christ*, le film de Mel Gibson sur la crucifixion.

— Qu'est-ce qu'ils baragouinent ? demandai-je, ne comprenant pas un mot de ce que disaient les acteurs.

— Gibson a tourné le film en araméen et en latin, m'expliqua Michi.

À ce compte-là, me dis-je, il aurait aussi bien pu faire communiquer ses personnages avec des petits drapeaux.

Cette *Passion du Christ* était une vraie boucherie. Un film gore pour fans de la Bible. De plus, les juifs y étaient représentés selon la plus pure tradition humaniste de la propagande goebbelsienne. La crucifixion de Jésus, à la fin, était montrée d'une manière si crue et si brutale que je me félicitai de ne pas avoir pris de petit déjeuner. Que l'homme qui, le matin même, était assis avec moi au bord du lac ait subi toutes ces tortures, c'était une chose que je ne pouvais – et surtout ne voulais – en aucun cas imaginer.

Dans un tout autre genre, Michi me passa ensuite la fameuse comédie musicale des années 1970, *Jesus*

Christ Superstar. Au bout de quelques minutes à peine, je regrettais déjà Mel Gibson. On avait franchi un degré dans l'horreur : Jésus chantait des tubes disco !

Le type qui incarnait son rôle faisait des grimaces à la de Funès et avait l'air à peu près aussi calme. Dans le genre, il n'était surpassé que par l'acteur noir qui jouait Judas, et qui sautait dans tous les sens avec son costume disco blanc.

Au bout d'un quart d'heure, nous décidâmes d'arrêter pour regarder *La Dernière Tentation du Christ*, de Scorsese, qui me plut bien davantage que les deux autres. Jésus y était vraiment un être humain. Un peu névrosé sur les bords, d'accord. Mais humain. D'ailleurs, qui n'aurait pas été névrosé avec une figure de père aussi imposante ?

Le passage du film où Jésus, sur la croix, a pour la dernière fois le choix d'épouser Marie Madeleine et de devenir un simple mortel me bouleversa. On avait envie de lui crier : « Vas-y ! Fais-le ! »

Il était clair pour moi que la Marie dont Jésus avait parlé à notre premier rendez-vous ne pouvait être que Marie de Magdala. J'essayai donc de faire dire à Michi, mon spécialiste de la Bible, qui elle était exactement : une prostituée ? sa femme ? sa bien-aimée ? une danseuse de boogie ?

Michi m'expliqua que rien, dans la Bible, ne permettait d'affirmer qu'elle ait été une prostituée convertie ou la femme de Jésus, et il n'y avait pas le moindre indice non plus qu'elle ait pu être une danseuse funky.

Il existait cependant une allusion à un baiser qu'ils auraient échangé. Elle ne figurait certes pas dans la Bible, mais dans un autre texte datant du IIe siècle après Jésus-Christ, l'Évangile dit de Marie Madeleine.

Si ce qui était écrit là-dedans était vrai, songeai-je, Jésus était bien un être humain capable d'aimer une femme de cette terre.

Peut-être le pouvait-il encore aujourd'hui...

Je ne voulus pas fantasmer davantage là-dessus. De telles pensées étaient bien trop dangereuses pour une personne comme moi...

23

Pendant ce temps-là...

— Tu as de nouveau rendez-vous avec Marie ?

Gabriel n'en croyait pas ses oreilles. Assis devant la table de la cuisine du presbytère, le Messie buvait du café, breuvage qui, disait-il, faisait partie de ces nouveautés de l'époque moderne qu'il appréciait tout particulièrement. Comme la pizza.

— Tu as bien entendu, je vais passer une autre soirée avec Marie, répondit tranquillement Jésus en se resservant du café.

— Mais pourquoi ? demanda Gabriel, épouvanté.

— Parce que je crois que Marie peut m'en apprendre beaucoup sur les êtres humains d'aujourd'hui. Sur leur façon de vivre, leurs sentiments, leur foi.

— Tu peux apprendre cela avec d'autres aussi, objecta Gabriel.

Même sans réfléchir, il pouvait citer deux ou trois fidèles paroissiens selon lui bien plus aptes que Marie à passer une soirée avec le Messie. Il connaissait même des athées plus indiqués que cette femme qu'il appréciait de moins en moins, bien qu'elle fût la fille de sa chère Silvia.

— Je lui ai donné rendez-vous, je ne vais pas me dédire, déclara Jésus d'un ton décidé. De plus, être avec Marie me cause beaucoup de joie.

À ces mots, Gabriel sentir revenir ses brûlures d'estomac.

— Mais... ne dois-tu pas te préparer à ta tâche ? demanda-t-il, espérant encore pouvoir convaincre Jésus de décommander sa soirée.

— Ce n'est pas à toi de me faire la leçon, dit Jésus d'un ton sec.

Gabriel se tut. Nul ne pouvait faire la leçon au Messie, il le savait bien.

— Toi-même, tu devrais te préparer pour le combat final, l'exhorta Jésus.

— C'est... c'est ce que je fais, balbutia Gabriel, soudain sur la défensive.

— Non, tu prends ton plaisir avec cette femme.

Il y avait dans la voix du Messie comme un soupçon de reproche.

Gabriel rougit. Le fait est que, ces deux derniers jours, il avait passé le plus clair de son temps au lit avec son grand amour. Jésus les avait-il par hasard entendus ? Silvia n'était pas spécialement discrète, ce qui était très énervant, mais aussi très chouette, d'une certaine manière, et lui-même, Gabriel, il lui arrivait parfois de ne plus contrôler sa voix lorsqu'il pratiquait ce merveilleux mécanisme de scie.

— Je... hem... je veux seulement la convertir, bafouilla Gabriel.

Ce n'était même pas un mensonge. Il n'avait jamais su mentir au Messie ! Simplement, Silvia ne se laissait pas convertir. Elle persistait à refuser que la Bible puisse lui dicter sa conduite.

— Qu'est-ce que c'est que des « dessous » ? demanda Jésus.

Gabriel fut pris d'une quinte de toux.

— Par hasard, je t'ai entendu dire à cette femme que tu aimais les dessous.

— Hum... c'est un plat français, répondit Gabriel.

Finalement, il semblait bien qu'il fût capable de mentir au Messie, constata-t-il, choqué.

— Et qu'est-ce qu'un tanga ?

— Tanga... c'est... c'est le nom de son chat, dit Gabriel.

Comme il s'habituait vite à mentir à Jésus ! C'était stupéfiant.

Le Messie se leva et annonça :

— Je m'en vais maintenant, je vais voir Marie.

Gabriel ne voulait pas qu'il parte. Il craignait que Marie n'ait une mauvaise influence sur lui. Si elle était seulement à moitié aussi décidée et aussi douée que sa mère pour la tentation, si jamais c'était dans la nature des éléments féminins de cette famille, alors... alors... eux aussi, ils allaient... Mon Dieu, était-il devenu fou, pour imaginer des choses pareilles ?!?! Il ne pouvait pas formuler une telle pensée !

— Ne préfères-tu pas dîner avec moi ce soir ? dit-il en désespoir de cause.

— N'as-tu pas rendez-vous avec Silvia ? demanda à son tour Jésus.

— Nous pourrions manger ensemble, proposa Gabriel.

— Des dessous ? dit Jésus.

— Non ! fit Gabriel d'une voix légèrement trop aiguë.

— Pourquoi non ?

— Euh... ça donne des brûlures d'estomac.

Ces mensonges tournaient vite à la routine. Jésus se mit à rire :

— Pourquoi devrais-je avoir peur des brûlures d'estomac ?

Avant que Gabriel ait pu trouver une parade un peu vraisemblable, on sonna à la porte. Jésus alla ouvrir. C'était Silvia. Gabriel se prit à espérer que Jésus ne ferait allusion ni aux dessous ni au tanga. Silvia entra et vint embrasser Gabriel sur la joue. En présence du fils de Dieu, l'ancien ange trouva cela extrêmement embarrassant.

— *Quelque chose ne va pas ? dit Silvia, remarquant sa gêne.*

— *Non, non, se défendit Gabriel.*

Il se rendait bien compte qu'en réalité, il n'arrêtait pas de mentir.

— *Cela t'ennuierait que Joshua passe la soirée avec nous ?*

Le regard de Silvia manifestait clairement que, oui, cela l'ennuyait beaucoup.

— *J'ai un autre rendez-vous ce soir, dit Jésus.*

Silvia parut soulagée, et Jésus ajouta poliment :

— *Pour vos dessous, ce sera avec plaisir, une autre fois.*

— *Mes dessous ? dit Silvia, tout de même un peu étonnée. Vous voulez les ess...*

Gabriel se hâta de l'interrompre :

— *Ne parlons pas cuisine, dit-il, je me sens l'estomac un peu barbouillé.*

Silvia ne comprenait plus rien. C'est alors que Jésus lui demanda :

— *Où est donc votre petit Tanga ?*

Et, devant Silvia stupéfaite, il ajouta :

— *Gabriel m'a parlé de lui.*

C'est à ce moment précis que Gabriel regretta d'être devenu homme.

— *A-t-il une jolie fourrure ? s'enquit poliment Jésus.*

— Hum, répondit Silvia, il existe peut-être des tangas avec de la fourrure, c'est probable, sûrement, mais...

Gabriel ne la laissa pas continuer. N'y tenant plus, il dit à Jésus :

— Tu vas être en retard à ton rendez-vous.

Pour se tirer de ce mauvais pas, il ne voyait plus d'autre solution que de mettre Jésus à la porte. En cet instant, il se fichait complètement que le Messie aille retrouver Marie.

— Tu as raison, mon fidèle ami, approuva Jésus, et il prit congé d'eux.

Quand la porte du presbytère se referma derrière Jésus, Gabriel poussa un grand soupir de soulagement.

Cependant, à la fenêtre, Silvia suivait le Messie des yeux.

— Il est homo ? demanda-t-elle, perplexe.

Gabriel ferma les yeux. C'en était trop. Il avait amené le fils de Dieu à prononcer des mots tels que « dessous » et « tanga ». Il lui avait menti.

Et surtout, il l'avait laissé partir pour un autre rendez-vous avec cette Marie !

24

Qu'est-ce qu'on met pour aller à un rendez-vous avec Jésus ? C'est la question que je me posais devant mon armoire après avoir pris une douche et m'être brossé les dents. En cherchant parmi mes fringues ce que j'avais de plus chaste et de moins décolleté, je trouvai un chemisier à jabot, un pull qui pouvait aller par-dessus et un pantalon noir bien large. Je n'avais pas été vêtue aussi décemment depuis ma confirmation. Le premier problème ainsi résolu, restait le deuxième : qu'est-ce qu'on est censé faire avec quelqu'un comme Jésus ?

J'en aurais bien discuté avec ma sœur, mais elle m'avait laissé un petit mot pour dire qu'elle était partie dessiner au bord du lac. Et que je ne devais pas m'inquiéter, les résultats des examens étaient bons.

D'ailleurs, qui sait ce que Kata m'aurait conseillé ? Probablement quelque chose du genre : « Montre donc à Jésus quelques malades du cancer, et après, demande-lui comment Dieu aime les hommes. »

Pouvait-on vraiment poser une question pareille à Jésus ? Si je mettais Dieu en cause, ne risquait-il pas de se fâcher sérieusement ? Et si Jésus existait, l'enfer existait-il aussi ? Et était-ce bien raisonnable de penser à tout ça, si on espérait pouvoir encore dormir la nuit ?

Là-dessus, papa entra dans ma chambre et me dit :

— Je peux te parler ?

— Écoute, je dois partir dans cinq minutes, répondis-je, espérant ainsi échapper à une conversation sur le thème « Svetlana n'est pas du tout ce que tu crois ».

— Svetlana n'est pas du tout ce que tu crois, dit papa.

Je poussai un soupir.

— Ah bon ? Elle est donc pire que ça ?

Papa me regarda avec tristesse. C'est fou ce qu'un regard peut être triste chez un homme âgé.

— Elle adore sa fille.

Comme si ça changeait quelque chose !

— C'est très beau, fis-je ironiquement.

— Est-ce donc si difficile d'imaginer que quelqu'un puisse m'aimer ? demanda-t-il.

— Non, mais d'imaginer qu'une fille comme ça t'aime, répliquai-je un peu trop franchement.

Il se tut. Visiblement, il savait très bien que j'avais raison. Pourtant, il ne renonçait pas :

— Qu'est-ce que ça peut faire qu'elle m'aime ou pas, si elle me rend heureux ?

Il y avait sans doute des questions d'amoureux plus désespérées que celle-là. Mais pas beaucoup.

J'avais bien envie de secouer papa jusqu'à ce que la partie de son cerveau où logeait Svetlana lui ressorte par l'oreille. Au lieu de cela, je me contentai de caresser sa vieille joue ridée. Mais, repoussant ma main, il déclara d'une voix décidée :

— Si tu ne peux pas être amie avec Svetlana, tu dois quitter cette maison.

Et il me laissa là, atterrée : mon propre père menaçait de me jeter dehors !

En partant, je passai devant la cuisine, où Svetlana jouait aux petits chevaux avec son monstre d'enfant. Svetlana paraissait heureuse, je ne l'avais encore jamais vue aussi détendue. Comme si un poids très lourd lui avait été ôté. Soit parce qu'elle pouvait piocher tranquillement dans le compte en banque de mon père à présent que sa gamine était là, soit parce que la petite était guérie de son épilepsie. Probablement les deux. Je m'arrêtai dans le couloir : il m'apparaissait clairement maintenant que, la veille, nous avions tous été témoins d'un miracle. Je me sentis emplie d'une crainte respectueuse. Peut-être devais-je expliquer à Svetlana que sa fille était guérie pour toujours ? Cela créait certainement des liens entre nous. Nous pouvions oublier toutes nos querelles. Ce miracle de Jésus avait définitivement soudé notre petite communauté…

C'est alors que la gamine m'aperçut et me tira la langue. Je répondis par une vilaine grimace et sortis de la maison.

J'avais rendez-vous avec Jésus sur le débarcadère où nous nous étions assis le matin. Pour beaucoup de gens, une telle rencontre eût été un événement fantastique – bon, peut-être pas pour Oussama ben Laden, parce qu'il se serait rendu compte qu'il avait passé toutes ces années pour rien dans une grotte afghane dépourvue de toilettes. Mais moi qui n'étais que Marie de Malente, de quoi pouvais-je parler avec lui ? Je me sentais totalement dépassée.

Jésus était déjà sur le débarcadère, debout dans la lumière du couchant. Un spectacle si merveilleux qu'à sa vue, Michel-Ange aurait certainement voulu réviser son projet pour la chapelle Sixtine. Jésus portait toujours les mêmes vêtements, jamais sales – être le Messie avait aussi ses côtés pratiques. Ce matin encore, en le voyant, je m'étais sentie toute retournée. Mais à présent, j'étais surtout extrêmement intimidée.

— Bonsoir, Marie, dit Jésus.

— Bonsoir…

J'avais du mal à l'appeler « Jésus ». Je laissai donc tomber les formalités et fermai plutôt le dernier bouton de mon chemisier à jabot. Mes sentiments envers lui étaient toujours knock-out.

— Qu'est-ce qu'on fait ? demanda-t-il.

— Je… je pourrais commencer par te faire visiter Malente ? proposai-je avec embarras.

— Très bien, dit-il en souriant.

Disons que ça peut aller, pensai-je.

J'emmenai Jésus à l'autre église de la ville. Celle où mes parents s'étaient autrefois mariés. Il me semblait qu'une église était un lieu tout indiqué pour un tel rendez-vous. En tout cas davantage que le club de salsa local.

— Viens-tu souvent ici ? s'enquit Jésus alors que nous entrions dans la petite église sans prétention.

Que fallait-il répondre à cela ? La triste vérité ? Ou mentir ? Mais mentir à Jésus n'était sûrement pas recommandé, surtout si l'enfer existait vraiment.

— À l'occasion, dis-je.

Une réponse évasive me paraissait la meilleure façon de m'en sortir.

— Et quelle est ta prière préférée quand tu viens dans cette église ? reprit-il, curieux.

Aïe ! Je n'en connaissais aucune par cœur. Je réfléchis à toute vitesse, et voilà tout ce que je trouvai :

— Seigneur Jésus, viens t'asseoir à notre table ; bénis ces dons de ta main charitable.

— Vous mangez à l'église ? dit-il, étonné.

Mon Dieu, quel supplice ! Je décidai de la boucler avant d'aggraver encore mon cas. Nous nous avançâmes en silence vers l'autel. La vue de toutes ces croix ne devait pas faire vraiment plaisir à Jésus – ça réveillait sûrement de vieux souvenirs –, mais il paraissait très heureux qu'on honore Dieu dans cette maison.

Sauf que… je n'étais pas précisément un modèle de dévotion. Je me sentais donc plutôt mal à l'aise. Comment allais-je tenir le coup jusqu'à la fin de la soirée ?

Tandis que Jésus observait les tableaux sur les murs, je fixais obstinément le sol, ce qui me permit de constater qu'on aurait pu passer la serpillière plus souvent dans cette église.

Soudain, Jésus se mit à rire.

— Qu'est-ce qu'il y a ? demandai-je avec curiosité, contente de pouvoir lever les yeux du carrelage crasseux.

— Ma mère ne ressemblait pas du tout à cela.

Il montrait un tableau où le visage de Marie, sous l'auréole, paraissait comme sculpté dans l'ivoire. Marie, dans l'étable, portait l'Enfant dans ses bras.

— Elle avait beaucoup plus de rides, dit Jésus en souriant.

Pas étonnant, étant donné les problèmes de la famille, pensai-je.

— Et elle avait la peau plus foncée.

Oui. L'Église n'aime pas trop les types méditerranéens.

— À l'époque, ça n'a pas été facile pour elle, poursuivait Jésus. Surtout au début, quand tout le monde la croyait folle.

Je regardai Joseph, debout près de Marie, en pensant que lui aussi avait sûrement pris Marie pour une folle, du moins au début. Imaginez cette femme venant lui dire, à lui, l'homme avec qui elle n'a jamais couché : « Écoute, Joseph… hem… tu ne vas pas le croire, mais voilà ce qui m'est arrivé… »

Remarquant que je regardais fixement Joseph, Jésus me dit :

— Joseph a d'abord voulu rompre secrètement les fiançailles, afin que Marie ne soit pas déshonorée. Mais c'est alors qu'un ange lui est apparu en rêve et lui a expliqué qui Marie abritait en son sein. Et il a pris Marie pour femme.

Un homme qui épouse une femme enceinte, c'est plutôt correct. Même aujourd'hui, tout le monde ne le ferait pas.

— Dès lors, il m'a accueilli avec amour et m'a élevé comme son enfant, dit Jésus.

— Comment peut-on élever Jésus ? demandai-je, étonnée.

— Avec sévérité. Pendant quelque temps, Joseph m'a interdit de sortir de la maison.

— Qu'est-ce que tu avais fait ?

— À cinq ans, j'ai façonné douze moineaux d'argile pendant le sabbat.

— Était-ce si grave ?

— On ne doit pas faire ce genre de chose pendant le sabbat. Et puis, j'avais donné vie à ces moineaux.

Effectivement, Marie et Joseph avaient dû avoir un peu de mal à expliquer ça aux voisins.

— Aussi, j'ai desséché le fils d'Ananie comme une baguette de coudrier.

— Quoi !?!? m'écriai-je, stupéfaite.

— Nous jouions au bord d'un ruisseau. Par la force de ma volonté, j'avais détourné l'eau pour en faire une petite mare, et, avec une baguette de coudrier, il avait détruit ma fontaine. Alors, je l'ai maudit et il s'est desséché.

Pfou ! Si c'était pour ça que Joseph l'avait enfermé à la maison, il était plutôt indulgent. Et même presque laxiste. Les mères de Nazareth devaient souvent dire à leurs enfants : « Je ne veux pas que ce Jésus mette les pieds dans notre hutte en terre ! »

— Mais, à l'âge de six ans, j'ai aussi sauvé la vie à un enfant. Mon ami Zénon s'était tué en tombant du toit, et je l'ai aussitôt ressuscité. J'avais peur qu'on me rende responsable de sa mort, ajouta Jésus avec un sourire satisfait.

Il semblait qu'il n'eût découvert l'altruisme qu'un peu tardivement.

— Je me suis aussi querellé avec un maître, poursuivit Jésus, en veine de confidences. Cet homme ne savait pas enseigner. Je le lui ai dit et il m'a réprimandé.

— Et tu l'as desséché lui aussi ? demandai-je avec inquiétude.

— Non, bien sûr.

Soulagée, je respirai.

— Je l'ai fait s'évanouir.

Pourquoi ne racontait-on pas ce genre d'histoires au catéchisme ? Les adolescents se sentiraient beaucoup plus proches de Jésus.

Il regarda à nouveau l'image de ses parents et dit d'un air songeur :

— Le visage de Joseph était bien plus ridé. À cause du soleil… et des soucis…

Je me mis moi aussi à observer de plus près Marie et Joseph. En réalité, c'était la première fois que j'examinais ainsi un tableau dans une église. Les parents de Jésus avaient sans doute eu du mal à l'élever. Mais cela n'avait-il pas été encore plus difficile pour lui ? Dès l'âge de cinq ans, il savait qu'il était différent des autres enfants. Et il avait bien dû comprendre à un moment ou à un autre que ce père au visage ridé n'était pas son vrai père.

J'avais de la peine pour ce petit Jésus.

Ce que le grand Jésus remarqua aussitôt :

— Qu'as-tu, Marie ? demanda-t-il, étonné.

— Rien, rien... c'est juste que... ton enfance n'a pas dû être facile. Tu étais très seul. Sans amis.

Cela le surprit visiblement que quelqu'un éprouve de la compassion pour lui. D'habitude, c'était son rôle de témoigner de la compassion aux autres, même à ceux qui braquaient des agences de télécoms. Un instant, ma remarque parut le troubler. Puis il se ressaisit et dit :

— Il y avait aussi mes frères et sœurs.

— Mais... je croyais que Marie était vierge ! m'exclamai-je sans réfléchir.

— N'est-ce pas impoli chez vous aussi de parler de la vie amoureuse des parents ? dit-il pour me taquiner.

Je trouvais que, chez nous, les parents – ma mère en particulier – avaient plutôt tendance à beaucoup s'étaler sur leur vie amoureuse, mais je préférai garder cela pour moi.

— Excuse-moi, fis-je, penaude.

— Mes frères et sœurs sont venus au monde après moi.

— Alors, finalement, Marie a eu...

Je m'arrêtai juste à temps pour ne pas prononcer les mots « une vie sexuelle ».

— Tu penses très logiquement, dit Jésus, et je crus distinguer une nuance de moquerie dans sa voix.

Puis il me parla de ses frères et sœurs. Il avait aussi sauvé la vie de l'un de ses frères, Jacob, mordu par une vipère. Le petit Jésus était accouru, avait soufflé sur la blessure, et Jacob s'était relevé, guéri. La vipère était morte.

La vipère était morte ! Vraiment, Jésus était un chouette grand frère !

— Pourquoi ne dit-on rien de tes frères et sœurs dans la Bible ? demandai-je.

— Ils sont brièvement mentionnés, mais…

Il s'interrompit.

— Mais quoi ?

— Ils ne m'ont pas suivi, dit-il avec déception.

Ainsi, pour accomplir sa mission, Jésus avait dû quitter ses frères et sœurs. Même aujourd'hui, cela l'attristait encore visiblement. J'aurais bien voulu lui tenir la main pour le consoler. Mais c'était une idée ridicule. C'était le fils de Dieu, il n'avait pas besoin de consolation. Surtout pas de ma part.

25

— Passes-tu toutes tes soirées à l'église ? demanda Jésus quand sa tristesse fut un peu atténuée.

— Eh bien… non, pas toutes…

Ce n'était pas à proprement parler un mensonge, car « pas toutes » peut très bien signifier « aucune », si on veut.

— J'aimerais passer la soirée avec toi comme tu en as l'habitude, dit Jésus.

Parfait. Mais comment passais-je habituellement mes soirées ? Jésus ne voulait sûrement pas zapper avec moi sur les différentes chaînes de la télévision allemande, ni s'exciter sur des numéros surtaxés pour répondre à des questions telles que : « Comment s'appelle la capitale de la République fédérale ? a) Berlin ou b) Lufthansa ? »

Il me semblait que ce n'était pas non plus une bonne idée de l'emmener là où je traînais le plus volontiers. Car comment lui expliquer la section « Interdit aux moins de 18 ans » de la vidéothèque de Michi ?

Il fallait trouver un endroit parfaitement anodin. Et pourquoi ne pas aller chez le meilleur glacier du monde ? Il se trouvait à Malente, au milieu de la zone piétonne. Pour donner un petit air de Méditerranée à son local, le propriétaire avait même étalé du sable sur sa terrasse, source d'innombrables prises de bec avec les propriétaires de chiens.

— C'est ce que notre époque a inventé de plus beau, dis-je en montrant le banana split qu'on venait de nous servir.

— Cela ne parle guère en sa faveur, commenta Jésus, à qui quelques heures de cours du soir en ironie auraient fait le plus grand bien.

Nous nous mîmes à manger en silence. Pendant un long moment. Comme je commençais à me sentir mal à l'aise, j'essayai de redémarrer la conversation sur le mode désinvolte :

— Alors, il paraît que tu habites chez Gabriel ?

— Oui, répondit-il laconiquement, bien qu'avec amabilité.

— Tu as une belle chambre, chez Gabriel ?

— Oui.

Il fallait que j'arrête de poser des questions auxquelles on pouvait se contenter de répondre par « oui » ou par « non » !

— Comment trouves-tu Malente ? demandai-je donc.

— Très beau.

Argh ! La conversation avait vécu ce que vit toute chose terrestre. Cette fois, le silence se prolongea. Chaque minute qui passait me semblait durer une éternité. J'aurais encore préféré m'en aller, parce que je ne savais vraiment plus de quoi parler avec un Messie. Mais j'aurais quand même été la première femme à laisser tomber Jésus au milieu d'un rendez-vous. À moins que… ? Ça m'aurait bien intéressée de savoir si quelqu'un lui avait déjà fait cela. Par exemple Marie Madeleine. Mais ce n'était pas un bon sujet de conversation dans le cas présent. En désespoir de cause, je fis une proposition :

— Bon. Tu voulais savoir comment je vis, n'est-ce pas ? Alors, pose-moi des questions. N'importe lesquelles. Tout ce que tu as envie de savoir.

— D'accord, dit Jésus. Es-tu encore vierge ?

J'avalai de travers un morceau de banane !

— Qu'est-ce… qu'est-ce qui te fait dire ça ? toussai-je.

— Eh bien, tu n'as pas d'enfants.

— C'est vrai.

— Et tu es déjà vieille.

Merci beaucoup !

— Très, très vieille.

Pour la séduction aussi, il aurait eu besoin de prendre des cours du soir.

— En Judée, une femme de ton âge était déjà grand-mère. Si elle n'avait pas la lèpre.

Au mot « lèpre », je repoussai mon banana split. Comment lui expliquer pourquoi je n'avais pas d'enfants ? Devais-je lui parler de Marc, que j'avais essayé d'écraser quand il m'avait trompée ? Ou de Sven, que j'avais abandonné devant l'autel ? Ou de ma calculette de contraception, qui donnait les périodes de fécondité avec une marge d'erreur de 6 %, ce qui, à mon avis, faisait au moins 6 % de trop ?

Non, tout cela aurait été beaucoup trop pénible et déplaisant. Il ne manquerait pas de me juger et de me dire que j'allais rôtir en enfer. Le seul point positif aurait été qu'après cela, il n'aurait sans doute plus jamais été question de rendez-vous.

Mais je n'eus pas le temps de répondre quoi que ce soit. Des copains de foot de Sven s'avançaient vers nous. Depuis l'épisode de l'église, ils n'étaient certainement pas disposés à dire du bien de moi. Et surtout, Jésus allait apprendre par eux ce que j'avais fait à ce pauvre Sven. Il fallait éviter cela à tout prix !

— Allons-nous-en, dis-je à Jésus.

— Pourquoi ?

— Je voudrais partir, c'est tout.

— Mais je n'ai pas tout à fait terminé mon banana split !

C'était franchement grotesque d'entendre Jésus prononcer les mots « banana split ».

— On n'est pas obligé de tout manger, fis-je avec impatience.

— Mais c'est très bon.

— Merde pour la glace ! marmonnai-je entre mes dents.

Jésus me regarda d'un air surpris. De toute façon, c'était trop tard : les coéquipiers de Sven nous entouraient déjà. Quatre footballeurs modèle classique : trente-cinq ans, les jambes arquées. Et exhalant des vapeurs d'alcool qui auraient suffi à stériliser une trousse chirurgicale.

Le première ligne, un petit type à la langue acérée, déclencha les hostilités :

— Tu as brisé le cœur de S...

— Tirez-vous, le coupai-je.

— On te dérange en plein rendez-vous ? demanda le milieu de terrain, qu'on avait apparemment oublié d'informer que la coupe de cheveux court devant-long derrière n'allait à personne, pas même à Don Johnson dans *Deux flics à Miami*.

— Tu es une vraie salope, intervint le défenseur, une grosse brute dont le surnom, à l'association sportive, était « Ni homme ni bête : Numéro 4 ».

Le gardien de but approuva d'un : « Hmmm ! » Ce type avait reçu un peu trop de ballons sur la tête au cours de sa carrière.

Je jetai un regard vers Jésus, me demandant avec angoisse comment il allait me juger. Tous les sentiments de culpabilité qui m'étaient déjà revenus lorsque j'avais failli me noyer dans le lac m'assaillaient à nouveau.

Mais Jésus se leva et dit tout simplement, comme dans la Bible :

— Que celui qui n'a jamais péché jette la première pierre.

— Qu'on jette des pierres ? demanda Numéro 4, surpris.

— Ce serait pas une mauvaise idée, déclara malicieusement le première ligne.

— Hmmm, grogna avec approbation le gardien de but.

Hélas, mon cher Jésus, les temps ont bien changé ! Les quatre footballeurs étaient tellement ivres qu'ils m'auraient lapidée sur-le-champ. Quelques pierres seraient sans doute tombées à côté, vu leur état, mais je ne me sentais pas rassurée pour autant.

— Il faudrait vraiment partir, maintenant, soufflai-je à Jésus.

— Nous mangerons nos banana split jusqu'au bout, déclara-t-il avec fermeté tandis que le gardien de but ramassait déjà un petit caillou.

— Désolée, mais là, je crois que le côté « tendre l'autre joue » ne va pas nous mener très loin.

— Je n'ai donc pas l'intention de tendre l'autre joue, dit Jésus en se levant.

Mon Dieu, il n'avait tout de même pas l'intention de les dessécher sur place ?

Mais il ne fit rien de tel. Sans un mot, il écrivit quelque chose sur le sable avec ses doigts. Pour moi, c'étaient des hiéroglyphes totalement indéchiffrables. Mais les footballeurs, eux, les fixèrent avec stupeur. Pendant un bon moment. Avant de s'enfuir à toute vitesse, l'air terrifié. Alors, Jésus souffla sur le sable pour effacer l'inscription.

— Que… qu'est-ce que tu avais écrit ? le questionnai-je.

— Chacun d'eux a pu lire sur le sable sa plus grande faute, dit Jésus en souriant.

Il avait donc dû capter cela dans leurs pensées.

Mon Dieu ! Avait-il pu voir aussi ce que j'avais fait à Sven ?

Jésus vit sur mon visage la culpabilité qui me tourmentait.

— N'aie pas peur, Marie, je n'ai pas lu tes fautes dans ta mémoire. Je ne l'ai fait que pour ces hommes. C'est d'ailleurs pour cela que tu n'as pas pu lire.

Ouf !

— Que veut dire exactement « sadomaso » ? demanda Jésus.

Chez lequel des footballeurs avait-il bien pu lire cela ? Et comment faisait-on pour répondre sans rougir à une telle question ?

— Que signifie « fraude fiscale » ? Et aussi : « Avoir mis maman dans un hospice pourri » ?

Je ne savais à laquelle de ces questions répondre en premier, ni comment y répondre, d'ailleurs. Alors, je choisis d'expliquer à Jésus ce qui s'était passé avec Sven. De lui dire qu'à mon grand regret, je n'avais pas pu faire autrement que d'abandonner Sven au pied de l'autel, parce que je ne l'aimais pas assez et que cela lui aurait brisé le cœur. De dire à quel point je me sentais coupable à présent. Au point que je ne pourrais peut-être jamais me le pardonner.

— Est-ce que tu me condamnes ? demandai-je avec angoisse.

— Non, dit-il. Et sais-tu ce que cela signifie ?

— Que je ne dois pas me condamner moi-même ? suggérai-je avec joie, espérant pouvoir enfin soulager ma conscience.

Il se racla la gorge, cherchant ses mots.

— Tu voulais dire autre chose, peut-être ? fis-je d'une voix hésitante.

— En vérité, je voulais dire : ne refais plus jamais une chose pareille.

— Ah… fis-je, déçue. Mais, ajoutai-je, je n'ai jamais eu l'intention de recommencer.

— Alors, c'est bien, dit Jésus.

Après un instant de réflexion, il ajouta :

— Mais te pardonner à toi-même est aussi une très bonne idée.

— Ah ? fis-je, surprise.

— Oui, j'aurais dû y penser moi-même. Tu m'as appris quelque chose.

Et il me sourit avec reconnaissance. C'était très beau. Son sourire me réchauffa le cœur. Ça, et l'idée que je pouvais enfin me pardonner à moi-même ce que j'avais fait à Sven.

26

— N'avais-tu pas déjà empêché une lapidation, autrefois ? demandai-je, respirant enfin librement pour la première fois de la soirée, tandis que Jésus réattaquait sa coupe glacée.

— Oui, celle d'une prostituée.

— Marie Madeleine ?

— Marie Madeleine n'était pas une prostituée ! s'énerva-t-il.

Aïe, aïe, aïe ! Il était encore très sensible sur la question de son ex. Du moins, si c'était bien une ex.

— Marie Madeleine était une femme tout à fait normale, reprit-il un peu plus calmement.

— Comment as-tu fait sa connaissance ?

— Elle m'a accueilli chez elle, avec sa sœur Marthe. Elle a oint mes pieds.

Marie Madeleine était-elle pédicure ? Mais non, suis-je bête, ça n'existait sûrement pas à l'époque.

— Puis elle les a séchés avec ses cheveux.

Eh bien ! Il faut déjà pouvoir.

— De ce jour, elle a fait partie de ma suite, dit Jésus en souriant.

Devant ce sourire, je sentis la jalousie monter en moi. Un sentiment particulièrement stupide lorsqu'on l'éprouve à propos de Jésus. Surtout lorsqu'on se souvient de la Marie Madeleine qui dansait dans *Jesus Christ Superstar*.

Pourtant, je ne parvenais pas à me débarrasser de cette jalousie. Mes sentiments n'étaient donc visiblement pas aussi knock-out que je l'aurais souhaité. Je devais à tout prix savoir si cette Marie Madeleine, quand elle l'avait suivi, avait aussi partagé son lit. Mais comment poser une question pareille sans en avoir l'air ?

— Est-ce que… ta suite et toi… hem… vous dormiez dans des… petites grottes… où vous deviez… vous serrer les uns contre les autres… pour avoir chaud ?

Pas franchement discret comme question. Jésus secoua la tête :

— Marie de Magdala ne s'est jamais couchée près de moi.

Comme disait toujours ma sœur : Platon était un parfait imbécile.

— Marie m'avait dit… commença-t-il avant de s'interrompre aussitôt.

— Qu'est-ce qu'elle t'avait dit ?

Mais il ne voulait plus répondre. Ses yeux étaient à nouveau pleins de tristesse. Pour sa mission, il avait renoncé non seulement à sa famille, mais aussi à l'amour. Un sacré renoncement, si vous voulez mon avis.

Sa coupe glacée terminée, Jésus avait posé l'une de ses mains sur la table. J'eus de nouveau envie de la prendre dans la mienne pour le consoler. Ça m'était égal qu'il soit le fils de Dieu. En cet instant, il était seulement un homme triste que j'aimais beaucoup. Peut-être un peu trop. J'avançai ma main vers la sienne, mais il s'en aperçut et la retira d'un geste tranquille. Il ne voulait pas être consolé. Pas par moi.

Mais il ne parvenait pas non plus à se consoler seul. Comme je ne supportais pas de lui voir cet air mélancolique, je cherchai une idée pour le distraire de ses souvenirs. S'il voulait savoir comment vivaient les hommes d'aujourd'hui, pourquoi ne pas l'emmener à l'endroit le plus vivant de Malente ?

— Je sais ce que je vais te montrer maintenant, dis-je en souriant.

— Ah oui ? Quoi donc ? demanda Jésus avec curiosité.

— La salsa !

27

C'est ainsi que, vers 23 heures, nous débarquâmes dans le seul établissement de Malente encore ouvert à pareille heure, le club de salsa, qui, comme il fallait s'y attendre étant donné le peu d'imagination des Malentois, s'appelait le Tropical. Il était situé dans une cave où on n'avait pas entendu parler de l'interdiction de fumer, et il y régnait une ambiance du tonnerre, avec tous ces jeunes qui dansaient sur de chouettes rythmes latino-américains. Jésus et moi, nous faisions sérieusement augmenter la moyenne d'âge, et pas seulement parce qu'il avait plus de deux mille ans. La décontraction des danseurs, les robes minimalistes et les chemises ouvertes des hommes, révélant des pilosités pectorales qu'on aurait parfois mieux aimé ignorer, le surprirent visiblement.

— Il n'est pas interdit de danser, n'est-ce pas ? demandai-je, craignant soudain d'avoir commis une erreur en l'amenant dans ce club.

— Non, le roi David, pour honorer Dieu, dansait déjà dans sa splendeur dévoilée.

Une splendeur dévoilée ? Brrr…

Cependant, à son regard méfiant, je voyais bien que certaines femmes devaient être un peu trop dévoilées dans la foule qui se pressait autour de nous.

— Veux-tu que nous partions ? proposai-je.

— Non, je suis accoutumé à aller parmi les pécheurs.

— Mais… tu n'as pas l'intention d'écrire à nouveau leurs péchés sur le sol ? questionnai-je, inquiète.

— Non.

— Bon.

— Je vais convertir ces gens.

Et il se dirigea vers une jeune femme vêtue d'un haut qui disait clairement aux hommes : Je porte ça, mais c'est purement symbolique.

Je rattrapai Jésus et lui barrai le passage :

— Tu ne convertiras personne ici, l'avertis-je.

Il me semblait d'ailleurs que, dans ce club, la plupart des gens n'étaient pas de vrais pécheurs, du moins pas selon ma définition. Jésus tenta de protester :

— Mais…

— Si tu fais ça, la soirée n'aura servi à rien !

Il me regarda avec surprise.

— Tu veux que je te montre comment vivent les hommes d'aujourd'hui, mais, si tu es le fils de Dieu, je ne peux tout simplement pas le faire.

— Mais je n'y peux rien si je suis le fils de Dieu ! dit Jésus.

C'était la première fois que je le voyais décontenancé. Ça lui donnait un petit air fragile qui lui allait bien.

— Oui, mais tu es aussi un être humain, dis-je.

Car j'avais senti cela lorsqu'il m'avait parlé de ses parents et de Marie Madeleine.

Il avait l'air de plus en plus surpris.

— Pour ce soir, essaie de n'être que Joshua.

Il réfléchit un peu avant de se décider.

— D'accord, dit-il enfin.

Je commençai par poser quelques règles de conduite pour « l'homme ordinaire dans une soirée salsa » :

1) On ne chante pas de psaumes.

2) On ne rompt pas le pain avec les gens.

3) Interdiction de mettre les gens face à leurs péchés.

4) Interdiction de danser avec une « splendeur dévoilée ».

La dernière règle le fit bien rire – apparemment, il appréciait mes plaisanteries.

— Pour cela, tu n'as rien à craindre, dit-il.

Très amusé, il accepta facilement toute ma liste de règles. Cependant, il n'était pas le seul à devoir oublier qu'il était le fils de Dieu. Je devais l'oublier moi aussi. Mais, quand il s'agissait d'un homme, j'étais capable de fermer les yeux sur bien des choses. Par exemple, la façon dont Marc flirtait continuellement avec d'autres femmes, ou la déplaisante habitude qu'avait Sven de se couper les ongles des pieds dans la salle de bains. Nous, les femmes, nous savons regarder ailleurs quand nous avons décidé de rester à tout prix avec un type. Ce soir, j'allais mettre à profit cette faculté d'aveuglement volontaire.

— Tu n'as pas soif ? demandai-je.

— Voudrais-tu que nous buvions encore du vin ?

— Je pensais plutôt à des mojitos.

Je commandai deux cocktails au bar, avec l'assurance que cela ne me serait pas compté comme une tentative d'entraîner le Messie sur la pente du mal. Un mojito ne risquait guère de le soûler, étant donné la quantité d'alcool que pouvait tolérer sa formule sanguine semi-divine. Quand il eut trouvé la bonne façon de boire en poussant de côté le petit parasol, il constata avec une authentique satisfaction :

— C'est très bon, ça change agréablement du vin !

Et Joshua – oui, ça marchait, à présent je pouvais de nouveau l'appeler Joshua – me fit un grand sourire. Il était de plus en plus gai. Autour de nous, les danseurs s'amusaient comme des fous. Devais-je proposer à Joshua d'en faire autant ? Pourquoi pas ? Il était un être humain maintenant !

Je pris mon courage à deux mains et, le cœur battant, demandai :

— Veux-tu que nous dansions ?

Il hésita.

— Allez !

— Je… je n'ai encore jamais dansé de ma vie.

— Alors, le roi David a au moins cet avantage sur toi, plaisantai-je avec un peu d'insolence.

Il avait encore des scrupules :

— Ce ne sont pas des chants divins.

— Ils ne sont pas diaboliques non plus.

Tandis qu'il soupesait cet argument, je l'entraînai sans plus attendre sur la piste de danse.

Cette fois, il était complètement dépassé. Ça lui allait bien aussi, d'être dépassé. Je le pris par les hanches, et il me laissa faire, désormais décidé à tout accepter. Alors, je commençai à le guider sur la piste. Au début, il faut reconnaître qu'il était assez maladroit. Comme n'importe qui l'aurait été à sa place. À un moment, un faux pas nous fit heurter un autre couple de danseurs qui s'indignèrent :

— Vous ne pouvez pas faire attention ? ronchonna l'homme, qui s'habillait comme Antonio Banderas, mais avait plutôt le physique de Tom Buhrow, celui qui présente les actualités sur ARD.

— Fais attention à ce que tu dis, ou il va te dessécher sur place, lui dis-je avec un grand sourire, et j'entraînai Joshua plus loin.

— Je ne ferais jamais ça… protesta Joshua.

Mais je ne le laissai pas terminer :

— Un de ces jours, je t'expliquerai aussi ce que c'est que l'ironie.

Tout de suite après, il me marcha sur le pied.

— Aïe ! m'écriai-je.

— Pardon, dit-il, visiblement très peiné de m'avoir fait mal.

— Non, ce n'est rien.

Je le pensais vraiment. En fait, j'étais plutôt contente qu'il m'ait marché sur le pied. Grâce à cela, j'oubliais enfin que je n'étais pas avec une personne ordinaire.

Lentement mais sûrement, nous trouvions notre rythme. Joshua me marchait de moins en moins souvent sur les pieds, et, tout compte fait, nous dansions ensemble. Pas spécialement bien. Mais ensemble malgré tout.

C'était la première fois de ma vie que j'éprouvais un tel sentiment d'harmonie en dansant avec un homme. Pour moi, il était redevenu Joshua, le charpentier à la voix d'or, avec ses yeux magnifiques et ses… oui, même ça, j'osais de nouveau y penser… ses fesses fantastiques.

Nous dansâmes la salsa. Et le merengue. Et un tango. Nous ne maîtrisions pas bien les pas et on nous regardait parfois d'un air de dire : « Qu'est-ce qu'ils fichent là, ces deux empaillés ? », mais je m'amusais beaucoup. Plus que jamais. Et Joshua aussi !

Entre deux danses, il me confia, le visage radieux :

— Je ne savais pas que l'effort physique pouvait causer tant de joie lorsqu'il n'était pas associé au travail. Ni, ajouta-t-il d'un ton infiniment plus sérieux, que cela pouvait procurer tant de joie de n'être que Joshua.

28

Après la fermeture du club de salsa, nous nous dirigeâmes vers le lac pour assister au lever du soleil. C'était la conclusion qui s'imposait après une aussi belle soirée ! Pour tout dire, cela faisait des années que je n'avais pas passé une soirée aussi dingue.

Nous nous assîmes sur le débarcadère – nous y avions en quelque sorte déjà nos petites habitudes. L'endroit était romantique à souhait, parfait pour s'installer en attendant le lever du soleil… et pour un premier baiser… un baiser très beau, très doux… Mon Dieu ! Je ne devais pas penser à ça ! Ce n'était pas le moment ! Ça ne le serait jamais ! Pour me punir, je me frappai la tête du plat de la main.

— Qu'est-ce que tu as ? demanda Joshua, étonné.

— Rien, rien, c'était juste un moustique, mentis-je.

Puis Joshua eut envie de se rafraîchir les pieds dans le lac. Il ôta ses chaussures. Alors, je vis les cicatrices à ses talons.

J'avalai ma salive : c'était là que, jadis, les clous avaient été plantés.

— Ça a dû faire sacrément mal, ne pus-je m'empêcher de dire.

Joshua me jeta un regard sévère, et je me hâtai de détourner les yeux. Venais-je de franchir une limite ?

— J'étais censé n'être que Joshua, dit-il avec reproche.

— Mais… c'était pour la soirée, me défendis-je. Elle est presque finie maintenant.

Après ce que je venais de voir, j'avais du mal à chasser de mon esprit les images de crucifixion de Mel Gibson. Le pire étant que, dans ma tête, ces images défilaient sur la bande originale de *Jesus Christ Superstar*…

Je constatai avec tristesse que je ne pouvais plus faire comme si l'homme assis auprès de moi n'était pas Jésus. J'aurais pourtant tellement aimé continuer à faire semblant !

Joshua regarda dans la direction où le jour commençait à se lever et hocha la tête :

— Oui, la soirée est bien finie.

Et il me sembla qu'il disait cela avec une certaine mélancolie.

— Comment… comment as-tu fait pour supporter la douleur ? demandai-je.

Cela me tracassait beaucoup trop pour que je parvienne à me taire.

Les pieds dans l'eau, Joshua regardait toujours le ciel. Il n'avait tout simplement pas envie d'en parler. Et moi, pauvre idiote, je n'aurais jamais dû poser cette question. J'avais bien envie de me taper encore sur la tête, quand Joshua déclara enfin :

— La foi en Dieu m'a aidé à tout supporter.

Cette réponse me parut un peu trop solennelle et un peu trop héroïque pour être l'entière vérité.

— Tu as cru en Dieu tout le temps, malgré la souffrance ?

Il ne répondit pas aussitôt. Visiblement, cela le travaillait. Puis sa voix s'éleva, pleine de mélancolie :

— *Eloi, Eloi, lema sabachtani.*

— Pardon ? Comment ? fis-je, surprise.

— C'est un psaume de David.

— Ah… bon… balbutiai-je.

Bien entendu, je n'en comprenais pas un mot. Mais ce psaume-là n'avait certainement rien à voir avec la danse de David nu.

— Cela signifie : « Mon Dieu, mon Dieu, pourquoi m'as-tu abandonné ? » expliqua Joshua à voix basse.

— C'est… c'est… triste, dis-je.

— J'ai crié cela sur la croix avant de mourir.

Une grande douleur se lisait à présent dans ses yeux.

De nouveau, en cet instant, il me fit pitié. Une pitié infinie. Au point que, de nouveau, je tendis ma main vers la sienne. Mais cette fois, il ne la retira pas aussitôt. Je touchai sa main avec précaution. Il ne la retira pas. Alors, je la serrai dans la mienne. Très fort.

Et nous restâmes assis en silence sur le débarcadère, Joshua et moi, main dans la main, tandis que le soleil se levait sur le lac de Malente.

29

Quelques heures plus tôt

Pour la première fois depuis bien longtemps, Satan sentait le feu se ranimer en lui. L'ultime bataille allait enfin avoir lieu. La vie retrouvait tout à coup son sens.

Il décida d'abord de recruter les humains à qui il accorderait des pouvoirs surnaturels pour en faire ses cavaliers de l'Apocalypse. Sur sa liste de candidats, le premier cavalier, celui nommé « Guerre », était le quarante-troisième président des États-Unis, qui, au même moment, s'ennuyait ferme dans sa résidence de vacances de Kennebunkport. Pour le deuxième cavalier, la « Peste », il avait coché sur sa liste un cardinal qui avait déclaré aux Africains qu'il valait beaucoup mieux se passer de préservatifs. Pour la « Famine », il avait choisi cet ancien top-modèle qui, dans son émission de télé, haranguait des jeunes filles filiformes en les traitant de grosses vaches pleines de graisse.

Le quatrième cavalier, la Mort, n'avait pas besoin d'être recruté : il œuvrait depuis le commencement des temps terrestres. Satan décida de recourir à lui le plus tard possible. À part Dieu, la Mort était le seul être qu'il n'aimait pas rencontrer après la tombée de la nuit.

Cependant, Satan n'était pas encore pleinement satisfait de ses candidats aux trois premiers postes. Pour gagner contre Dieu, ses compagnons devaient être les meilleurs. C'était maintenant ou jamais, car il s'agissait du dernier combat pour décider du sort de l'humanité. Et Satan était l'outsider, car Dieu s'était toujours arrangé, jusque-là, pour gagner d'une tête (métaphoriquement, s'entend) au final. Songeur, il s'installa sur un banc public au bord du lac de Malente. À côté d'une femme qui dessinait.

— Tu me caches le jour, se plaignit la femme.

— Mais je suis George Clooney, dit-il en lui décochant son sourire à la George Clooney.

— Il y a de ça, si ça peut te consoler. Mais pas besoin d'en faire des tonnes. D'ailleurs, je suis lesbienne.

Et elle lui fit signe de s'en aller.

Satan avait toujours eu un faible pour les femmes volontaires. Briser cette volonté lui procurait des joies sans cesse renouvelées. Bien sûr, il savait que, de sa part, c'était de l'envie. Oui, il enviait aux humains leur libre arbitre. Que n'aurait-il pas fait pour en avoir un lui-même ! Ce jour-là, il remettrait les clés de l'enfer à quelque démon subalterne et partirait se la couler douce sur une île tropicale déserte. Sans hommes pour l'agacer avec leurs pensées, leurs désirs et leurs péchés. Il n'aurait plus jamais à entendre les fantasmes sexuels bizarres pour lesquels un homme était prêt à lui vendre son âme... Ça, ce serait sûrement le paradis !

Puis il se ressaisit : ce n'était pas le moment de rêver. Il n'avait pas de libre arbitre, il devait suivre son destin, et pour cela, il fallait rassembler des troupes pour la bataille finale. C'est alors que son regard tomba sur le carnet de croquis que tenait la femme, et il s'aperçut qu'elle dessinait un strip.

*Cette femme avait l'air d'aimer Dieu à peu près
autant que lui, se dit Satan. Il l'observa plus attentive-
ment et repéra la tumeur dans sa tête. Une maladie
qu'il n'avait pas inventée, à laquelle il n'avait même*

pas songé. Simplement, elle existait dans la nature, il n'avait jamais trop compris pourquoi. Peut-être était-ce un coup de la Mort ? Un type franchement déplaisant.

En tout cas, une chose était claire : cette femme pleine de volonté n'en avait plus pour longtemps à vivre. Un ou deux mois tout au plus.

Et elle était remplie de colère contre Dieu. Oui, elle serait sûrement une bonne candidate pour le deuxième cavalier, la « Peste ».

30

Assis main dans la main sur le débarcadère, nous regardions le soleil se lever, et je me sentais très proche de Joshua – Joshua, pas Jésus.

Il y avait bien longtemps que je ne m'étais pas sentie aussi proche d'un homme. Et, vu la façon dont il tenait ma main, à la fois fermement et très doucement, il se sentait proche de moi lui aussi – du moins, j'osais l'espérer.

Ici et maintenant, tandis que le soleil se levait sur le lac de Malente, nous étions simplement Marie et Joshua. Pas la l.i.m.a.c.e. et le Messie.

Hélas, j'avais un don spécial pour gâcher même les plus beaux moments. Car, lorsque c'était beau, je voulais que cela dure toujours. Et comme ce n'était pas possible (à un moment donné, il faudrait bien finir par aller au petit coin), je voulais au moins m'assurer que je pourrais revivre indéfiniment ce moment merveilleux.

— Tu crois que nous passerons encore ensemble d'autres belles soirées comme celle-ci ? dis-je d'un ton léger.

Mais, pour toute réponse, Joshua me jeta un regard mélancolique. Que lui arrivait-il ? Un fils de Dieu n'avait-il pas le droit d'être avec une mortelle ? Avions-nous fait quelque chose de défendu ? N'aurais-je pas dû plutôt la boucler ? Pourquoi n'avais-je pas un système de bâillon intégré pour me faire taire chaque fois que je m'apprêtais à poser une question idiote ?

— Oui, c'était vraiment une soirée merveilleuse.

Lui aussi avait trouvé que c'était une belle soirée ! Mieux que ça : une soirée merveilleuse !!!

— Malheureusement, nous n'en connaîtrons pas d'autre ensemble.

— Mais… pourquoi ? fis-je avec tristesse, car il m'avait touchée au vif.

— Parce que j'ai une mission à accomplir.

Il ne paraissait pas s'en réjouir. Et je ne comprenais pas. Une mission ? N'était-il pas là seulement pour prendre des sortes de vacances, loin du ciel ?

— Quelle mission ?

— N'as-tu pas lu la Bible ? dit-il, étonné.

— Si, si… naturellement… bredouillai-je.

Je n'osais pas lui avouer que je ne connaissais rien à la Bible, sans compter que je trouvais qu'on aurait pu moderniser un peu la langue.

— Alors, tu sais pourquoi je suis venu ici-bas.

Il retira sa main, et j'en eus comme un coup au cœur. Puis il ramassa ses chaussures et se leva.

— Adieu, Marie.

— Adieu ? N'allons-nous… jamais nous revoir ?

Ça devenait très dur.

Au lieu de me répondre clairement, il prononça ces paroles magnifiques :

— Tu m'as beaucoup donné.

Je lui avais beaucoup donné ? J'avais peine à le croire.

Puis il me caressa doucement la joue. Cela me fit tant de bien que je crus m'évanouir.

Puis il ôta sa main de mon visage.

Cette fois, j'eus très froid.

Et Joshua s'en fut vers le sentier du bord du lac.

J'avais envie de lui crier : « Reste ! », mais aucun son ne sortait de ma bouche. J'avais tout simplement le cœur trop serré de le voir ainsi sortir de ma vie, par le sentier du bord du lac de Malente.

Bien sûr, c'était absurde d'avoir espéré qu'il me serait permis de passer un autre soir comme celui-là avec Joshua. Ou des milliers d'autres soirs. Mais savoir ne protège pas contre la douleur.

J'allais me laisser submerger par le chagrin, quand une pensée fulgurante me traversa l'esprit. Une mission ? Quelle mission ?

Quelques minutes plus tard, je carillonnais à la porte de Michi. Il m'ouvrit, encore plus ensommeillé que la veille. Cette fois, son tee-shirt portait l'inscription : « Il n'y a rien à voir ici ! »

— Quelle est la mission de Jésus ? éclatai-je aussitôt.

— Hein ?

— Quelle est la mission de Jésus ?!?

— Ne crie pas.

— JE NE CRIE PAS !

— Alors, je me demande à quoi ça ressemble quand tu cries.

— À ÇAAAAAA !!!!!

— Tu as devant toi une grande carrière de sèche-cheveux, dit Michi.

Je lui lançai un regard noir.

— Bon, entre, je vais t'expliquer.

Assis à son comptoir devant une tasse de café fort, Michi me parla des nombreuses prophéties de la fin du monde que l'on trouvait dans la Bible : il y en avait plusieurs dans le Livre de Daniel, et Jésus lui-même avait annoncé la fin des temps dans les Évangiles. Mais c'était dans l'Apocalypse, la révélation de Jean à la fin de la Bible, que l'on trouvait le plus de détails. Fascinée, j'écoutai le récit par Michi du combat final du Bien contre le Mal : les cavaliers de l'Apocalypse, Satan, comment Jésus triompherait d'eux en une seule bataille et ferait de notre monde un royaume de Dieu où il vivrait éternellement en paix avec les fidèles – sans peine ni affliction, et surtout : sans mort. À présent, je savais pourquoi Joshua était sur terre.

— Qu'est-ce que tu as ? demanda Michi. Tu es plus pâle que Michael Jackson.

Devais-je le lui dire ? Me croirait-il ? C'était peu probable. Tant pis, je devais confier à quelqu'un ce qui m'était arrivé.

Je racontai tout à Michi : comment Joshua m'avait sauvée de la noyade, comment il avait guéri miraculeusement la fille de Svetlana, les cicatrices à ses talons, sa mission. Le seul sujet que j'évitai fut celui de mes sentiments pour Joshua.

Quand j'eus terminé mon récit, Michi poussa un gémissement :

— Misère de misère !

— Tu… tu me crois ? fis-je, pleine d'espoir.

— Bien sûr que je te crois, répondit-il sur le ton qu'on emploie habituellement pour dire à un enfant que le dessin qu'il vient de faire est vraiment super, même quand le cheval ressemble un peu à une girafe mongoloïde.

— Alors... tu ne me crois pas, constatai-je avec tristesse.

— Eh bien... tu as eu une période un peu difficile, avec le mariage raté, tout ça... et tu essaies probablement de réprimer tes sentiments pour ce charpentier, parce que tu as peur de souffrir encore, et c'est pour ça que tu t'imagines qu'il est Jésus...

— Je ne suis pas folle ! l'interrompis-je.

— Folle, le mot est un peu fort.

— Je peux taper fort aussi, si tu continues comme ça !

J'étais déçue et amère. J'avais tellement besoin de me confier à quelqu'un, après les événements insensés des derniers jours !

Au bout d'un moment de silence, Michi reprit avec douceur :

— Et puis, je ne veux pas le croire, voilà.

— Tu ne veux pas ? Pourquoi ?

— Si le royaume des cieux vient sur terre, ça n'aura pas que des avantages pour les hommes.

— Pourquoi ? D'après ce que j'ai compris, il n'y aura plus sur terre ni mort ni misère. Et plus de chagrins d'amour non plus, je suppose. Ni d'acné.

— Oui, sûrement, mais tous les hommes n'obtiendront pas leur billet d'entrée au royaume des cieux.

Je le regardai d'un air surpris.

— Oui, m'expliqua Michi, tous les hommes devront comparaître devant Dieu. Même ceux qui étaient déjà morts ressusciteront. Dieu ouvrira ce qu'on appelle le « livre de vie », où sont consignées toutes les actions de chacun.

— Ça doit être un vachement gros livre ! dis-je, accablée.

L'idée que tout ce qu'on pouvait savoir de moi soit consigné quelque part ne me plaisait guère. Les anges

de Dieu observaient-ils mes moindres faits et gestes ?
Même quand je prenais ma douche ? Ou mon pied ?
Même toute seule ? Si c'était vraiment le cas, j'aurais
deux mots à dire à ces voyeurs !

— Les hommes seront jugés selon leurs œuvres. Les
bons entreront au royaume des cieux.

— Et les autres ? Qu'est-ce qu'ils feront, s'il n'y a
plus de monde terrestre ?

— Les autres ? D'après la révélation de Jean, ils
seront jetés dans l'étang de feu.

— Ça n'a pas l'air très agréable, dis-je en frissonnant.

— Non, sûrement pas.

— Et tout ça est vraiment dans la Bible ?

Michi acquiesça en silence.

— Mais… Dieu, c'est pourtant le Bien, non ?

— C'est le même Dieu qui, au temps de Noé, a noyé
la terre sous le Déluge, qui a réduit en cendres Sodome
et Gomorrhe, et qui a causé une belle crise agricole en
Egypte avec les Sept Plaies.

— Je ne suis pas sûre d'aimer ce Dieu-là, fis-je avec
tristesse.

— Si le livre de vie existe vraiment, ce que tu viens
de dire y est aussi, maintenant.

— Oh, non !

— Moi aussi, je préfère le Dieu qui a aidé David à
vaincre Goliath, dit Michi.

— Ce n'est pas le même ?

— Des milliers de théologiens se sont déjà cassé la
tête sur cette question.

— Et toi, qu'est-ce que tu crois ? Lequel est le vrai
Dieu ?

— J'espère que c'est celui qui est bon, mais, si on
regarde autour de soi…

Il se tut. Il préférait ne pas formuler ses propres doutes de croyant, pour ne pas leur donner trop de réalité.

En tout cas, j'avais maintenant une vision claire de la situation, et c'était très déplaisant : Jésus était sur terre, il avait dit qu'on pouvait lire dans la Bible quelle était la mission à laquelle il devait se préparer. Il ne pouvait donc s'agir que du Jugement dernier. Le monde tel que je le connaissais allait disparaître. Et il y avait sûrement bien d'autres horreurs sur moi dans cet imbécile de livre de vie. Allais-je passer l'éternité dans un étang de feu ?

31

Pendant ce temps-là...

Toute la nuit, Gabriel s'était fait du souci pour Jésus. Il ne craignait pas qu'il lui soit arrivé quelque chose, non, mais que cette catastrophe ambulante de Marie lui ait tourné la tête et ait ainsi chamboulé le plan divin. Il s'en voulait d'avoir laissé partir le Messie sans même chercher à le retrouver ensuite. Mais cette nuit avec Silvia avait été tellement merveilleuse ! Non seulement il avait vieilli, mais sa chair était faible... et tout à fait consentante.

Jésus avait fini par rentrer au presbytère, vers 7 heures du matin, et Gabriel avait dû faire un gros effort pour ne pas le traiter comme les jeunes de ses camps scouts quand ils étaient sortis sans permission. D'un ton aussi calme que possible, mais tout de même un tantinet trop sévère, il demanda à Jésus :

— Où étais-tu ?

— Je dansais la salsa, répondit Jésus.

Gabriel mit un moment à pouvoir refermer la bouche.

— C'était très bien, ajouta Jésus avec un sourire radieux.

Mon Dieu ! songea Gabriel. Son absurde soupçon était-il devenu réalité ? Le Messie avait-il réellement un faible pour Marie ? Celle-là même à qui Gabriel, à force de l'entendre pleurnicher sur ses chagrins d'amour pendant le catéchisme, avait autrefois failli proposer de changer de religion – juste pour ne plus avoir à la supporter ?

Il fallait qu'il sache ce qui se passait. Jésus avait une mission à accomplir, et aucun sentiment ne devait interférer avec elle !

— Tu... tu éprouves quelque chose pour cette femme ? questionna-t-il avec précaution.

Jésus se sentit mal à l'aise. Il préférait ne pas parler de ses émotions, mais il n'avait jamais menti de sa vie, et il n'avait pas l'intention de commencer maintenant.

— Elle me touche comme personne ne l'avait fait depuis bien longtemps.

Gabriel eut envie de crier. Il allait craquer ! Il voulait utiliser ses pouvoirs d'ange pour retourner dans le passé et veiller à ce que Marie ne naisse jamais ! Mais il n'était plus un ange, seulement un être humain. Alors, il demanda à Jésus :

— Comment... comment est-ce possible ?

— Depuis ma plus tendre enfance, tout le monde me voit comme le fils de Dieu, dit Jésus. Mais Marie... Marie voit autre chose en moi.

— Un danseur de salsa ? ironisa Gabriel avec amertume.

— Un être humain tout à fait normal.

— Mais tu n'es pas un homme normal ! protesta Gabriel.

— C'est bien ce que je lui ai dit, répliqua Jésus avec un sourire satisfait.

— Et... alors ?

— Alors, elle ne voulait pas le savoir.

— *Tu m'étonnes ! ronchonna Gabriel.*

— *Pendant un court moment, je me suis senti libre et insouciant, dit Jésus, souriant toujours.*

Gabriel avait du mal à en croire ses oreilles. Il poussa un nouveau grognement.

— *Elle m'a même appris quelque chose, dit Jésus.*

— *À onduler des hanches ?*

— *Aussi. Mais surtout, elle m'a enseigné ceci : on peut aider les hommes à se pardonner à eux-mêmes.*

Gabriel cessa de grommeler. C'était une déclaration d'une sagesse surprenante. Était-ce bien Marie qui avait dit ça ? Alors… elle avait… elle avait vraiment appris quelque chose au Messie ? Inconcevable !

— *Et elle m'a apporté la consolation, dit Jésus avec nostalgie.*

Gabriel connaissait ce regard. Jésus avait le même autrefois, quand Marie Madeleine était auprès de lui. C'était ce fameux regard qui signifiait : « Moi aussi, j'ai besoin d'un être humain dans ma vie. »

Jésus était donc vraiment amoureux de Marie ! Peut-être ne s'en rendait-il pas tout à fait compte lui-même – après tout, il manquait d'expérience dans ce domaine –, mais Marie avait touché son cœur. À présent, Gabriel en était certain !

L'amour était bien la chose la plus grotesque que Dieu ait imaginée. Mais le Tout-Puissant n'avait certainement pas envisagé que cela pût arriver à son propre fils, et même par deux fois.

À moins que… ? Si on l'appelait le « Tout-Puissant », n'était-ce pas aussi parce que, entre autres choses, il était omniscient ? Bouleversé par cette découverte, Gabriel posa à Jésus, d'une voix hésitante, la question qui le taraudait :

— Mais... tu ne vas pas renoncer à ta mission à cause de Marie ?

— Quoi ? fit Jésus, surpris.

Gabriel s'en voulut terriblement : ne venait-il pas lui-même de donner à Jésus cette idée folle ? Et si, parce qu'il avait bavardé à tort et à travers, le royaume des cieux ne venait plus sur la terre ?

— Est-ce à cause de ton amour pour Silvia que tu me demandes cela ?

C'était à présent le Messie qui, en posant cette question à Gabriel, lui donnait une idée idiote : si le Jugement dernier n'avait pas lieu, Gabriel pourrait continuer à vivre heureux avec Silvia. Et profiter de ce merveilleux mécanisme de la scie. Et de toutes les choses qu'elle voulait encore lui montrer, à ce qu'elle disait. Le Kamasutra, par exemple, ça lui semblait fort intéressant.

— Ne crois-tu pas qu'il serait bien d'attendre encore un peu ? demanda Jésus avec un air de doute.

De toute évidence, lui aussi voulait passer un peu plus de temps avec Marie.

Gabriel luttait contre lui-même. Jésus et lui avaient été induits en tentation, il en était certain ! Il ne devait pas céder à ses émotions. Il devait rester ferme. Pour l'amour de Dieu !

— Pars aujourd'hui même pour Jérusalem, dit-il au Messie d'un ton pressant. Tu dois fonder le royaume des cieux sur terre.

Rappelé à ses devoirs, Jésus réfléchit encore quelques instants avant de répondre :

— Tu as raison, évidemment.

Il alla chercher dans l'armoire sa sacoche d'artisan et prit congé de Gabriel :

— *Adieu, mon vieil ami.*

— *Adieu, répondit Gabriel.*

Et le Messie sortit du presbytère. Gabriel le suivit des yeux. Un peu plus, se dit-il, et une chose aussi stupide que l'amour aurait chamboulé le plan divin !

32

— Et... et Jésus avait annoncé cela lui aussi ? demandai-je à Michi quand j'eus retrouvé la parole.

Je ne parvenais toujours pas à imaginer que Jésus... que Joshua ait pu prêter la main à une affaire pareille.

— Cette menace de la fin des temps lui a permis d'amener beaucoup de gens à réfléchir sur leurs actes et à trouver Dieu, m'expliqua Michi.

— Je... je n'y crois pas.

Michi prit sa bible et la feuilleta :

— Il en est question à beaucoup d'endroits. Regarde, dans Matthieu xxv par exemple, Jésus déclare : « Alors il dira à ceux-là : Allez loin de moi, maudits, dans le feu éternel qui a été préparé pour le diable et ses anges. »

— Tu... tu es vraiment calé ! Et... tu as une idée des critères pour être admis au royaume des cieux ? questionnai-je avec angoisse.

— Alors, tu crois vraiment que cet homme est Jésus, constata Michi.

Il avait l'air un peu effrayé à présent, comme si ma propre peur commençait à le gagner. Ou alors, c'était juste qu'il s'inquiétait sérieusement pour moi.

— La révélation de Jean ne dit pas très clairement ce qu'il faut faire, reprit-il. Mais j'imagine que, si on a observé toute sa vie les nombreux commandements de la Bible, on ne devrait avoir aucun problème.

— Nombreux ? Je croyais qu'il n'y en avait que dix.

— Bien plus que ça ! Il y en a tout un tas, sûrement plus de sept cents.

Devant mon air angoissé, Michi se mit à ricaner nerveusement. Je commençais à transpirer à grosses gouttes : je ne connaissais même pas les dix commandements ! À part des trucs comme : « Tu ne tueras pas », « Tu ne voleras pas », « Tu honoreras ton père et ta mère… »

Holà ! Honorer mes parents, déjà là, il y avait un problème. Qu'est-ce que ce serait avec les commandements que je ne connaissais pas ! Je demandai à Michi de m'en montrer d'autres.

— Il y en a quand même beaucoup qui ne te concernent pas, dit-il.

— Par exemple ?

— Dans le cinquième livre de Moïse, il est dit que l'homme ne doit pas porter un vêtement de femme.

— Ça tombe mal pour David Beckham !

Michi reprit sa bible et me lut un autre commandement :

— Tu n'accoupleras pas dans ton bétail deux bêtes d'espèces différentes. (Lévitique, XIX, 19.)

— Je dirai ça aux cochons d'Inde et aux chiens !

Il me semblait que toutes ces règles ne nous avançaient pas à grand-chose.

En feuilletant encore, Michi tomba sur ce passage :

— Lorsque des hommes se battent ensemble, un homme et son frère, si la femme de l'un d'eux s'approche et, pour dégager son mari des coups de l'autre, avance la main et saisit celui-ci par les parties honteuses, tu lui couperas la main sans un regard de pitié. (Deutéronome, XXV, 11-12.)

— Un cas criant de vérité, fis-je avec impatience.

Toutes ces règles inutiles commençaient à m'ennuyer ferme.

Michi voulut alors me lire dans le Lévitique les règles concernant tout ce que devait laver un homme qui a eu un « épanchement séminal », mais je lui pris la bible des mains en disant :

— Je n'ai vraiment pas envie d'entendre ça maintenant !

Il hocha la tête, compréhensif :

— Je crois que, si on observe bien les dix commandements, ça devrait suffire, dit-il.

Comme je ne me sentais pas fin prête sur ce coup-là non plus, je demandai à Michi de m'indiquer l'endroit où ils se trouvaient. C'était la première fois de ma vie que je lisais la Bible de manière vraiment concentrée. L'instinct de conservation nous fait faire de ces choses...

À mon avis, les trois premiers commandements ne poseraient pas trop de problèmes : Dieu était Dieu, je ne devais pas avoir d'autres dieux que lui, ni m'en faire aucune image. Tout ça était OK. Même si, un bref instant, j'eus la vision d'un Dieu allongé sur un divan de psychanalyste, parce qu'il présentait vraiment toutes les caractéristiques d'un maniaque du contrôle.

Le quatrième commandement était lui aussi acceptable : je devais me reposer le septième jour. C'était un commandement que j'avais pris à cœur tout au long de ma vie. Je ne faisais pas partie de ces fous du travail qui ne s'arrêtaient jamais, même pendant le week-end.

L'idée que les champions de la société productiviste n'aillent pas au ciel précisément pour cette raison était en fin de compte plutôt amusante… Je n'avais pas tué non plus, ni commis l'adultère (d'abord, je n'avais jamais été mariée, ensuite, les hommes mariés ne s'étaient jamais intéressés à moi). Je n'avais pas volé (tout au plus emprunté des trucs que j'avais oublié de rendre), je n'avais convoité ni la maison ni la femme de mon prochain (et le neuvième commandement ne faisait aucune mention des maris comme objet possible de convoitise).

Michi trouvait que, dans ma hâte d'échapper à l'étang de feu, j'avais une fâcheuse tendance à interpréter les commandements comme cela m'arrangeait. Il avait raison, bien sûr : j'avais souvent convoité les maris d'autres femmes. Beaucoup trop souvent. Et avec bien trop peu de résultat, à mon goût.

Quant au dixième commandement, je l'avais transgressé aussi. En fait, je n'avais cessé de désirer ce qui appartenait à mon prochain : le cabriolet de Marc, la collection de chaussures de ma collègue, la silhouette de Jennifer Aniston…

Mais ce qui m'ennuyait le plus, c'était bien cet idiot de cinquième commandement, le truc des parents ! Allais-je pouvoir me rattraper avant la fin du monde, quelle que soit la date prévue ?

Quelques minutes plus tard, j'arrivais tout excitée au cabinet d'urologue de mon père et je demandais à Magda, son assistante depuis toujours, si je pouvais le voir. D'autorité, Magda m'emmena dans son bureau et voulut me préparer un chocolat. Elle s'obstinait à me traiter comme si j'avais toujours huit ans au lieu de trente-quatre.

Mon père, en blouse blanche, était justement devant son armoire aux médicaments, occupé à trier les échantillons périmés afin d'en faire don aux organisations humanitaires en Afrique.

— Qu'est-ce que tu fais ici ? demanda-t-il, étonné de me voir.

— Je voulais te dire que je respectais ta décision à propos de Svetlana.

Après tout, la Bible ne parlait pas d'honorer ses parents en étant franc avec eux.

— Ah bon… fit mon père, surpris. Ça… ça me fait plaisir.

N'ayant rien d'autre à dire, je me mis à jouer avec le presse-papiers posé sur son bureau.

— Alors, tu n'as rien contre le fait qu'elle vienne vivre avec moi ? demanda mon père.

— Si c'est ce que tu souhaites, je n'y vois pas d'inconvénient, mentis-je, la main crispée sur le presse-papiers.

— Je songe à l'épouser, reconnut papa.

Il craignait visiblement une réaction négative de ma part. Mais, puisque je venais dans une intention pacifique, il s'était risqué à me dire ça.

— Si c'est ce que tu veux…

Ce truc d'honorer ses parents, ce n'était vraiment pas de la tarte.

Mon père se réjouit de ma réponse et profita de l'occasion pour ajouter :

— Nous envisageons aussi d'avoir un enfant.

— Alors ça ! Plutôt crever !!! beuglai-je.

Mon père parut très choqué. Je jetai le presse-papiers sur la table dans sa direction et sortis précipitamment du cabinet. Sans un regard pour le cacao de Magda.

Une fois sur le palier, je m'appuyai contre le mur et gémis :

— Bon Dieu, pourquoi est-ce que je n'y arrive pas ?

Un homme d'un certain âge qui s'apprêtait justement à entrer me demanda avec intérêt :

— Ah, vous aussi, vous avez des problèmes de miction ?

Je lui lançai un regard noir. Inquiet, il se hâta d'entrer. Au même moment, Magda sortait avec la tasse de chocolat.

— Je ne veux pas de ton foutu cacao, ronchonnai-je.

— Mais tu vas le vouloir, dit-elle avec sympathie.

— Sûrement pas !

— Ton père m'a chargée de te dire qu'il ne veut plus jamais te revoir. Que tu dois remballer tes affaires et disparaître de la maison, murmura-t-elle le plus doucement possible.

Elle me tendit la tasse, et, tristement, je l'acceptai.

Quand j'eus fini de boire mon chocolat, je me rappelai que j'avais un autre parent que je pouvais encore honorer. Même si cela m'était particulièrement pénible.

Je pris rendez-vous avec ma mère dans un café de la zone piétonne de Malente, nous commandâmes deux cappuccinos, et là, je me mis en devoir de l'honorer. Avec autant de sincérité que je l'avais fait pour mon père :

— Je… je regrette d'avoir été aussi agressive envers toi ces dernières années.

— Je ne crois pas un mot de ce que tu dis, répliqua ma mère.

— M… mais… pourquoi ?

Elle m'expliqua que je ne la regardais pas en face, ce qui permettait de conclure à un mensonge. Et que j'avais la main agressivement crispée sur ma petite cuillère, ce qui était le signe d'une colère rentrée.

— Alors, qu'est-ce qui t'arrive ? demanda-t-elle.

— Oublie ça ! répondis-je en commençant à me lever.

De toute façon, c'était foutu. Quand Moïse, jadis, était redescendu du Sinaï à grandes enjambées après avoir reçu les Dix Commandements, personne n'avait jamais dû entendre parler de mères diplômées en psychologie.

— Je vois bien que tu as quelque chose sur le cœur, dit-elle en me prenant le bras pour me forcer doucement à me rasseoir.

C'était la première fois depuis toutes ces années que je faisais un pas vers elle, et elle n'avait visiblement pas envie de me laisser repartir aussi vite.

— Est-ce à cause de ma relation avec Gabriel ?

Là, elle avait tout faux. Mais, comme je ne répondais pas – je pouvais difficilement lui dire que la fin du monde était proche et que j'essayais juste de sauver mes grosses fesses du plongeon dans l'étang de feu –, elle en conclut qu'il s'agissait bien de Gabriel. L'homme dont je devais maintenant supposer qu'il savait pertinemment que celui qu'il hébergeait au presbytère était Jésus. À la réflexion, je me demandai pourquoi Jésus m'avait dit que Gabriel avait annoncé sa naissance à Marie, mais je ne trouvai aucune explication rationnelle à cela – Gabriel ne m'apparaissait pas comme le genre de type capable d'inventer une machine à remonter le temps.

— Si je suis avec lui, c'est parce que je me sentais seule, déclara-t-elle. Très seule.

Je la regardai avec étonnement. Ce n'était plus son baratin habituel de psy. C'était la vérité. Et elle me faisait peur.

— Est-ce que tu regrettes ? demandai-je avec précaution.

— D'avoir quitté ton père ?

— Oui.

Elle resta silencieuse. Un long moment. Au point que je m'impatientai :

— Tu me réponds, oui ou non ?

— Si je le regrette, c'est pour une seule raison : parce que c'est à cause de ça que je t'ai perdue, dit-elle avec tristesse.

Pour la première fois, je comprenais qu'elle n'avait jamais eu l'intention de m'abandonner. Elle voulait seulement quitter mon père. Mais, à l'époque, l'un n'allait pas sans l'autre. D'un seul coup, grâce à cette simple information, le bloc de douleur qui pesait sur moi depuis vingt ans venait de se dissoudre.

— Est-ce que tu trouverais ça idiot de me serrer dans tes bras, là, maintenant ? fis-je d'une voix blanche.

— Et complètement kitsch, dit-elle.

— Tout à fait.

— Mais c'est une très bonne chose à faire.

La psychologue ressortait à nouveau en elle. Mais, pour la première fois de ma vie, cela ne me mit pas en colère. Un peu hésitante, je me levai. Elle aussi. Et nous tombâmes dans les bras l'une de l'autre.

Finalement, ce n'était peut-être pas tout à fait foutu pour ce qui était d'« honorer mes parents ».

En rentrant à la maison, je me sentais le cœur plus léger, et pas seulement parce que j'avais désormais de meilleurs atouts pour le royaume des cieux. C'est alors

que, sur le trottoir d'en face, je crus apercevoir Sven…
en train de discuter avec George Clooney ?

Je ne les vis qu'un court instant avant qu'ils ne tournent le coin de la rue, disparaissant ainsi de mon champ de vision. Je me frottai les yeux. Mais j'aurais presque pu jurer que c'était George Clooney.

Décidément, Malente devenait un endroit de plus en plus étonnant.

33

De retour à la maison, j'ignorai Svetlana et sa fille – il n'était précisé nulle part dans les Dix Commandements qu'on devait honorer les spécialistes de l'escroquerie au mariage ou leurs enfants. J'allai tout droit à la chambre de Kata, dans l'intention de lui raconter que papa m'avait jetée dehors. Mais elle n'était toujours pas rentrée. Je croyais pourtant qu'elle avait proposé de rester à Malente pour me consoler ?

Alors, je regardai son dernier dessin. Et je constatai que, par rapport aux précédents, sa critique de Dieu était devenue beaucoup moins subtile.

Cette fois, la sainte colère de Kata contre Dieu se déchaînait avec une violence et une brutalité qui m'effrayèrent. Puis, en feuilletant le bloc en sens inverse, je tombai sur un autre dessin. Où on la voyait crier au Tout-Puissant qu'elle avait une tumeur.

Sa tumeur était revenue ?

Oh, non !

Dieu n'avait pas entendu mes prières. Cela me mit d'autant plus en colère que je savais maintenant qu'il existait.

Qu'est-ce qu'il fabriquait donc ? Pourquoi ne venait-il pas au secours de Kata ? D'accord, il avait bien d'autres prières à exaucer. Mais Dieu n'était quand même pas un centre d'appel, il ne pouvait pas être saturé… Ou peut-être que si ? « Bonjour, vous êtes bien au service après-vente de Dieu. Vous avez une prière pour un proche ? Dites : Un. Vous voulez expier un péché ? Dites : Deux. Vous êtes victime d'un supérieur ? Dites : Trois... Nous sommes désolés, toutes nos lignes sont actuellement occupées, rappelez-nous un peu plus tard...Tut... tut... tut... »

— Pourquoi fais-tu « tut-tut » ? demanda Kata en entrant dans la chambre avec les croissants qu'elle venait d'acheter.

Je ne m'étais pas rendu compte que, sous l'effet du choc, j'avais parlé tout haut. Décidément, ma raison vacillait.

— La tumeur est revenue ! fis-je d'une voix accusatrice.

— Pas du tout, répliqua-t-elle résolument.

— Mais, tes dessins...

— J'évacue de vieux souvenirs, c'est tout, me coupa-t-elle.

Puis elle s'assit devant sa table et gémit qu'elle avait un mal de tête carabiné.

Comme je proposais mon aide, elle explosa soudain :

— Va-t'en ! Sors de ma chambre !

Elle avait aboyé cela avec une fureur extraordinaire. Je ne l'avais vue qu'une seule fois aussi agressive envers moi. C'était le jour où, à l'hôpital, elle m'avait parlé de ses terribles maux de tête et où je n'avais pu m'empêcher de pleurer. Cela l'avait mise dans une rage folle, et, comme aujourd'hui, elle m'avait crié de ficher le camp.

Aujourd'hui, comme ce jour-là à l'hôpital, les yeux de Kata lançaient des éclairs. C'était le même mélange de colère et de souffrance. Le doute n'était plus possible.

Je me sentis si mal que tout mon corps se mit à trembler. En partie de colère contre Dieu. Mais surtout parce que j'avais peur pour ma sœur. Je ne voulais plus la voir souffrir comme ça. Plus jamais !

Et si Dieu ne voulait pas la sauver de cette maladie, eh bien, je m'adresserais à Son fils !

34

Je courus à toutes jambes jusqu'au presbytère et sonnai à la porte. Gabriel ouvrit, m'aperçut et… me claqua la porte au nez. Je sonnai à nouveau, Gabriel rouvrit, je mis mon pied dans l'entrebâillement, et il reclaqua la porte. Je poussai un cri de douleur, sautai en rond à cloche-pied en jurant très fort, puis sonnai une nouvelle fois, attendis en vain que la porte s'ouvre, me penchai vers la fente de la boîte à lettres et criai à travers la porte :

— Il m'a dit qu'il était Jésus !

Deux dixièmes de seconde plus tard, Gabriel ouvrait la porte.

— Où est Jésus ? dis-je.

Maintenant que le charpentier devait guérir ma sœur, pour moi il n'était plus Joshua, mais Jésus, fils de Dieu.

— Ça ne te regarde pas, répliqua sèchement Gabriel.

— Et comment, que ça me regarde !

— Non, ça ne te regarde pas.

— Si, ça me regarde.

— Non.

— Si.

— Tu ne trouves pas que la conversation tourne un peu en rond ? dit Gabriel avec mépris.

— Continuez comme ça, et vous allez bientôt voir tout tourner vous aussi, répliquai-je.

Je n'avais plus le temps ni la patience de faire de la diplomatie.

— La fréquentation de Jésus n'a guère déteint sur toi, constata ironiquement Gabriel.

Comme il allait encore refermer la porte, je le menaçai :

— Si vous ne m'aidez pas, je raconte à ma mère que vous… que vous…

— Que je quoi ? demanda Gabriel.

Je n'en avais pas la moindre idée. Tout ce que je savais, c'est qu'il y avait chez lui quelque chose de pas clair, mais la machine à remonter le temps ne pouvait pas être la bonne explication. Je décidai donc de bluffer :

— Que vous cachez un drôle de secret !

Le pasteur avala sa salive. J'avais touché juste. Il était maintenant persuadé que Jésus m'avait révélé son secret, quel qu'il fût.

— Il est en route pour Hambourg, dit-il.

— Qu'est-ce qu'il est allé faire là-bas ? demandai-je, étonnée.

— Prendre un cargo pour Israël.

Israël ! Logique ! D'après Michi, c'était à Jérusalem que devait avoir lieu la bataille finale. Était-elle imminente ? Ou Jésus resterait-il là-bas pendant encore des mois, peut-être des années, à se préparer à sa mission ? Peu m'importait. Kata souffrait de nouveau, terriblement, et il fallait la guérir. Maintenant !

Michi ne fut pas peu étonné quand je lui demandai de me prêter sa voiture, une vieille Volkswagen bringuebalante, pour empêcher Jésus de prendre le bateau.

Jusque-là, il m'avait seulement trouvée un peu perturbée, mais à présent, il estimait que j'étais a) complètement cinglée ; b) hypnotisée par le charpentier ; c) droguée, ou tout cela à la fois.

En me voyant aussi furieusement déterminée, et selon lui dangereusement atteinte, Michi ne voulut à aucun prix me laisser partir seule, encore moins au volant de sa chère Coccinelle. Il ferma sa vidéothèque, et nous voilà partis pour Hambourg. Sur l'autoroute, je ne cessai d'engueuler Michi parce qu'il tenait compte de bêtises telles que les limitations de vitesse et l'interdiction de doubler à droite, et qu'il refusait d'adopter ma suggestion de rouler sur la bande d'arrêt d'urgence pour contourner les ralentissements.

À un moment, je l'obligeai à s'arrêter sur un parking, l'arrachai du siège du conducteur et me mis au volant moi-même pour foncer à toute allure vers Hambourg, dans un boucan d'enfer. La Coccinelle vibrait comme la navette spatiale au moment de la rentrée dans l'atmosphère, quand les astronautes s'aperçoivent que les jeunes ingénieurs du département construction n'ont pas résolu la question du bouclier thermique aussi bien qu'ils le prétendaient à la fête de l'entreprise.

Michi fermait souvent les yeux, surtout lorsque mes manœuvres de dépassement coupaient la respiration à des camionneurs chevronnés. Quand je pris la bretelle de sortie de l'autoroute pratiquement sans lever le pied de l'accélérateur, il entonna même le « Notre Père ». Quant à moi, j'étais bien trop furieuse contre ce Père qui se prétendait le nôtre, mais je préférai ne pas le dire à Michi. Je continuai pleins gaz en direction du port où le *Bethléem IV* devait attendre le moment de lever l'ancre pour Israël, emportant à son bord Jésus et des containers entiers d'oursons Haribo, de barres Twix et de briques Duplo.

Je garai la Coccinelle sans nous précipiter dans le bassin du port, en dépit des jérémiades de Michi, encore persuadé quelques secondes plus tôt qu'à cette vitesse-là nous finirions noyés.

Un matelot était accoudé au bastingage. Il avait un dragon tatoué sur le bras gauche. Cet homme ignorait visiblement qu'aujourd'hui, la plupart des gens associent les images de dragons davantage à la littérature enfantine qu'à une quelconque fureur exotique. Quand je lui demandai où était le charpentier, il me répondit que le bateau avait une demi-heure de retard sur l'horaire, et que Joshua avait eu envie de se dégourdir les jambes en attendant. Où exactement ? À cette question, le matelot répondit :

— Il est allé au Moulin Rouge.

— Au Moulin Rouge ?

Ça promettait ! En pleine zone portuaire, un entrepôt portant un nom pareil pouvait difficilement être un théâtre d'avant-garde.

Le matelot nous indiqua le chemin, poussant la complaisance jusqu'à nous avertir qu'en règle générale, les dames qui travaillaient là-bas ne sautaient pas de joie quand une femme mettait les pieds dans leur établissement.

— Jésus veut sûrement mettre ce temps à profit pour convertir des femmes perdues, expliquai-je à Michi.

— Oui, c'est évident, et il ne s'intéresse à *Playboy* que pour les interviews.

Il ne croyait toujours pas que c'était le Messie.

Ce Moulin Rouge était situé dans une sorte de bungalow, avec une enseigne lumineuse rouge qui ne fonctionnait que partiellement. La femme qui nous ouvrit la porte, une épaisse matrone qui avait connu des jours meilleurs il y a bien longtemps, tout comme ses dessous, se mit aussitôt à m'engueuler :

— Les femmes ne sont pas admises ici !

Avec cette allure et ces manières aimables, j'avais du mal à imaginer qu'elle gagne beaucoup d'argent.

— Et lui, il peut entrer ? dis-je en désignant Michi, qui devint aussitôt rouge comme une tomate.

— Bien sûr ! s'épanouit la dame, montrant des dents quelque peu cariées, et, sans lui laisser le temps de protester, elle entraîna à l'intérieur un Michi complètement perdu.

— Envoie-moi Jésus ! criai-je à mon infortuné camarade avant de le voir disparaître.

J'attendis un moment que la porte s'ouvre à nouveau. C'était Jésus, suivi d'une jeune femme portant des dessous rouges. Elle paraissait un peu gênée, mais Jésus la rassura :

— Je ne te juge pas. Va, et ne pèche plus désormais.

La femme s'en fut, soulagée. Jésus était visiblement content de me voir, bien qu'un peu surpris. Moi aussi, j'étais enchantée de le retrouver. Je n'avais qu'une envie, prendre moi aussi une cabine sur le cargo. Je comprenais maintenant comment Marie Madeleine, jadis, avait pu quitter sa maison pour le suivre dans ses pérégrinations. La seule chose qui restait un mystère pour moi, c'était comment elle avait pu se retenir de le toucher pendant tout ce temps-là.

— Pourquoi es-tu venue ? demanda Jésus.

Je rassemblai mes esprits pour me concentrer sur ma requête : il y allait de la vie de Kata ! Dans un flot de paroles, je racontai à Jésus sa maladie, ses douleurs intolérables.

— Je suis vraiment désolé pour ta sœur, dit-il avec compassion.

— Mais toi, tu peux la guérir ! déclarai-je avec un sourire plein d'espoir. Comme la fille de Svetlana.

Jésus ne répondait pas.

— Euh… tu as entendu ce que j'ai dit ?

— Oui, je t'ai entendue.

— Et… pourquoi ai-je tout à coup l'impression bizarre qu'il y a un « mais » ?

— Parce que je ne peux rien faire pour ta sœur.

— Quoi ?

— Je ne peux pas.

— Euh… excuse-moi, bégayai-je, troublée, mais… j'ai toujours l'impression d'avoir entendu : « Je ne peux pas. »

— Parce que c'est bien ce que j'ai dit, déclara Jésus d'une voix douce.

— Ça… oui, c'est une bonne raison…

J'étais bouleversée. Pourquoi ne pouvait-il pas ? N'était-il pas Jésus, celui qui commandait au vent, qui guérissait les malades, qui marchait sur les eaux ? S'il le voulait, il pouvait tout faire !

— Alors, tu ne veux pas ? demandai-je.

— Dieu m'a confié une mission.

— Dieu… Dieu t'empêche de sauver ma sœur ?

Ça me paraissait inconcevable.

— On ne peut pas le formuler comme ça… commença-t-il.

Je l'interrompis :

— J'ai prié Dieu pour que ma sœur guérisse. Mais ça ne l'intéressait pas !

— As-tu prié souvent ?

La question me déconcerta quelque peu. Souvent, qu'est-ce que ça voulait dire ? Chaque fois que j'avais peur pour elle, en tout cas !

— Si tu vas trouver un ami à minuit pour lui demander trois pains… commença Jésus.

— Comment ? Que vient faire là cette histoire de pains ?

Jésus poursuivit sans se troubler :

— Si ton ami ne se lève pas parce qu'il est ton ami, alors, il se lèvera à cause de ton insistance et te donnera les pains.

Et il me regarda d'un air de dire que, cette fois, j'avais dû mieux comprendre. Mais, très franchement, je n'avais saisi que le mot « pain ».

— C'était une parabole, m'expliqua-t-il.

Oh là là ! pensai-je. Puis je me demandai si les gens, en Palestine, avaient eu autant de mal à le comprendre du premier coup.

— Avec Dieu, il faut persévérer pour être exaucé, déclara Jésus.

Alors, j'aurais dû prier davantage ?

— Mais c'est qui, ce Dieu ? Une diva ? m'écriai-je.

Mon accès de mauvaise humeur surprit Jésus. Je n'avais pas interprété sa parabole comme il l'imaginait. Mais, avant qu'il ait eu le temps de répondre, la sirène du *Bethléem IV* retentit sur le port. Le bateau allait appareiller d'un moment à l'autre.

— Pardonne-moi, je dois me rendre à bord du bateau, maintenant, dit Jésus.

J'étais venue pour rien. Personne ne sauverait Kata. Je regardais Jésus avec désespoir, cherchant les mots pour le convaincre, quand Michi sortit en trombe du bordel, les yeux écarquillés et l'air égaré.

— J'ai vu là-dedans des choses qu'aucun homme ne devrait jamais voir ! dit-il avec effroi avant de filer en direction de la Coccinelle.

La sirène du cargo retentit à nouveau.

— Adieu, Marie, dit Jésus.

Il allait partir.

Mon désespoir se mua soudain en colère. Si, pour avoir du pain, il fallait frapper plus souvent à la porte, eh bien, c'est ce que j'allais faire !

— Jésus, attends !

Il ne se retourna pas.

— Jésus !!!

Il marchait toujours sans se retourner.

Alors, dans ma grande douleur, je lui criai :

— *Eloi, Eloi, lama sabati !*

Il s'arrêta, se retourna et dit :

— En hébreu, cela signifie : Mon Dieu, mon Dieu, mon lama est stérile.

J'essayai encore :

— *Eloi, Eloi, lladara sabati.*

— Là, ça veut dire : Mon Dieu, mon Dieu, mon chapeau est stérile.

— Tu sais très bien ce que je veux dire ! criai-je.

Dans mon désespoir, j'aurais voulu tambouriner sur sa poitrine avec mes poings.

— Oui, je le sais, dit-il enfin.

Et il reprit tout bas, d'une voix dans laquelle perçait une singulière douleur :

— *Eloi, Eloi, lema sabachtani.*

— Mon Dieu, mon Dieu, pourquoi m'as-tu abandonnée ? traduisis-je.

Et c'était une accusation. Un cri de rage et de douleur mortelle.

Jésus réfléchissait. Au bout d'un long moment, il annonça sa décision :

— Je prendrai un autre bateau.

Je n'en croyais pas mes oreilles. Folle de joie, je courus vers lui et me jetai à son cou.

Il se laissa faire. Et même avec plaisir. Alors, je le serrai très fort contre moi. Cela aussi lui plut. Car, en cet instant, il était redevenu Joshua.

35

Je ne sais pas si je vous l'ai déjà dit, mais j'ai vraiment le chic pour gâcher les plus beaux moments.

Dans mon exaltation, j'embrassai Joshua sur la joue. Au début, il sembla apprécier lui aussi. Je le sentais très bien ! Mais soudain, effrayé de sa propre réaction, il se dégagea en disant :

— Nous devons nous hâter d'aller retrouver ta sœur.

Aurais-je dû avoir honte ? Je n'en éprouvais aucune. La cause de ce baiser n'était-elle pas une profonde gratitude ? Et l'amour ? Cela ne pouvait pas être mal d'aimer Jésus.

D'aimer Jésus… d'amour ?

Oh là là ! Je savais qu'il était Jésus, et pourtant j'étais amoureuse de lui ?

Cette fois, j'avais quand même honte.

Dans la voiture, je restai silencieuse. Jésus, assis à l'arrière, priait en hébreu. Demandait-il pardon à Dieu pour sa réaction à mon baiser ? Quoi qu'il en soit, cela lui permettait de me tenir à distance. Peinée, je gardais les yeux fixés sur le paysage. De son côté, Michi avait du mal à se concentrer sur la conduite. La présence de Jésus le rendait nerveux. Il n'était pas encore tout à fait convaincu que c'était bien le fils de Dieu qui était là, sur la banquette arrière de sa vieille guimbarde, mais le rayonnement charismatique de Jésus, dont il subissait l'effet pour la première fois, avait peu à peu raison de ses doutes.

— Comment puis-je croire que tu es le Messie et pas un farfelu quelconque ? demanda Michi.

— En le croyant, tout simplement, répondit Jésus avec calme.

— Mais je ne peux pas faire ça !

— Beaucoup de gens disaient cela en Judée, surtout ceux du Temple, dit Jésus.

Michi se mit à ruminer cette déclaration. Jusque-là, en tant que croyant, il ne s'était jamais identifié aux rabbins arrogants du Temple.

Tandis que Michi se débattait avec ses problèmes de foi, je me rappelai que je n'étais pas retournée aux toilettes depuis le club de salsa. Nous fîmes halte sur une aire d'autoroute, et je me dirigeai bravement vers l'édicule, du modèle classique capable de pousser au suicide n'importe quel fonctionnaire des services d'hygiène. Quand j'en ressortis un peu plus tard, soulagée, Michi vint vers moi et me demanda d'un air soucieux :

— Tu es vraiment sûre que cet homme est Jésus ?

— Oui.

— Tu me le jures ?

— Sur la vie de ma sœur.

Michi se remit à réfléchir un bon moment. Puis il se décida :

— Dans ce cas, je vais lui demander de me pardonner mes péchés.

Pas qu'un peu étonnée, je suivis mon ami jusqu'à la voiture, où il entreprit de faire à Jésus le récit de ses péchés, dans l'ordre chronologique. Il raconta d'abord une sombre histoire où un bec Bunsen, un spray de déodorant et un professeur de sciences naturelles dont la barbe avait pris feu occupaient les rôles principaux. Puis il en vint à ses péchés actuels, commençant par sa Coccinelle, qu'il aimait beaucoup alors qu'elle dégageait davantage de CO_2 que bien des États africains. Il avoua que, bien qu'informé des traitements cruels infligés aux animaux d'élevage, il mangeait de la viande et possédait même un tee-shirt portant l'inscription : « Les végétariens mangent la nourriture de ma nourriture. » Il se reprochait aussi de boire du café, alors qu'il savait pertinemment que les paysans du tiers-monde étaient exploités, tout comme les filles dans les films pour adultes de sa vidéothèque qui portaient des titres du genre *Je te vois venir*.

Puis Michi me demanda si je ne voulais pas m'éloigner un peu.

— Pourquoi ? dis-je, curieuse.

— Parce que j'en arrive aux péchés qui entrent dans la catégorie « Tu ne convoiteras pas la femme de ton prochain », répondit-il en regardant par terre d'un air honteux.

Je me sentis mal à l'aise, car cette femme du prochain pouvait fort bien être moi, je le craignais. Je préférai donc m'en aller et l'observer de loin tandis que, le visage très rouge, il confessait à Jésus ses pensées pécheresses.

J'en profitai pour me demander si je ne ferais pas bien, moi aussi, de confesser à Jésus tous mes péchés. Cela m'avait déjà beaucoup aidée de lui raconter mon histoire avec Sven. La prostituée aussi avait paru très soulagée d'avoir pu lui ouvrir son cœur. Quant à Michi, cela lui faisait visiblement du bien. Même si le

Messie fronça plusieurs fois les sourcils d'un air perplexe pendant son récit.

C'est fou ce qu'il était beau quand il fronçait les sourcils comme ça.

Si cela ne tenait qu'à moi, il pouvait froncer les sourcils toute la journée.

Mon Dieu, j'étais réellement amoureuse de Jésus !

Ce n'était peut-être pas une bonne idée de confesser tous ses péchés à un homme pour qui on éprouve ce genre de sentiments.

Quand Michi eut terminé, Jésus lui posa les mains sur les épaules, et mon copain eut bientôt l'air si heureux que je ne me souvenais pas de l'avoir jamais vu comme ça, sauf peut-être le jour où il s'était trouvé parmi les cent premiers à acheter l'iPhone Apple lors de sa sortie en Allemagne. Je me réjouissais aussi que Michi ait fini par me croire. Il ne nous restait plus qu'à convaincre Kata de laisser Jésus la guérir. Après ça, tout serait au poil. Enfin, sauf peut-être le coup de la bataille et du grand chambardement final.

Kata ne fut pas peu étonnée de nous voir tous débarquer dans sa chambre. Je lui expliquai rapidement pourquoi le charpentier était là, et qu'il allait la guérir.

— Ouah ! À côté de toi, Tom Cruise est un modèle de stabilité mentale, dit Kata après avoir entendu mes explications.

Jésus confirma mon histoire : il était bien le fils de Dieu.

— Eh bien, à côté de toi, même Amy Winehouse est un modèle de stabilité mentale, lui dit Kata.

— Qui est Amy Winehouse ? demanda Jésus.

Michi se lança dans des explications détaillées où il fut question, entre autres, de fumer du crack et de la similitude entre la coupe de cheveux d'Amy et un chat écrasé. Il ne s'arrêta que lorsque je lui fis signe que tout ça n'était peut-être pas essentiel pour le moment.

— Qu'est-ce que tu as à perdre ? dis-je à Kata.

— Je n'ai pas pris de poudre de perlimpinpin et je n'ai pas consulté de guérisseur ni de sorcier quand j'ai été malade la première fois, alors je ne vais pas commencer maintenant.

— Ah, tu t'es trahie ! dit Michi avec un sourire épanoui. Tu as parlé de la première fois où tu as été malade. C'est donc bien que tu l'es de nouveau !

Kata le regarda d'un air agacé qui lui fit comprendre qu'il était peut-être légèrement déplacé de sourire à propos d'une tumeur au cerveau.

— Et pourquoi devrais-je me prêter à vos tours de passe-passe ? reprit-elle alors.

— Parce que je te le demande, fis-je d'une voix presque suppliante.

Kata hésita un moment. Puis elle dit à Jésus :

— Tu es déjà le deuxième cinglé à vouloir me guérir aujourd'hui.

— Le deuxième ? dis-je avec étonnement.

— Laisse tomber, dit-elle, éludant la question.

Elle se remit à réfléchir avant de répondre à Jésus :

— D'accord. Comme ça, au moins, Marie finira par s'apercevoir que tu es un cinglé. Mais que les choses soient bien claires : si tu es vraiment Jésus, il va falloir que tu m'expliques pourquoi Dieu a si mal fait son boulot.

Kata jouait les dures, mais, en cet instant, je voyais la fissure dans cette façade : une petite part d'elle-même espérait malgré tout que ce type ne soit pas un évadé de l'hôpital psychiatrique. Si même quelqu'un d'aussi coriace que Kata pouvait espérer une guérison miraculeuse, je ne m'étonnais plus que tant de malades donnent leur argent à des charlatans.

Jésus s'avança vers Kata. Dans un instant, sa main allait la toucher, elle serait guérie, je fondrais en larmes de bonheur, et pour finir, je lui sauterais au cou et je le bécoterais jusqu'à ce qu'il soit obligé de me rendre la pareille !

Jésus posa sa main sur Kata… et la retira presque aussitôt.

L'avait-il déjà guérie ? C'était vraiment un rapide !

Oui, mais dans ce cas, pourquoi me regardait-il comme ça ?

— Cette femme n'est pas malade, annonça-t-il.

Nous nous regardâmes tous avec étonnement.

Puis il ajouta d'une voix pleine de reproche :

— Tu m'as détourné de ma mission pour rien.

Et ses yeux étincelaient d'une telle fureur qu'un instant, je craignis qu'il ne veuille se servir de moi pour montrer comment on « desséchait » quelqu'un sur place.

Il tremblait de colère, mais il n'ajouta pas un mot. Simplement, il quitta la pièce.

Pour le bécotage, je repasserais.

36

Quelques heures plus tôt

Cette journée à Malente avait rappelé à Satan combien souvent les hommes maudissaient Dieu. Un homme pouvait le faire parce que sa fiancée lui avait dit non au pied de l'autel. Une jeune fille le faisait parce qu'elle était encore vierge, à quatorze ans ! Et une employée de banque, parce que ses collègues la surnommaient en cachette « Barba Hari » à cause de sa pilosité faciale.

De fait, tout le monde à Malente blasphémait en pensée au moins trois fois par jour. C'était plus souvent que ne le faisait Satan lui-même. Mais pas plus souvent qu'en n'importe quel autre endroit du monde. En réalité, Malente se situait plutôt un peu au-dessous de la moyenne.

Mais, pour Satan, ça n'avait aucune importance. Il avait acquis la conviction que la plupart des êtres humains avaient le potentiel nécessaire pour devenir un cavalier de l'Apocalypse. Dès lors, il pouvait tout aussi bien trouver ses champions dans ce patelin. Et, puisque cette dessinatrice le fascinait tellement, elle deviendrait une cavalière, elle serait la « Peste » – la Maladie.

Tandis que Kata, devant sa planche à dessin, s'escrimait à noircir le papier tout en luttant contre la douleur, on sonna à la porte. Satan avait guetté le moment où elle serait seule dans la maison. Il avait toujours la tâche plus facile quand les hommes étaient seuls. Ou alors en masse.

Kata descendit l'escalier. Elle espérait seulement ne pas trouver à la porte sa sœur déjà de retour. Évidemment, elle serait bien obligée de parler à Marie de sa maladie à un moment ou à un autre, mais elle ne se sentait pas encore prête. Elle ne savait qu'une seule chose : cette fois, elle partirait dans la dignité. Elle ne pourrait pas supporter un nouveau combat contre la tumeur. Pas la chimio, et encore moins les visages désarmés des médecins, dont la plupart n'étaient que des gamins qui se demandaient pourquoi ils n'avaient pas choisi un métier plus lucratif, par exemple banquier d'affaires.

Kata ouvrit la porte d'entrée et, à sa grande surprise, trouva devant elle le succédané de George Clooney.

— Qu'est-ce que tu fais là ? questionna-t-elle, agacée.

— Je suis venu te faire une proposition.

— Les conseillers Avon ne sont pas encore tous morts ? répliqua-t-elle.

— Je peux guérir ta tumeur, dit George Clooney-Satan avec un charmant sourire.

Un instant, Kata en resta muette. Comment ce type était-il au courant de sa maladie ?

— En échange, je ne te demande qu'une toute petite chose, reprit Satan.

Ces discussions d'affaires lui procuraient toujours un immense plaisir. Les hommes étaient si facilement prêts à vendre leur âme pour obtenir ce qu'ils désiraient : la réussite, le passage dans la division supérieure de leur équipe de foot préférée, parfois même un simple café quand ils avaient un petit coup de pompe pendant leur shopping en ville. Sans oublier le numéro un des ventes sur son catalogue : le sexe.

— Je... je n'ai pas de tumeur, répondit Kata.

— C'est entendu, dit Satan avec un grand sourire. Mais, au cas où je la guérirais quand même, me donnerais-tu une toute petite chose en échange ?

Un instant, Kata se prit à espérer contre toute raison. Or, rien ne trouble autant un condamné à mort que la crainte d'un espoir déçu. Elle chercha donc à se débarrasser au plus vite de l'importun :

— Oui, oui... bien sûr... Du moment que tu fiches le camp d'ici.

Satan se sourit à lui-même. Ah là là ! Les hommes avaient peut-être un libre arbitre, mais avec leur âme, ils se montraient d'une incroyable légèreté.

37

Cette fois, je n'y comprenais plus rien. Que s'était-il passé ? M'étais-je trompée, et se pouvait-il que Kata n'ait pas été malade ? D'ailleurs, elle-même paraissait tout à fait déconcertée par cette intervention de Jésus.

— Les gens des services d'internement psychiatrique devraient se dépêcher de changer leurs serrures, dit-elle avec une désinvolture peut-être un peu forcée.

Pour ajouter à ma confusion, j'avais offensé Jésus. Il m'avait pardonné le baiser sur la joue, mais à présent, il était convaincu que je m'étais moquée de lui. Il pensait très vraisemblablement que tout cela n'était qu'une ruse pour l'empêcher de partir.

Déprimée, je jetai un coup d'œil au bloc à dessin de Kata, et ce que j'y vis me fit oublier aussi bien sa tumeur que le regard-qui-dessèche de Jésus.

— Dans la vie, le temps que tu perds à avoir peur ne se rattrape jamais, commenta laconiquement Kata.

D'habitude, je ne supportais pas les paroles sentencieuses de Kata et ses histoires de « cueillir le jour ». Mais, pour une fois, elle avait bien fait, parce que cela me rappelait une question que j'avais réussi à refouler jusque-là, à cause de sa maladie supposée : combien de jours au

juste me restait-il à cueillir ? Ou, formulé plus clairement : quelle était la date prévue pour le Jugement dernier ?

Quand Kata nous eut mis à la porte de sa chambre, je retournai à la vidéothèque avec Michi et posai pour la première fois cette question à voix haute.

— Ça fait tout de même une différence s'il ne nous reste que deux ou trois mois ou si c'est plutôt deux ou trois ans, expliquai-je à Michi.

— Surtout si on est encore vierge, ne put-il s'empêcher d'ajouter.

Je le regardai avec des yeux ronds.

— Euh… je… je pense à un vieil ami… qui… qui est vierge, bafouilla-t-il.

— Ah ? Qui est-ce ? demandai-je avec curiosité.

Michi devint si nerveux qu'il frisait l'hyperventilation. Son regard tomba sur le boîtier du DVD de *La Mort dans la peau*, et il répondit en hâte :

— Franko Potente.

— Franko Potente ? répétai-je, n'en croyant pas mes oreilles.

Michi rougit violemment.

J'étais très surprise. Je savais certes qu'il n'avait pas de vie sexuelle ces temps-ci, mais je pensais tout de même que ça lui était arrivé au moins une fois dans sa vie. Après tout, il avait eu des petites amies. Enfin, une, pour être précise. Elle s'appelait Lena. Il est vrai que, comme lui, elle était très catholique.

Bon sang, la religion pouvait vraiment être une sacrée vacherie !

— Ton Franko est-il un homo refoulé ? demandai-je.

Après tout, dans le générique, il aurait pu choisir Matt Damon au lieu de Franka Potente !

— Non, non, non, qu'est-ce qui te fait croire ça ? bredouilla Michi. Franko est tout ce qu'il y a d'hétéro.

— Mais ?

— Mais ça fait des dizaines d'années qu'il aime la femme qu'il ne faut pas, avoua-t-il avec tristesse.

Jusque-là, je n'allais déjà pas très fort, mais c'était la fin de tout. Je ne pouvais plus me bercer de l'illusion que

Michi avait pour moi une amitié purement platonique. Il était en train de me faire une déclaration d'amour. Je ne voulais pas entendre ça. Je détournai les yeux, et mon regard se posa sur un autre boîtier de DVD.

— S'il te plaît, dis-moi qu'elle s'appelle Tilly Schweiger, l'implorai-je.

Michi me regarda avec surprise.

— Comme ça, je ne perdrai pas un ami, expliquai-je.

Il réfléchit un instant, puis, se forçant à sourire, déclara tristement :

— Elle s'appelle Tilly Schweiger.

— Merci.

Nous restâmes un moment silencieux, jusqu'à ce que Michi me pose la question qui lui brûlait les lèvres depuis longtemps :

— Est-ce que tu aimes Jésus ? Je veux dire, comme un chrétien ordinaire ne le fait pas d'habitude ? Ou en tout cas ne devrait pas le faire ?

— Il semblerait, reconnus-je avec contrition.

Cet aveu l'affecta beaucoup. Michi avait vénéré Jésus toute sa vie, et voilà qu'il était le seul homme au monde à être jaloux du fils de Dieu !

Il essaya courageusement de repousser ce sentiment et prononça alors une phrase étonnante :

— Ah, le monde a bien mérité de périr !

Comme je le regardais sans comprendre, il m'expliqua sa pensée :

— Il y a trop de choses terribles sur cette terre : les guerres civiles, la destruction de l'environnement, le trafic d'êtres humains…

Moi aussi, je pouvais imaginer sans effort toutes sortes de bonnes raisons de mettre l'humanité sur le banc des accusés :

Le festival de printemps des musiques traditionnelles
Les tatouages au creux des reins
Les sketches d'Oliver Pocher
Les spots publicitaires avec de jeunes enfants
Les McFish
Les gangsta rappeurs avec des masques à la con
Les parents qui appelaient leur petite fille Chantal

Michi aurait-il raison ? Ne valait-il pas mieux que le royaume des cieux arrive ? Qui étais-je pour mettre cela en question ? Oui, mais n'était-ce pas pour moi la voie directe vers le stage de natation dans l'étang de feu ? Y étais-je vouée de toute façon ? Ou bien avais-je encore le temps d'influer sur mon destin ?

Et si je n'avais pas le temps ?

Dans ce cas, je pouvais dire adieu à tous mes rêves – fonder enfin une famille, avoir des enfants… de mignonnes petites filles, faciles à élever, qui, bébés, feraient leurs nuits tout de suite… et, plus tard, me diraient tout le temps : « Maman, tu es super, et pâââââs grosse du tout… »

Pendant que j'y étais, je pouvais aussi faire une croix sur mon espoir de parvenir un jour à accomplir quelque chose de remarquable dans cette vie. L.i.m.a.c.e. j'avais été, l.i.m.a.c.e. je quitterais cette terre.

Il fallait donc absolument que Jésus me dise pour quand était prévue la fin du monde. Tant pis s'il était très en colère contre moi.

38

Pendant ce temps-là...

Assis dans sa baignoire, le pasteur Gabriel prenait un bain de mousse. En compagnie de Silvia, qui adorait sa façon de lui savonner le dos. Aujourd'hui, elle était beaucoup plus détendue, elle avait plus envie de tendresse que de jouer à la scie. Elle lui avait même parlé des sentiments d'amour qu'elle éprouvait pour lui, et le cœur de Gabriel s'était mis à battre comme cela ne lui arrivait d'ordinaire qu'en présence de Dieu. En bonne psychologue, Silvia lui avait même expliqué précisément pourquoi elle était subitement devenue capable de s'ouvrir à lui de cette façon : elle s'était enfin réconciliée avec sa fille, après plus de vingt ans. Cela levait des blocages émotionnels. Pendant toutes ces années, à cause de son sentiment de culpabilité envers Marie et du souci qu'elle se faisait pour sa fille, elle n'avait pas pu s'engager avec un autre homme. Tandis que Silvia lui racontait tout cela, Gabriel se disait que la famille était encore une drôle d'invention de Dieu. Rien ne procurait aux hommes plus de joie, mais aussi plus de chagrin. C'était le lieu des plus grandes réjouissances comme des colères les plus folles. La vie des hommes aurait été beaucoup plus simple, pensa Gabriel, si Dieu avait conçu leur reproduction et leur croissance à l'instar de celles des vers de terre.

Du moins Gabriel n'avait-il plus à entendre les histoires de famille de ses paroissiens : il s'était mis en congé de maladie pour le temps qu'il restait au monde à exister. Son successeur, Dennis, était donc entré en fonctions un peu plus tôt que prévu, c'est-à-dire le matin même. Dennis était un de ces pasteurs sportifs qui portent des baskets, aiment organiser des fêtes paroissiales et chanter du gospel, mais qui, ayant totalement perdu la foi au cours de leurs études de théologie, se demandent pourquoi ils n'ont pas choisi un métier plus lucratif, par exemple banquier d'affaires.

Gabriel, lui, n'aimait pas plus organiser des fêtes et boire le café avec ses paroissiens qu'avoir une prostate, chose obligatoire quand on devenait un homme. Selon lui, personne n'avait jamais trouvé Dieu en mangeant des gâteaux.

On sonna à la porte. Gabriel se dit que ce devait être le pasteur aux baskets, et décida que ce n'était pas la peine de sortir du bain pour cet athée. Puis il entendit la porte d'entrée s'ouvrir et une voix appeler : « Gabriel ! » C'était la voix de Jésus.

— Ton charpentier est de retour, constata Silvia sans s'émouvoir.

Elle ne comprenait évidemment pas ce que cela signifiait. D'ailleurs, Gabriel non plus ne le comprenait pas : à cette heure, Jésus n'aurait-il pas dû être depuis longtemps en haute mer, voguant vers Israël ?

Il entendait les pas du fils de Dieu approcher. D'un instant à l'autre, Jésus allait le trouver dans la baignoire avec Silvia.

— Tu ressembles à un mari surpris en flagrant délit d'adultère, dit Silvia, que cela amusait beaucoup.

— Ce charpentier, c'est Jésus, lâcha-t-il soudain.

Un instant, Silvia le regarda avec inquiétude, puis elle éclata de rire.

Jésus entra dans la salle de bains et vit Gabriel dans la baignoire. Avec Silvia, qui riait tellement qu'elle en devenait toute rouge.

Gabriel se demanda si ce serait une bonne solution de s'enfoncer dans la baignoire et de rester là, sous l'eau, en attendant que le Jugement dernier soit passé.

Mais déjà, Jésus s'excusait :

— Pardon, mon ami.

Après tout, Gabriel n'avait pas commis l'adultère, ni transgressé les règles de purification du troisième livre de Moïse (règles qui, de toute façon, n'intéressaient pas le fils de Dieu : c'était un homme qui mettait la foi au-dessus des lois). Jésus n'avait donc aucun reproche à lui faire. Il demanda simplement à Gabriel s'il pouvait s'entretenir d'urgence avec lui, puis il alla l'attendre dans la cuisine. Dès que Jésus fut sorti de la salle de bains, Gabriel sauta hors de la baignoire et s'essuya en hâte, sous les yeux étonnés de Silvia :

— Tu te conduis vraiment comme si cet homme était Jésus et moi Satan !

— Satan ? dit-il en la regardant avec surprise.

Se pouvait-il que Satan fût pour quelque chose dans cette affaire ?

À propos de Marie ?

Et... à propos de Silvia ?

Il existait des hypothèses encore plus déroutantes : par exemple, que Jésus soit – sans l'aide de Satan – tombé amoureux de Marie.

Une fois habillé, Gabriel, les cheveux encore humides, courut à la cuisine. Jésus lui expliqua ce qui s'était passé sur le port, et que, contrairement à ce qu'avait affirmé Marie, sa sœur n'avait pas de tumeur au cerveau.

— Crois-tu qu'elle ait pu me mentir délibérément ? demanda Jésus à son vieil ami.

Après un bref débat intérieur, Gabriel fit part à Jésus de ses soupçons :

— Nous ne pouvons pas exclure la possibilité que Satan soit impliqué dans l'affaire.

— Il voudrait m'induire en tentation ? dit Jésus, étonné.

— Tu sens que Marie t'induit en tentation ?

Les pires craintes de Gabriel paraissaient se confirmer.

Jésus se mit à réfléchir : Marie l'induisait-elle réellement en tentation ? Il se sentait attiré par elle, oui, mais cela signifiait-il autre chose ?

— Il se peut que je sois tenté moi aussi, reprit Gabriel. Satan nous a donné ce que nous désirions le plus : à moi, la femme que j'ai toujours aimée. Et à toi, une femme qui voit l'être humain en toi.

Gabriel ne précisa pas qu'il trouvait particulièrement perfide de la part de Satan de choisir, entre toutes, une femme comme Marie, dont on avait du mal à imaginer qu'elle puisse tenter qui que ce soit, le fils de Dieu moins que quiconque.

Pour Jésus, soupçonner Marie d'être une envoyée de Satan était tout de même un peu trop énorme :

— Satan a déjà essayé une fois de me tenter, jadis, dans le désert. Il m'a promis de l'eau, à manger, un royaume... mais jamais l'amour.

— Il a peut-être perfectionné ses méthodes, dit Gabriel. Tout le monde ne désire pas un royaume. Mais l'amour... tout le monde y vient tôt ou tard. Même les anges.

— Marie, être liée à Satan ? Je... je ne peux tout simplement pas le croire ! protesta Jésus.

— Il n'y a pourtant pas d'autre explication, dit Gabriel.

À présent, sa religion était faite. Pour lui, cela signifiait qu'il allait devoir chasser Silvia de sa maison (et d'abord de sa baignoire).

Jésus était si bouleversé qu'il avait besoin de se retirer pour prier, et il chercha donc un endroit tranquille. Pourtant, il n'alla pas le chercher à l'église. Ni au jardin derrière le presbytère. Mais sur le débarcadère, là où il avait passé de si agréables moments en compagnie de Marie. Assis au bord du lac, il contempla le miroitement de l'eau au soleil couchant et commença à douter. Non de Marie, mais de lui-même. Car, s'il n'était pas monté à bord du cargo, il y avait à cela une autre raison. Une raison qu'il ne s'était pas encore avouée jusqu'ici. Peut-être... oui, peut-être en réalité ne voulait-il pas livrer la bataille finale. Une part de lui-même avait des doutes sur sa mission. Punir les hommes ne lui procurait décidément aucun plaisir. En Judée, il les avait menacés de la colère divine, mais c'était uniquement pour les empêcher de s'égarer. Ça lui avait été très utile. Mais ce n'étaient que des menaces.

Oui, s'il se sentait attiré par Marie, et s'il s'était si volontiers laissé détourner de son devoir, c'était peut-être à cause de ses propres doutes.

39

À la vue de Joshua assis sur notre débarcadère, je me sentis folle de joie. Cet endroit représentait donc quelque chose pour lui aussi ! Sa colère s'était dissipée, et il n'eut même pas l'air très surpris de me voir, mais plutôt affligé et pensif. Je m'installai près de lui et, comme lui, laissai mes jambes se balancer au-dessus de l'eau.

Nous étions assis là, silencieux, comme deux personnes qui ont déjà entre elles quelques merveilleuses soirées et un long baiser dans une voiture, mais qui savent fort bien qu'elles ne vivront jamais ensemble, parce que trop de choses les séparent.

De plus, Joshua me jetait par moments des regards scrutateurs, comme s'il se méfiait de moi. Croyait-il vraiment que j'avais inventé la maladie de Kata pour l'empêcher de partir ? Finalement, il se décida à parler :

— Pourquoi es-tu venue ?

— Je… je voudrais te poser une question.

— Pose-la.

— Quand aura lieu le Jugement dernier ?

Jésus marqua une pause d'une seconde, qui me parut une éternité. Puis il répondit enfin :

— Mardi prochain.

Ainsi, le monde n'en avait plus que pour cinq jours. Pour moi, c'était un choc terrible. Tout ce que je connaissais… tout ce qui avait pu m'émouvoir dans ma vie… tout ce que j'aimais… bientôt, tout cela ne serait plus. Et je devrais enterrer tous mes rêves. Ma réaction fut celle qu'aurait eue n'importe quel être humain à cette nouvelle : je sautai dans le lac.

Tandis que les canards s'enfuyaient en protestant bruyamment, Jésus, compatissant, me tendit un mouchoir. Quand je me fus essuyé la bouche, je recommençai à le questionner avec précaution. Ce fameux livre de vie existait-il vraiment ? Y aurait-il réellement un jugement de Dieu, et un étang de feu ? J'espérais encore qu'il puisse s'agir d'une simple erreur de transcription, et que le royaume des cieux viendrait pour tous les hommes. Hélas, Jésus confirma :

— Tout se passera exactement comme il a été annoncé.

Je blêmis.

— Ce… ce feu éternel, c'est tout de même un peu dur.

Un instant, je crus qu'il allait me donner raison, mais il eut alors une espèce de sursaut, comme s'il se secouait pour chasser à toute force jusqu'au plus petit doute. Le visage sombre, il se leva, longea le débarcadère et s'avança vers un pommier qui poussait sur la rive et ne portait pas de fruits.

— Que jamais plus personne ne mange de tes fruits ! dit-il à l'arbre avec colère.

Et, sous mes yeux, l'arbre se dessécha.

Jésus me regarda d'un air sévère. Comme un professeur autoritaire affligé de coliques regarderait une élève à l'oral du bac. Pourtant, je ne comprenais pas quel avertissement Jésus voulait me donner par cet acte.

— Voilà ce qui arrive à tous ceux qui ne vivent pas selon les lois divines, déclara-t-il.

— Tu devrais vraiment travailler tes métaphores, ne pus-je m'empêcher de dire. La plupart sont bien trop compliquées.

Ce reproche ne l'arrêta pas dans sa démonstration :

— Chacun peut lire dans la Bible les commandements d'une vie pieuse. Nul ne pourra dire qu'il ne savait pas. Et celui qui a fait le bien dans sa vie sera récompensé de n'avoir pas choisi le chemin le plus facile, celui du mal.

Je comprenais cela : par exemple, une infirmière de maison de retraite aurait droit à une compensation si le directeur avait réduit son salaire pour pouvoir gagner davantage lui-même. Il y avait là une certaine justice.

Mais pour le reste, toute cette histoire de punition ne me plaisait pas du tout, et j'étais presque sûre que l'infirmière de la maison de retraite abonderait dans mon sens. Je préférais un Dieu bon, et ce fut avec mauvaise humeur que je demandai à Jésus :

— Le Tout-Puissant, c'est donc le Dieu méchant, celui qui punit ?

— Ne parle pas du Seigneur en mauvaise part, se fâcha-t-il.

Un instant, j'eus envie de lui dire : « Mon vieux, quel fils à papa tu fais ! » Dieu merci, je réussis à garder cette pensée pour moi.

Joshua avait beau me foudroyer du regard, je ne parvenais pas à lui donner raison. D'abord, qu'adviendrait-il de Kata ? Elle avait abondamment transgressé les trois premiers commandements, qui ordonnent d'honorer Dieu. Et ma mère ? Entrerait-elle au royaume des cieux ? Sûrement pas si papa avait son mot à dire. Et lui ? Dans son cas, la fin du monde ne serait peut-être pas une si mauvaise affaire : au moins, Svetlana n'aurait plus aucune chance de lui briser le cœur.

Tout à coup, je pensai à la gamine de Svetlana. Pour elle aussi, le monde finirait mardi prochain. J'avais beau ne pas la supporter, je trouvais cela injuste. Elle entrerait sans doute au royaume des cieux, parce qu'elle n'avait jamais péché, mais elle n'avait même pas vraiment vécu sur cette terre. Elle n'aurait pas une chance de connaître les joies de ce monde : la salsa, les concerts de Robbie Williams, *Les Simpson,* le frisson du premier baiser, la première nuit passée avec un homme – bon, celle-là, on pouvait peut-être l'oublier…

En tout cas, c'était injuste !

Tout être humain devait avoir le droit de vivre sa vie jusqu'à la fin ! Même une petite sotte comme la fille de Svetlana !

Même Franko Potente.

Même… moi.

Cette fois, j'étais sérieusement en rogne contre Dieu et contre son homme de fils, au point que j'osai à mon tour foudroyer Jésus du regard. Nous étions donc là tous les deux à nous dévisager avec colère, près du pommier fané qui s'efforçait tant bien que mal d'être la métaphore de ce qu'était devenue notre amitié naissante.

Finalement, ce fut moi qui rompis le silence :

— Je trouve trop injuste que Dieu ne donne pas une dernière chance aux hommes.

Voilà, c'était sorti !

— Oserais-tu donc critiquer le plan divin ? questionna rudement Jésus.

— Et comment, que j'ose !

— Il ne te sied pas de sonder les voies du Seigneur, me reprocha-t-il d'un ton sévère.

— Fils à papa ! répliquai-je.

Je vis que j'avais fait mouche. Ça lui apprendrait !

— Gabriel avait raison, dit-il alors, le visage enflammé de colère.

— Raison de dire quoi ? fis-je, étonnée.

— Que tu étais passée au service de Satan.

Un bref instant, j'en eus le souffle coupé. Puis j'éclatai de rire. Un grand rire quasi hystérique, dans les soubresauts duquel toute ma colère s'évanouit.

— Tu te moques de moi ? dit Jésus, visiblement surpris.

— Oui ! répondis-je en toute honnêteté quand j'eus réussi à me calmer un peu. Si Satan t'envoyait quelqu'un, il ne choisirait sûrement pas quelqu'un d'aussi incompétent que moi !

Comme Jésus ne savait que répondre, je lui fis une proposition :

— Écoute : regarde-moi bien, et réfléchis. Si tu crois vraiment que c'est Satan qui m'envoie, alors, dessèche-moi sur place comme cet arbre.

L'idée paraissait le tenter beaucoup ! Aussi m'empressai-je de poursuivre :

— Mais si tu ne le crois pas, alors, laisse-moi le temps de te prouver que notre monde mérite une autre chance.

Jésus se mit à me fixer intensément, et, plus cela durait, plus la peur me gagnait. J'avais poussé trop loin l'audace, jusqu'à risquer ma vie. Et il y avait sûrement des façons de mourir plus agréables que d'être desséchée sur place.

Quand Jésus ouvrit enfin la bouche, je m'attendais presque à entendre ma condamnation à mort. Mais il dit seulement :

— Le prochain bateau pour Israël part demain soir. Je te donne jusque-là.

Je me sentis une forte envie de lui sauter au cou à nouveau. Mais quelque chose me dit que cette fois, Jésus risquait fort de le prendre mal, et je réprimai mon élan.

C'est alors que je pris conscience de la responsabilité dont je m'étais chargée : le sort de l'humanité était entre mes mains ! J'étais la seule à pouvoir sauver le monde !

Dommage : je n'avais pas la moindre idée de la façon dont j'allais m'y prendre.

40

Assise en silence sur le débarcadère avec Jésus, je me mis à réfléchir au problème. Peut-être devais-je simplement lui montrer qu'il y avait en ce monde beaucoup de gens d'une grande bonté. Malheureusement, leurs noms ne me venaient pas à l'esprit. À part des gens comme Gandhi, Mère Teresa ou Martin Luther King, mais ils étaient tous déjà morts, et puis, Jésus devait les connaître aussi. Si ça se trouve, au ciel, ils avaient l'habitude, une fois par semaine, de faire ensemble une petite partie de backgammon, ou de n'importe quel autre jeu qui se pratique là-haut.

Oui, au fait, qu'est-ce qu'on faisait au ciel toute la sainte journée ? Et que feraient les gens au royaume des cieux quand il serait édifié sur terre, à partir de mardi prochain ? Ils prieraient sûrement Dieu. Mais est-ce que ça remplirait la journée ? On pouvait faire ça peut-être une heure par jour, et personnellement j'étais prête à aller jusqu'à cinq, mais le reste du temps ? D'un autre côté, si on était déjà parfaitement heureux, et on le serait certainement au royaume de Dieu sur terre, la façon de passer le temps n'avait aucune importance. On pouvait regarder défiler les nuages, cueillir des fleurs, jouer avec ses orteils, et être tout à fait content comme ça. Est-ce

que ça ne ressemblait pas un peu à un trip permanent ?
J'envisageai un instant de poser des questions à Jésus sur
le sujet, mais je préférai m'abstenir.

Peut-être devais-je lui montrer des gens simples, mais
bons ? Malheureusement, je ne voyais personne du calibre
de Gandhi dans mon entourage. D'un autre côté, la plupart des gens étaient tout de même très corrects. À
Malente, nous n'avions ni dictateurs, ni assassins, ni
exploitant de centre d'appel. Et la dernière fois qu'on
avait brûlé un village voisin, c'était au Moyen Âge.
Cependant, je doutais que cela suffise. Si je disais à Jésus :
« Bon, écoute, les hommes ont mérité de continuer à vivre
parce que la plupart d'entre eux ne sont ni bons ni mauvais, mais juste dans une honnête moyenne », l'argument
serait peut-être un peu faible à opposer au plan divin qui
prévoyait de diviser pour l'éternité l'humanité en deux, les
bons et les méchants. Je poussai un grand soupir.

— Pourquoi soupires-tu ? demanda Jésus.

Pour toute réponse, je soupirai.

— Tu ne sais pas comment me convaincre, constata
Jésus.

— Si, si, bien sûr que je le sais ! fis-je de manière fort
peu convaincante.

— Tu ne le sais pas.

Et il me sourit gentiment, presque avec affection. Mais
ce sourire me déplaisait. J'avais l'impression d'être prise
en faute, et je ne supportais pas qu'un homme pour qui
j'avais des sentiments me surprenne dans un moment de
faiblesse. Que ce fût Jésus ou un autre, c'était pareil.

— Tu es en colère contre moi, observa-t-il avec
surprise.

— Et toi, tu es le champion des évidences, répliquai-
je un peu trop sèchement.

— D'où te vient ce courroux ? demanda Jésus.

— La plupart des êtres humains ne sont ni bons ni mauvais, ils sont seulement moyens ! Mais ce n'est évidemment pas suffisant pour te convaincre.

Il ne répondit pas et parut réfléchir. Visiblement, il n'aimait pas beaucoup que je sois en colère contre lui.

— Puis-je te proposer autre chose ? dit-il enfin.

Je le regardai avec surprise, toute ma colère envolée d'un seul coup.

— Montre-moi que ces gens moyens, comme tu les appelles, ont la capacité de faire le bien, et qu'ils souhaitent en faire usage.

Hmm... C'était gentil à lui de proposer cela. Mais comment montrer à Jésus que les hommes ont l'intention de se servir de leur capacité à faire le bien ? Devais-je convoquer tous les habitants de Malente à une réunion à la mairie et leur dire : « Bon, maintenant, les amis, il faut vous ressaisir. Vous allez arrêter vos histoires d'adultère et de fraude fiscale, et puis, à votre place, j'essaierais de ne pas jurer aussi souvent en disant "Bordel de Dieu !" »

Je poussai donc un nouveau soupir.

— Puis-je te faire une autre proposition ? dit Jésus.

J'acquiesçai d'un signe de tête.

— Montre-moi, par l'exemple d'une seule personne, que l'humanité est capable de faire le bien.

C'était extraordinaire : pour un peu, on aurait pu croire qu'il voulait à toute force être convaincu. Comme s'il n'était pas du tout certain que cette histoire de Jugement dernier soit une bonne idée.

Une seule personne pouvait donc apporter la preuve. Parfait. Là, je pouvais peut-être y arriver. Mais qui choisir ? Kata ? Il valait mieux éviter : elle risquait de passer beaucoup plus de temps à expliquer à Jésus que c'était d'abord à Dieu de prouver qu'il était lui-même capable de faire le bien. Mon père, peut-être ? En ce moment, il devait être à peu près aussi bien disposé envers moi que le pape envers les fabricants de préservatifs. Maman non plus n'était pas une bonne idée : ne m'avait-elle pas avoué elle-même que si elle était avec le pasteur Gabriel – le copain de Jésus –, c'était uniquement parce qu'elle avait besoin de réconfort ? Svetlana, peut-être ? Elle était certainement reconnaissante à Jésus d'avoir guéri sa fille. Peut-être même le serait-elle au point de renoncer à profiter de mon père, ce qui me permettrait de montrer à Jésus qu'elle était capable de faire le bien ? Fallait-il prendre ce risque avec Svetlana ? Faire reposer le sort du monde sur une femme que j'avais traitée de « pétasse buveuse de vodka » ?

À ce moment-là, j'aperçus dans l'eau le reflet de mon visage dubitatif, et deux pensées me traversèrent l'esprit simultanément : « Pourquoi mes cheveux ont-ils toujours une aussi sale gueule ? », et « Si je me prenais, moi, comme exemple ? »

Ça, c'était une idée ! Il était difficile de trouver une personne plus moyenne que moi dans tout le secteur.

Alors, je dis à Jésus que je serais moi-même la preuve. Je lui expliquai longuement et en détail que je respectais déjà une bonne partie des dix commandements et que, d'ici demain soir, je réussirais à accomplir le reste : j'honorerais mon père et ma mère, et je ne convoiterais plus le bien d'autrui. Jésus écouta mon flot de paroles jusqu'au bout avec patience, puis il déclara d'une voix paisible :

— Les dix commandements ne suffisent pas pour mener une vie juste.

Aïe ! Je savais bien qu'avec Dieu, rien ne pouvait être simple !

— Et qu'est-ce qu'il faut faire d'autre, alors ? demandai-je. Je veux dire, j'espère que tu ne parles pas d'aller couper la main à une femme qui, dans une querelle, a saisi les parties honteuses de son mari ?

— Tu as lu le Deutéronome, constata Jésus en souriant.

Il me croyait bien plus calée que je ne l'étais.

— Ne t'inquiète pas, dit Jésus, il y a beaucoup de préceptes dans la Bible qu'il n'est pas nécessaire de suivre. Il faut seulement vivre dans l'esprit de Dieu.

— Et, en traduction, ça veut dire quoi ?

— Tout ce que tu dois savoir sur la vraie vie, je l'ai annoncé dans ma prédication sur la montagne.

Le Sermon sur la montagne. Aïe, ouille ! J'en avais déjà entendu parler, certes, et on l'avait étudié au catéchisme avec le pasteur Gabriel, mais, à l'époque, j'étais bien trop occupée par mes chagrins d'amour et je passais mon temps à gribouiller des dessins où mon ex-petit ami subissait en bonne et due forme les Sept Plaies de l'Égypte – j'aimais particulièrement le faire bouffer par les sauterelles. Aussi, si on m'avait demandé aujourd'hui ce qu'il y avait dans le Sermon sur la montagne, je n'aurais pas su répondre même si ma vie en dépendait, ou, dans le cas présent, le sort du monde.

— Tu sais tout de même ce qu'il y a dans la prédication sur la montagne ? demanda doucement Jésus.

Je souris d'un air légèrement idiot.

— Tu ne le sais pas ?

Je souris encore plus stupidement.

— Je croyais que tu connaissais la Bible, dit Jésus d'une voix redevenue sévère.

Admettre devant Jésus qu'on ne connaît pas la Bible est à peu près aussi agréable qu'avouer à son père qu'on prend la pilule, et même depuis deux ans alors qu'on en a tout juste seize. Mais je me fis violence et reconnus courageusement :

— Tu… tu as raison. Je n'ai aucune idée de ce que tu as dit dans cette prédication.

Je m'empressai d'ajouter, avant qu'il ait l'air terriblement déçu :

— Mais attends un peu : d'ici demain soir, je vivrai selon ses règles, et alors, tu verras que les hommes ont la capacité et la force de créer d'eux-mêmes un monde meilleur.

Jésus me souriait d'un air un peu absent. Avait-il donc été impressionné par mon plaidoyer passionné ?

Ou, qui sait, par moi-même ?

— Quelque chose ne va pas ? demandai-je avec précaution.

Jésus tressaillit, et, faisant un effort visible pour se ressaisir, déclara d'une voix qu'il s'efforçait de rendre ferme :

— Je suis d'accord avec ta proposition.

— Très bien, dis-je, sans être sûre que c'était vraiment le cas.

Car j'espérais ne pas avoir promis plus que je ne pouvais tenir. J'étais si angoissée que je faillis me mettre à prier, avant de me souvenir in extremis que Dieu et moi ne poursuivions peut-être pas tout à fait les mêmes objectifs ces temps-ci.

Nous restions face à face, sans rien dire. J'aurais tellement aimé passer la soirée avec lui, comme la veille, mais ce n'était plus possible. Bien trop de choses étaient arrivées entre-temps. Je ne pourrais plus jamais voir en lui le Joshua de la salsa.

Le cœur lourd, je lui dis au revoir, et j'eus l'impression que lui aussi avait du mal à me quitter. Arrivée à la maison, je constatai avec soulagement que mon père n'avait pas accroché à la porte un petit écriteau portant, sous une photo de moi, l'inscription : « Désolé, nous ne sommes pas admis ici. »

Une fois entrée, je vis d'abord la petite déjà endormie sur le canapé du salon, puis j'entendis des bruits légers en provenance de la chambre de mon père : ils étaient encore en train de faire l'amour. Un instant, je me pris à souhaiter que le Jugement dernier soit déjà là.

Kata sortait des toilettes. Je n'avais pas encore eu le temps de lui dire bonsoir que papa se mit à pousser des geignements – ça ressemblait plutôt au hennissement d'un cheval sauvage.

— Viens dans ma chambre, on n'y entend pas l'étalon, proposa Kata.

— Alors, c'est un endroit super.

Et nous nous réfugiâmes dans ce havre de paix. Cependant, Kata paraissait troublée.

— Quelque chose ne va pas ? la questionnai-je.

— J'ai… j'ai peur.

Ma sœur reconnaissait avoir peur ? Cette fois, c'était vraiment le monde à l'envers.

— Peur de quoi ?

— Je… je n'ai plus mal.

— Mais… je croyais que tu n'avais pas de tumeur ?

— Si, j'en ai une.

Je restai frappée de stupeur.

— Et pourtant, je n'ai plus mal du tout, comme si elle était partie. Et j'ai une trouille terrible.

— Parce que tu espères qu'elle est partie, et que tu ne veux pas être déçue ?

— Non. Parce que je n'en ai plus pour longtemps.

Lorsque sa première tumeur s'était déclarée, cinq ans plus tôt, on voyait dans les yeux de Kata le courage du combattant. À présent, on n'y voyait plus que la terreur. Et cela me faisait peur à moi aussi.

— Je… ne veux pas… dit-elle à voix basse sans réussir à prononcer le mot « mourir ».

Je la pris dans mes bras, et, pour une fois, elle se laissa faire.

Mille questions se bousculaient dans mon esprit. Si les médecins avaient détecté une tumeur, pourquoi Jésus ne l'avait-il pas vue ? Kata avait-elle pu tout imaginer ? Mais pourquoi aurait-elle fait cela ? Et puis, qu'est-ce qui l'avait poussée à dessiner ce que je venais de trouver par terre ?

Pourquoi Satan faisait-il soudain son apparition dans les dessins de Kata ? Et pourquoi le croyait-elle le plus fort ? Avait-elle peur d'aller en enfer ? Elle ne croyait même pas à une vie après la mort ! Devais-je lui dire que cela existait vraiment ? Lui parler de Jésus ? Et de ce qui allait arriver ? Ou cela ne ferait-il que l'inquiéter davantage, elle qui était une candidate toute désignée pour l'enfer ?

Avant d'avoir pu ouvrir la bouche, je sentis une larme sur ma joue. Kata pleurait. C'était la première fois que je la voyais pleurer depuis qu'elle était adulte, et j'en eus le cœur déchiré. Je la serrai encore plus fort et décidai de ne pas lui infliger mes histoires de fous. Tout à coup, elle était devenue la petite sœur, et moi la grande qui la protégeait.

41

Lorsque Kata fut endormie, je regagnai ma chambre. L'idée de sa maladie m'achevait, mais je ne devais pas pleurer. Après tout, j'avais de la vitamine B pour me doper, et puis, j'espérais bien que Jésus pourrait la guérir. Pour cela, il faudrait évidemment le convaincre d'abord que les humains – Kata comprise – avaient mérité une nouvelle chance. L'enjeu était devenu d'autant plus important.

Je sortis ma bible de mon sac et, allongée sur mon lit, cherchai le Sermon sur la montagne – cette bible aurait eu bien besoin d'une table des matières. D'autres passages retinrent mon attention : par exemple, j'appris que « Sheba » n'était pas seulement une marque de nourriture pour chats, ou ce qu'était exactement le péché commis par Onan (dans la Bible, il y avait décidément plus de sexe et de meurtres que sur RTL2). Quand j'eus enfin trouvé, dans Matthieu, le Sermon sur la montagne, j'avais les nerfs dans un tel état que je commençai par zapper un moment sur la télé – j'avais bien trop peur de savoir ce qui allait être exigé de moi. Puis, en voyant Florian Silbereisen présenter le Festival de musique folklorique de Mannheim sur ARD, j'eus encore plus peur et j'éteignis la télé pour lire les paroles de Jésus. Ce

Sermon était une sorte de *best of* de son enseignement. J'y retrouvai aussi la belle parabole des oiseaux qu'il m'avait dite lors de notre premier rendez-vous – il me semblait que cela faisait une éternité. J'entrepris de diviser les enseignements en plusieurs catégories : 1) Je peux y arriver sans problème ; 2) Pas si simple ; 3) Ça va être dur ; 4) Ça va être très, très dur ; et enfin 5) Au secours !

Les catégories 1 et 2 restèrent presque vides. La seule chose que je pouvais faire sans problème, c'était m'abstenir de jurer. Me garder des faux prophètes, là aussi, ça me paraissait faisable, et, bien évidemment, je ne jetais pas les perles aux pourceaux – même en tenant compte du fait qu'il s'agissait probablement d'une de ces paraboles que je n'étais pas sûre de comprendre à cent pour cent.

Il m'était déjà plus difficile de vivre sans souci de ce que je mangerais le lendemain. J'étais vraiment championne pour me faire du souci, si ç'avait été une discipline olympique, j'aurais certainement obtenu la médaille d'argent, juste derrière Woody Allen. Il fallait aussi que je me détache de mes biens matériels, et là, malheureusement, on ne faisait aucune exception, ni pour les escarpins, ni pour les iPod, ni pour les CD de Norah Jones. Mais ce n'était encore rien en comparaison de ce que Jésus exigeait dans le domaine des relations humaines : si quelqu'un vous avait fait du mal, il fallait lui donner encore plus. Ou, formulé par Jésus : « Si quelqu'un veut te prendre ta tunique, donne-lui même ton manteau. » Ce précepte devait être très populaire dans les bureaux des contributions directes.

Quant à moi, je doutais de jamais pouvoir me montrer aussi altruiste. Et tendre l'autre joue dans une dispute ne me disait rien non plus – je n'étais pas portée sur le masochisme. « Ne jugez pas, afin de n'être pas jugés » était tout aussi problématique. Svetlana m'avait jeté ça à la figure, et j'avais aussitôt eu envie de la tuer. La parabole de Jésus « Comment vas-tu dire à ton frère : "Laisse-moi ôter la paille dans ton œil", et voilà que la poutre est dans ton œil ! » ne m'aidait pas davantage. Même sachant que j'avais dans l'œil une poutre sur laquelle il était écrit « Sven », donc que j'étais aussi coupable que Svetlana, j'étais bien trop furieuse contre elle.

Enfin, l'invitation de Jésus à aimer ses ennemis entrait pour moi dans la catégorie « Au secours ! » À part Svetlana, je n'avais pas d'ennemis. Mais comment aimer cette femme ? L'aimer pour de bon ? Sans hypocrisie ? Le sort du monde dépendait-il aujourd'hui de ma capacité à y parvenir ?

À cet instant, mon portable sonna. C'était Michi, très anxieux de connaître la date exacte de la fin du monde. Je la lui dis, et il fut encore bien plus bouleversé. Mais, quand je lui expliquai ce que j'avais convenu avec Jésus, et que ça dépendrait un peu de ma capacité à aimer Svetlana d'ici au lendemain, il ne put que gémir :

— Eh bien, alors, on est foutus…

Aussitôt après, il réalisa avec angoisse :

— … et Franko Potente va mourir vierge.

— Ça me fait de la peine pour Franko, dis-je avec compassion.

— Et à moi donc ! soupira Michi.

Je soupirai aussi, par solidarité. Il dut se sentir encouragé, car il fit une timide tentative :

— Tu crois que…

— Quoi ?

— Eh bien…

Il hésita encore un peu avant de se lancer :

— … que tu pourrais… avec Franko…

— NON !

— D'accord, d'accord ! fit-il en hâte.

J'éprouvais presque du remords à l'avoir rembarré aussi brutalement. Mais enfin, je n'étais pas amoureuse de lui, et, en règle générale, le sexe sans amour me faisait autant plaisir que m'épiler les jambes à la cire chaude.

— Alors… alors j'espère pour mon vieil ami Franko que tu arriveras à convaincre Jésus, murmura Michi d'une voix étranglée, et il raccrocha.

Après avoir poussé quelques gémissements, je repris le Sermon sur la montagne. Jésus ne pouvait tout de même pas s'être contenté de formuler tout un tas de principes sans donner la moindre indication sur la façon dont un simple mortel pouvait les mettre en pratique !

Je feuilletai un peu plus loin, et voilà que dans Matthieu, VII, 12, sous le titre « La Règle d'or », je tombai sur cette phrase : « Tout ce que vous voulez que les autres fassent pour vous, faites-le vous-mêmes pour eux. »

Eh bien, ça, c'était possible ! Ça rappelait un peu les panneaux dans les toilettes des trains : « Merci de laisser cet endroit dans l'état où vous auriez souhaité le trouver. » Chaque fois que j'en voyais un, je me disais avec agacement : « Ils me prennent pour une architecte d'intérieur ou quoi ? »

Mais, maintenant que je réfléchissais sérieusement à ces paroles de Jésus pour la première fois de ma vie, j'en tirais une tout autre conclusion : peut-être était-ce la vraie solution ? Si j'étais gentille avec Svetlana, elle serait peut-être gentille avec moi elle aussi, et elle changerait. Et alors, je pourrais peut-être l'aimer vraiment ! Ce n'était pas un scénario des plus réalistes, mais bon, il était permis de rêver.

Et peut-être, oui, peut-être un jour aurais-je le droit de recommencer à rêver à propos de Joshua et de moi ?

42

Pendant ce temps-là...

Le pasteur Gabriel était assis au clair de lune sur le banc de son jardin. Le Messie dormait dans la chambre d'amis, et on entendait au loin les sons effroyables de la guitare électrique du pasteur aux baskets. Chose étrange, il jouait It's the End of the World as We Know it, *mais Gabriel, qui ne connaissait pas cette chanson, ne s'aperçut de rien. La journée avait été terrible. Il avait chassé de la maison sa bien-aimée Silvia. Même quand elle lui avait juré à plusieurs reprises qu'elle n'était pas une envoyée de Satan, puis quand elle lui avait crié avec rage qu'elle connaissait un excellent service d'internement psychiatrique qu'elle pouvait lui recommander, il ne l'avait pas crue. Ni quand elle s'était mise à pleurer pour essayer de l'attendrir. Ni même quand, d'une voix étouffée par les sanglots, elle lui avait avoué que maintenant, elle l'aimait vraiment.*

Gabriel cessa de contempler la lune et se mit à fixer le jardin plongé dans l'obscurité. Il se sentait plus seul que jamais : il avait perdu Silvia.

C'est alors que, sous ses yeux, le buisson d'épines entra en combustion spontanée.

Il ne lui manquait plus que cette rencontre pour que ce soit complet.

— POURQUOI MON FILS N'EST-IL PAS EN ROUTE POUR JÉRUSALEM ? questionna le buisson ardent.

Il ne parlait pas vraiment fort, mais sa voix était si impressionnante qu'on sentait qu'elle aurait pu remplir le monde entier.

Gabriel aurait bien voulu s'enfuir. Mais Dieu était omniprésent, et il pouvait lui apparaître n'importe où : sous la forme d'un palmier ardent aux Maldives, d'un sapin ardent en Norvège, d'un bonsaï ardent au Japon... Il n'y avait pas d'échappatoire. Gabriel fit donc un gros effort sur lui-même et se mit à réfléchir à la meilleure façon d'apprendre à son Seigneur que son fils s'était laissé berner par Satan.

— Hum... Seigneur, comment dire ? Il y a une petite complication...

— UNE COMPLICATION ?

Le ton ne laissait pas présager, de la part du buisson ardent, une grande tolérance envers les complications. Encore moins envers celle dont Gabriel allait être forcé de lui parler.

— Enfin, oui, ce n'est pas simple à expliquer, bafouilla Gabriel.

— ALORS, EXPLIQUE-MOI EN DÉTAIL ! ordonna le buisson ardent.

Gabriel aurait préféré tout garder pour lui. Le buisson ardent avait parfois tendance à réagir de façon un peu excessive, il le savait – et les pharaons égyptiens auraient eu leur mot à dire là-dessus. Mais Gabriel savait aussi qu'il ne pouvait rien cacher au Tout-Puissant. D'une voix tremblante, il lui expliqua donc ce qui s'était passé jusque-là entre Jésus et Marie, sans ménager les détails :

— ... et la salsa, c'est une danse où chacun tient l'autre par les hanches et le fait onduler...

Plus le récit de Gabriel avançait, plus le buisson ardent, qui restait muet, sentait la colère monter en lui. À la fin, il était plus furieux que jamais buisson ardent ne le fut, et la rage froide irradiée par sa flamme claire devenait difficilement supportable. Cependant, Gabriel était aussi quelque peu perplexe : comment se faisait-il que certaines choses échappent tout à coup à Dieu ? N'était-il pas l'Omniscient ?

Courageusement, il allait poser la question, quand la flamme du buisson monta jusqu'à plusieurs mètres de hauteur, tandis que sa voix proclamait avec force :

— SI, DEMAIN SOIR, MON FILS N'EST PAS EN ROUTE POUR JÉRUSALEM, J'APPARAÎTRAI PERSONNELLEMENT À CETTE MARIE !

43

Je pouvais encore rêver de Joshua, au moins en dormant… Nous marchions main dans la main sous le soleil, dans un merveilleux paysage de montagne. Parvenus au sommet, nous nous regardions dans les yeux. Nos lèvres se rapprochaient, et nous étions sur le point de nous embrasser quand Svetlana apparut, chevauchant un étalon. Elle me regarda et dit : « Je suis ton père. »

Je m'éveillai en sursaut, épouvantée. Quand j'eus un peu retrouvé mon calme, je regardai mon portable, que j'avais mis en mode silencieux, et m'aperçus que j'avais reçu quatorze appels au cours de la nuit, tous de ma mère. Elle ne m'avait pas appelée aussi souvent pendant les dix dernières années. Effrayée et inquiète, je la rappelai aussitôt et entendis à l'autre bout un « Allô ? » entrecoupé de reniflements. Un peu désemparée, je demandai :

— Il t'est arrivé quelque chose ?

Il n'y eut tout d'abord qu'un silence, puis un hoquet. Enfin, elle beugla lamentablement :

— Gavrlmnmnuzaglééé !

— Le quatrième a perdu sa clé ?

— Gabriel ! rectifia-t-elle en sanglotant.

— Gabriel a perdu sa clé ?

En quoi cela me concernait-il ? Était-ce une raison pour pleurer ? Il ne pouvait plus rentrer chez lui ? Mais qu'est-ce que j'y pouvais, moi ?

— Gabriel est devenu cinglé !

Là, je comprenais un peu mieux. Je demandai à maman de se calmer, hélas sans le moindre résultat. J'essayai de lui parler avec un maximum de compassion :

— Laisse sortir les émotions, ça fait du bien.

— Tu ne vas quand même pas me faire le coup du baratin psy ! s'indigna-t-elle.

— Alors, arrête de chialer ! répliquai-je brutalement. Pour la compassion, je manquais encore un peu d'entraînement. Cependant, mon engueulade avait produit son effet : les sanglots cessèrent. Maman s'excusa et, aussi calmement qu'elle le put, se mit à m'expliquer qu'elle avait fini par tomber amoureuse de Gabriel, que c'était dû en grande partie à notre réconciliation, qui avait levé des blocages en elle, et maintenant Gabriel l'avait mise à la porte parce qu'il croyait qu'elle était une envoyée de Satan.

— Tout ça, c'est juste parce qu'il a peur de s'attacher ! s'écria-t-elle avec colère. Satan ! Je te demande un peu ! Il n'y a pas plus de Satan que de Dieu.

— Ou pas moins, fis-je d'une voix étranglée.

— Pardon ? dit ma mère, surprise.

— Euh… non, rien, laisse tomber.

Et voilà qu'elle recommençait à sangloter ! Bon sang, Gabriel pouvait s'estimer heureux que je ne sois pas capable, moi, de le dessécher sur place ! Mais à peine m'étais-je formulé cette pensée destructrice que je pris peur. Non parce que j'éprouvais du remords d'avoir pensé cela, mais parce que, au sens du Sermon sur la montagne, il était aussi mal de souhaiter la mort de son prochain que de le tuer carrément. Ah, pour quelqu'un qui voulait mettre ses principes en application, ça commençait bien !

— Je vais aller parler à Gabriel, proposai-je à maman.

— Tu ferais ça pour moi ?

— Pas de problème.

J'avais entrepris de sauver le monde. Pendant que j'y étais, je pouvais bien en faire autant pour le nouvel amour de ma mère.

Le téléphone raccroché, je m'habillai, descendis l'escalier et, dans le couloir, tombai nez à nez avec Svetlana. Cette fois, la question était de savoir si je réussirais à l'aimer. Je la regardai dans les yeux – ils étaient soulignés d'un maquillage à paillettes qu'on ne voyait plus, en dehors d'elle, qu'à des travestis ou aux danseurs d'Holiday On Ice (deux populations entre lesquelles il existe certainement une intersection). Que pouvais-je faire à cette femme que j'aurais voulu qu'on me fasse ? Je finis par trouver quelque chose à lui proposer :

— Svetlana, il y a dans ce patelin un café très classe où on sert de super petits déjeuners. Et si on y allait ensemble ?

— Pardon ?

Elle paraissait surprise, sinon franchement méfiante. J'essayai la plaisanterie :

— Ce serait une bonne façon de commencer la journée, entre belle-fille et belle-maman !

Svetlana devait être plus sensible que moi au comique absurde de notre nouvelle configuration familiale, car cela la fit sourire.

— D'accord, dit-elle.

Peu après, nous étions attablées dans le café le plus chic de Malente, où le cuisinier préparait sous nos yeux une formidable omelette au jambon, à la tomate et à l'ail. Je ne sentais toujours pas venir les sentiments positifs, sans même parler d'amour. Pourtant, je traitais Svetlana comme j'aurais aimé qu'on me traite moi-même. Probablement ne suffisait-il pas pour cela de manger et de boire. Alors, qu'est-ce que j'aurais voulu qu'on fasse de plus pour moi ? Qu'on s'intéresse à moi ! J'essayai donc de m'intéresser à Svetlana :

— C'est… ce doit être difficile, en Biélorussie, d'élever un enfant toute seule.

— C'est difficile partout, répondit-elle.

J'approuvai d'un hochement de tête, pensant aux yeux cernés des mères zombies allemandes.

— Mais pour moi, c'était d'autant plus difficile que je devais aussi m'occuper de mon père malade, dit Svetlana. C'est pour ça que je suis allée au turbin.

— Tu as travaillé en usine ? demandai-je en mordant dans un délicieux croissant au chocolat.

— Non, dans un bordel, répondit-elle, et je m'étranglai avec mon délicieux croissant.

Quand j'eus finis de tousser, elle reprit à voix basse :

— Ton père le sait déjà. Et c'est normal que tu le saches aussi.

J'aurais bien voulu arrêter là l'entretien, mais ça m'aurait sûrement valu des points en moins, question « Sermon sur la montagne ». Alors, que faire ? Lui témoigner de la compassion ? À sa place, je n'aurais pas apprécié. De la compréhension ? C'était déjà mieux.

— D'accord, ça ne paraît pas simple… balbutiai-je.

C'était à peu près toute la compréhension que je me sentais capable de fournir sur le moment.

— Je ne t'ai pas menti. Je trouve que ton père est un homme formidable. Personne n'a jamais été aussi bon pour moi.

Son regard était clair, elle paraissait de bonne foi. D'ailleurs, elle avait reconnu son passé chargé, ce que n'aurait sans doute pas fait une femme malhonnête. Je décidai de lui donner ce que j'aurais le plus désiré moi-même dans sa situation : de la confiance.

— Ce serait vraiment bien si tu pouvais le rendre heureux, dis-je.

— Je vais essayer, répondit-elle d'une voix qui me parut sincère.

Puis nous attaquâmes les omelettes. À la fin de ce petit déjeuner, nous étions en bonne voie pour nous comprendre. Et nous éprouvions du respect l'une pour l'autre. Quant à aimer Svetlana, je n'y étais pas parvenue. Tout de même, il me semblait que mes efforts méritaient au moins un « C'est déjà ça ».

Je voulais voir Joshua pour lui demander s'il partageait mon appréciation (et aussi parce qu'il me manquait et que cette question était un bon prétexte pour le rencontrer). Mais, sur le chemin du presbytère, j'aperçus Gabriel qui venait à ma rencontre avec un air furieux.

— N'approche pas de lui ! me cria-t-il du plus loin qu'il me vit.

Cela me rappela vaguement un exorciste que j'avais vu dans un film d'épouvante des années 1970.

— Bonne journée à vous aussi, répliquai-je avec aplomb.

— N'approche pas de lui ! répéta-t-il, menaçant.

— Je ne suis pas une envoyée de Satan, dis-je aussi calmement que je pus.

— C'est exactement ce que dirait un envoyé de Satan, dit-il, toujours en colère.

Avec ce genre de logique, il n'était pas facile de lui répondre.

— Comment puis-je vous prouver que je n'ai rien à voir avec Satan ?

— En te tenant à distance de Jésus.

— Je ne veux pas et je ne peux pas !

Il me jeta un regard furibond, et je craignis un instant qu'il ne cherchât à se débarrasser de moi en brandissant une croix et en m'aspergeant avec un pistolet à eau bénite.

— Vous avez fait beaucoup de mal à ma mère, dis-je d'une voix plus calme.

Pour la première fois, Gabriel resta muet, ce qui me laissa le temps de réfléchir à la façon de le contrer tout en respectant la « Règle d'or ». J'essayai la compréhension, qui m'avait bien réussi avec Svetlana :

— Je peux comprendre que vous ayez peur en un moment pareil, mais ma mère n'est...

— Tais-toi !

— Mais...

— Tais-toi !

J'avais un peu de mal à ne pas me mettre en colère à mon tour. Comment calmer Gabriel ? Qu'aurais-je voulu à sa place ?

— Voulez-vous un petit schnaps ? proposai-je avec un peu d'hésitation.

Il me regarda d'un air encore plus furieux.

— Alors, que voulez-vous que je fasse ?

— Que tu te changes en statue de sel !

— Vous ne respectez pas beaucoup le Sermon sur la montagne ! m'insurgeai-je.

— Ce n'est pas toi qui vas m'apprendre comment on vit selon la vraie foi !

— Si vous n'en êtes pas capable vous-même...

— Disparais !

— Pas question !

— Disparais, je te le conseille pour ton propre bien, insista-t-il.

— Je suis la mieux placée pour savoir ce qui est bon pour moi, fis-je avec colère.

— Tu ne sais rien, tu es une petite fille naïve et stupide.

— Et vous un vieux têtu très énervant ! explosai-je.

— Comment tu m'as appelé ???

— Un vieux têtu très énervant, voilà ce que j'ai dit, espèce de vieux schnock !

Tandis que nous nous dévisagions, Gabriel et moi, tels deux coqs de combat, une voix s'éleva soudain dans mon dos :

— Marie ?

Je me retournai avec effroi. Jésus était là, et il avait tout entendu. Pourtant, il n'avait pas l'air en colère. Seulement déçu. Mais profondément déçu. Ne sachant que lui dire, j'avalai ma salive. Gabriel en profita pour prendre la parole :

— Seigneur…

— Laisse-nous seuls, s'il te plaît, lui dit Jésus.

— Mais…

— S'il te plaît, répéta Jésus d'une voix calme, mais si décidée que Gabriel n'osa plus le contredire.

Il se contenta de me foudroyer une dernière fois du regard avant de filer en direction du presbytère.

— Veux-tu que nous marchions un peu ? dit Jésus.

J'acquiesçai d'un signe de tête, et nous nous éloignâmes en silence du presbytère. Presque automatiquement, nos pas nous conduisirent jusqu'à notre place favorite, au bord du lac. Quand nous fûmes assis sur le débarcadère, Jésus rompit enfin le silence oppressant :

— Je n'ai pas l'impression que tu aies compris l'esprit de mes paroles, constata-t-il.

— Il me reste encore tout l'après-midi, fis-je à voix basse.

— Tu penses donc pouvoir, d'ici là, vivre dans l'esprit du Sermon sur la montagne ?

Il y avait dans ses yeux comme une ultime lueur d'espoir.

— Bien sûr, dis-je.

— Vraiment ?

— Non.

Jésus me considéra avec étonnement. Je réfléchis : devais-je lui expliquer qu'il n'était pas possible d'assimiler du jour au lendemain tout ce qu'il y avait dans ce Sermon, que j'avais besoin de temps pour tout mettre en pratique ? Disons, s'il fallait donner une fourchette, de cinq à quatorze ans ?

— Ça… ça ne peut pas se faire aussi vite… bredouillai-je enfin.

— Mes disciples, à l'exception de Judas, y sont parvenus dès ma première prédication.

Je cherchai un argument et en trouvai un, sans doute un peu faible :

— Oui, mais… il faut peut-être y avoir assisté en live ?

— Marie Madeleine aussi a vécu selon les préceptes du Sermon sur la montagne, quand Pierre lui en eut fait le récit.

Formidable. Voilà qu'il me reparlait de son ex ! Il n'est jamais agréable de vivre dans l'ombre d'une ex-petite amie, mais cette ombre-là était sûrement la plus longue de toute l'histoire de l'humanité. Qu'est-ce que je pouvais faire maintenant ? Pour sauver le monde ? Et notre amitié ? Ou peut-être étais-je en droit de parler d'« amour » ? De mon côté, sûrement. Mais du sien ? C'est vrai que parfois... quand il était Joshua... et pas Jésus... il me regardait d'une façon... Oui, mais il ne le ferait sans doute plus jamais, maintenant.

Ou alors... Que disait donc la Règle d'or ? Que je devais faire ce que je voulais qu'on me fasse ?

Devant son merveilleux visage, je sentis que je n'avais plus qu'un désir : qu'avant son départ pour Jérusalem, Joshua me donne un baiser ! Après tout, je n'avais plus rien à perdre ! Alors, sur le débarcadère, je me penchai lentement vers lui. Prenant entre mes mains le merveilleux visage de Joshua – il avait la peau légèrement râpeuse –, j'approchai mes lèvres des siennes. Pris au dépourvu, il balbutia :

— Marie...

— Chut, fis-je doucement. Tout ça est dans l'esprit du Sermon sur la montagne.

Et, sans lui laisser le temps de me demander avec étonnement comment c'était possible, je l'embrassai.

Très doucement

Comme un souffle qui passe.

Nos lèvres ne se touchèrent que le temps presque imperceptible d'un battement de paupières.

Mais, le temps de cet unique battement de paupières, je me sentis comme au paradis.

44

Pendant ce temps-là...

Satan attendait devant le cabinet médical où Kata, qui n'avait pas eu mal depuis près de vingt-quatre heures, avait demandé un rendez-vous d'urgence. Cette fois, le prince des ténèbres n'était pas en George Clooney : il avait pris l'apparence d'une chanteuse de soul, la belle et mince Alicia Keys. C'était ce qui, il le savait, se rapprochait le plus de l'idéal de beauté de Kata. Il possédait déjà l'âme de la dessinatrice, mais il la trouvait si fascinante qu'il tenait particulièrement à la séduire. S'il gagnait la bataille finale, peut-être siégerait-elle à ses côtés sur le trône qu'il voulait édifier avec les os du Messie ?

— Hé, Blanche-Neige !

L'interpellation l'arracha brusquement à ses pensées. Deux jeunes skinheads s'avançaient vers lui. En temps normal, les skins faisaient partie de son cœur de cible – il trouvait de plus en plus déprimant, d'ailleurs, que son travail en enfer l'oblige à traiter avec des types pareils –, mais ceux-là cherchaient vraiment la bagarre.

— Fous le camp, sale négresse, retourne chez toi ! fit d'une voix menaçante le plus costaud des deux.

— *Fais-moi le plaisir de te jeter à toute vitesse contre un mur*, lui ordonna Satan de sa belle voix de chanteuse de soul.

Obéissant, le skin prit son élan et se précipita contre le mur de briques le plus proche. Voyant cela, l'autre skinhead pâlit.

— *Et toi*, lui dit Satan, *entre dans la première salle de kung-fu que tu trouveras, et là, tu diras au grand maître :* « *Sale Chinetoque !* »

— *Ce sera fait*, répondit le skin avant de s'enfuir en courant.

Kata venait enfin de sortir du cabinet médical. Elle ne remarqua même pas le skinhead étendu par terre, tant elle était troublée. Soulagée, mais avant tout troublée. La tumeur avait disparu ! Comme par enchantement ! C'était inconcevable. Ce type qui se prenait pour Jésus avait-il quelque chose à voir là-dedans ? Ou alors l'autre cinglé, Clooney ? Tout à coup, elle vit devant elle Alicia Keys. Elle se frotta les yeux.

— *Salut*, dit Alicia Keys.

— *Salut*, répondit Kata, *qui n'avait aucune raison d'être impolie.*

— *Dois-je me présenter ? Je suis Satan*, dit Alicia Keys.

Et, pour le prouver, elle se transforma en une créature au visage rouge sang, avec cornes, sabots et une assez vilaine queue, le tout accompagné d'une épouvantable odeur de soufre. De hautes flammes environnaient tout son corps, bien sûr sans le brûler. Satan ne se montra sous cette forme qu'un court instant avant de se retransformer en Alicia Keys et de faire disparaître les flammes. Quand l'odeur de soufre se fut dissipée et que Kata eut retrouvé sa voix, elle déclara courageusement :

— Waouh ! Tu as des effets spéciaux vraiment super !

— Et j'ai aussi ton âme, répondit Alicia avec un grand sourire.

Kata avala sa salive. Cette fois, elle avait peur. Jusqu'à une bonne seconde plus tôt, elle ne croyait même pas à l'existence de l'âme, quoi que cela veuille dire.

— Je sais à quoi tu penses en ce moment, dit Satan, souriant toujours. Tu te sens flouée. Mais c'est la vie : je suis Satan, la tromperie et l'escroquerie sont dans ma nature ! Tu te demandes sûrement aussi si tu ne pourrais pas récupérer ton âme en m'arnaquant à ton tour. C'est ce que croient tous les hommes. Mais ça n'a encore jamais marché pour personne.

La mine de Kata s'allongea.

— Je sais aussi ce que tu penses à présent : que tu seras la première à y parvenir. Beaucoup d'autres humains espèrent cela aussi. Mais c'est juste parce que vous lisez trop de romans et voyez trop de films. Dans la réalité, ce genre de chose ne marche jamais.

Et Alicia Keys continua de sourire, tandis que Kata réfléchissait. Sa sœur était copine avec le vrai Jésus, après tout, il pouvait peut-être l'aider ? Elle n'avait qu'à courir très vite rejoindre Marie, et...

Mais Satan n'avait pas l'intention de laisser Kata rentrer à la maison.

— Je vais te présenter tes collègues cavaliers, dit-il.

— Cavaliers ?

Kata ne comprenait plus rien. Que voulait-il donc, l'emmener à la chasse au renard ?

Satan fit claquer ses doigts. Aussitôt, Kata et lui se retrouvèrent non plus devant le cabinet médical, mais assis à la terrasse du glacier de Malente. Et pas seuls.

— *Permets-moi*, dit Satan, *de te présenter ce monsieur, qui sera le cavalier de l'Apocalypse nommé Guerre...*

Il désigna Sven, l'ex-fiancé de Marie.

— *... Celui-ci sera le cavalier de l'Apocalypse nommé Famine.*

Il lui montra un homme qui, sous sa robe de pasteur, portait des baskets.

— *Et toi, tu seras la cavalière nommée Peste.*

Kata ne comprenait pas la moitié de ce qu'il disait. Elle ne savait qu'une seule chose : elle ne participerait pas à cette histoire de fous. Rassemblant tout son courage, elle déclara :

— *Je fiche le camp !*

— *À ta place, je ne ferais pas ça*, dit Alicia Keys en souriant.

— *Si j'ai bien compris*, répliqua Kata, *tu n'auras mon âme que lorsque je serai morte. Entre-temps, je peux faire ce que je veux. Par exemple, m'en aller maintenant.*

— *Oui, mais je peux aussi te tuer quand je veux*, dit Satan, et, toujours souriant, il ouvrit sa jolie main de femme noire parfaitement manucurée, d'où jaillit une boule de feu.

— *Sûrement très pratique quand l'allume-cigares de la voiture est en panne*, dit Kata avec effort.

— *Et quand tu seras morte, j'aurai ton âme, et, pour te punir de m'avoir résisté, tu subiras pour l'éternité la douleur de ta tumeur.*

Une peur sans nom envahit Kata. Elle souffrirait cela pour l'éternité ? Si l'angoisse ne l'égarait pas encore tout à fait, c'est parce qu'elle se raccrochait à un unique espoir ténu : celui d'être le premier être humain à reprendre par ruse son âme à Satan.

45

Après le baiser, je demeurai comme hébétée. Joshua aussi. Pendant un long moment, nous restâmes les yeux fixés sur le lac. Nous n'étions plus Marie et le Messie. Juste deux trentenaires désemparés.

— Pardon, pardon, ce n'était pas une bonne idée, bredouillai-je enfin.

— Une idée folle, confirma-t-il d'une voix mal assurée.

— L'idée la plus folle du monde, renchéris-je.

— Non, ça, c'était quand Pierre a pensé qu'il pouvait lui aussi marcher sur l'eau, dit Joshua.

Cette fois, il avait souri.

Oui, il souriait. Même si ce n'était que faiblement. Il ne m'en voulait donc pas ?

— Tu ne m'en veux pas ?

— Non, répondit-il après une petite hésitation.

Il ne m'en voulait pas !

Qu'est-ce que cela signifiait ? Que le baiser lui avait plu ? Voire qu'il en redemandait ? Moi, j'en redemandais sans aucun doute ! Mais ma chance tiendrait-elle jusque-là ? Pouvais-je encore me risquer ?

Je n'étais tout de même pas courageuse à ce point. Plutôt que de tenter le sort, je préférai regarder encore un peu le lac d'un air désemparé.

— Parfois… commença Joshua avant de s'interrompre aussitôt.

— Oui, parfois ?

— Parfois, je me demande si le Jugement dernier ne cacherait pas un autre plan divin, et si les pécheurs sont réellement voués au châtiment éternel.

— Un autre plan ? Lequel ? questionnai-je.

— Je ne sais pas… mais les voies du Seigneur sont merveilleuses.

— Tu veux dire impénétrables, marmonnai-je.

— Pardon ?

— Euh… non, rien.

Et nous nous remîmes à contempler le lac d'un air désemparé. C'est alors que – comme si le baiser avait fait tomber tous les voiles devant mes yeux – j'entrevis soudain une issue à ce grand problème :

— Pourquoi ne passerais-tu pas d'abord quelques années en ce monde ?

— Tu me proposes de remettre à plus tard le Jugement dernier ? demanda Joshua, surpris.

— Exactement. Comme ça, tu pourras montrer aux hommes comment vivre selon le Sermon sur la montagne, dis-je, emballée par cette idée. Et tu sauveras encore quelques âmes !

Joshua était lui aussi comme électrisé :

— C'est une idée merveilleuse !

Et je me sentis électrisée à l'idée qu'une idée de moi pouvait l'électriser.

— Est-ce que tu m'accompagnerais ? demanda-t-il.

Il voulait m'emmener avec lui ? Comme disciple, en quelque sorte ? Au fond de moi, je n'étais pas sûre d'être tout à fait crédible dans le rôle de première disciple.

— Euh… je ne serai pas obligée de dormir dans des grottes ?

— Non, dit-il en riant, on n'est pas obligé.

— Alors… avec plaisir.

Et nous échangeâmes un sourire. Le sien était si merveilleux ! J'aurais voulu prendre à nouveau son visage entre mes mains et l'embrasser encore. Mais je me retins de toutes mes forces.

— Pourquoi t'assois-tu sur tes mains ? demanda-t-il, étonné.

— Oh… c'est juste comme ça, bafouillai-je.

Après un petit silence, Joshua dit tout à coup :

— J'aimerais bien tenir ta main dans la mienne.

— Alors… vas-y, l'encourageai-je, le cœur battant la chamade.

— Mais tu es assise dessus.

— Ah ! Ah oui… bredouillai-je en sortant mes mains de sous mes fesses.

De nouveau, nous étions assis, main dans la main, sur notre débarcadère. J'étais heureuse. Et lui aussi. Grâce à ma proposition, il semblait avoir trouvé le juste milieu. Car, en cet instant, il était à la fois le Messie et Joshua – les deux également.

Au bout de quelques minutes de cette merveilleuse communion, je dus trouver que le moment était bien choisi pour un nouvel accès de « je suis capable de gâcher même les plus beaux instants ».

— Crois-tu que Dieu va être contrarié ? demandai-je à Joshua, et j'entendais par là aussi bien le fait qu'il me tienne la main que son nouveau projet de rester un peu en ce monde.

— Je vais le prier, en espérant qu'il se montrera compréhensif, dit Joshua.

Sa voix était pleine d'assurance et de résolution. Mais, au léger relâchement de la pression de sa main, je sentis qu'il n'était pas aussi sûr de lui qu'il voulait le laisser paraître.

— Ce serait gentil de ta part de me laisser seul pour cette prière.

— Bien sûr, bien sûr… ça va de soi, dis-je en me levant, bien qu'il m'en coûtât de me séparer de lui.

En m'éloignant par le sentier du bord du lac, j'essayai d'imaginer à quoi ma vie allait ressembler désormais : Marie de Malente parcourant le monde avec Jésus ! Ça paraissait dingue. Mais aussi merveilleux. Nous embrasserions-nous encore, Joshua et moi, pendant ce périple ? Rien que d'y penser, j'étais dans tous mes états, et j'avais les joues en feu… À moins que ce ne fût l'effet du buisson d'épines qui venait subitement de s'enflammer devant moi ?

— MARIE !

La voix qui m'interpellait était tout à la fois impressionnante, inquiétante et magnifique. Mais surtout, surtout : ELLE PROVENAIT DE CE DRÔLE DE BUISSON D'ÉPINES !

Je regardai autour de moi, cherchant les haut-parleurs ou quoi que ce pût être.

— IL FAUT QUE NOUS PARLIONS ENSEMBLE.

Il n'y avait pas de sono. C'était vraiment le buisson qui me parlait.

— Es-tu… celui que je crois que tu es ? demandai-je au buisson ardent, adressant ainsi pour la première fois de ma vie la parole à une plante.

— OUI, C'EST MOI.

46

— Scotty à poste de commandement !

— Qu'est-ce qui se passe ? demanda Kirk.

— Capitaine, je démissionne !

— **TU EMPÊCHES MON FILS D'ACCOMPLIR SA MISSION.**

Que fallait-il répondre ? Comment parle-t-on à Dieu ? D'instinct, il me semblait que je devais m'excuser humblement, mais ma voix...

— Ch... r...

... ma voix déclarait forfait.

— **RÉPONDS.**

— Ch... r...

— **SOIS SANS CRAINTE DEVANT MOI.**

« Sans crainte »... il en avait de bonnes !

— **SOUHAITERAIS-TU UNE AUTRE ATMOSPHÈRE POUR CET ENTRETIEN ?**

— Ch... r... gargouillai-je à nouveau, mais cette fois, j'essayai en outre de faire « oui » avec la tête.

— **TU RÉAGIS COMME MOÏSE JADIS...**

Le buisson d'épines avait dit cela avec une certaine satisfaction, me sembla-t-il – même si son apparence ne permettait guère de s'en assurer.

L'instant d'après, je ne me trouvais plus sur le sentier du bord du lac, mais dans une maison de la campagne anglaise sur le modèle de celles qu'on voit dans les adaptations cinématographiques des romans de Jane Austen, par exemple *Raison et sentiments* : des meubles début XIXe, dans l'air un léger parfum de thé noir et d'orchidées de serre… Je portais même une belle robe écrue à l'ancienne mode, avec un corset qui, Dieu merci, ne me serrait pas du tout, mais enveloppait mon petit ventre comme une caresse soyeuse. On apercevait par la fenêtre un jardin dont seul un jardinier anglais avait pu tondre le gazon avec cette précision millimétrique qui n'existe nulle part ailleurs en ce monde. Je savais, bien sûr, que je n'étais plus dans ce monde : Dieu avait seulement choisi cette ambiance parce que je l'avais toujours beaucoup aimée au cinéma, et qu'il m'arrivait de m'y plonger dans mes rêveries. Peut-être avait-il créé tout cela exprès pour moi, peut-être me le faisait-il seulement voir en imagination. Ça m'était d'ailleurs bien égal, du moment qu'il ne m'apparaissait plus sous la forme d'un buisson ardent.

Je tapotai une table en bois : au toucher, en tout cas, c'était sacrément réaliste. Je sortis sur la terrasse par une porte-fenêtre, m'installai sur une chaise longue extrêmement confortable, bien que de style ancien, et me mis à écouter le chant des oiseaux tandis que le soleil me caressait le visage. Ce merveilleux crépuscule dans la campagne anglaise était un baume sur mon âme troublée. Une seule chose m'inquiétait encore un peu : l'idée que Dieu connût si précisément mon désir de me prélasser dans une villa anglaise du XIXe siècle. En théorie, je comprenais bien sûr que Dieu pût connaître tous les secrets des hommes, sans quoi on ne l'aurait pas appelé l'Omniscient, tout au plus le « Demi-Scient ». Mais en pratique, maintenant que je savais qu'il connaissait des détails aussi précis que mon goût pour les adaptations cinématographiques de Jane Austen, j'avais tout de même un peu honte. Surtout quand je me rappelais qu'au cours d'une période désespérément célibataire, il m'était arrivé de fantasmer une aventure érotique avec M. Darcy dans une villa de ce genre.

Il était cependant difficile d'avoir honte ou de se faire du souci longtemps dans un jardin aussi magnifique, au soleil couchant. Je finis donc par me détendre tout à fait sur ma chaise longue. C'est alors qu'une voix s'éleva derrière moi :

— Tu te sens bien ?

Une femme à peu près de mon âge, ressemblant furieusement à Emma Thompson, cette actrice anglaise aussi belle qu'intelligente, venait de sortir sur la terrasse. Elle portait une ravissante robe d'un blanc éclatant qui descendait en vagues froufroutantes jusqu'à terre, et son sourire était le plus aimable que j'aie jamais vu.

— Je me sens beaucoup mieux, répondis-je.

— C'est bien, dit Emma.

— Absolument, confirmai-je.

— Veux-tu un peu de darjeeling ?

En fait, j'aurais préféré un café, ou, mieux, un café crème, mais, comme ça ne correspondait pas trop à l'atmosphère de la maison, je répondis :

— Oui, avec plaisir.

Emma Thompson prit une théière sur un petit guéridon à trois pieds que je n'avais pas remarqué jusque-là – ou venait-il seulement d'apparaître ? – et me versa du thé dans une tasse de fine porcelaine blanche à motif de fleurs rouges. J'en bus une gorgée, et surprise : le goût était celui du café crème, ou, plus exactement, du meilleur café crème que j'aie jamais bu.

— Je crois que tu aimes mieux ton thé ainsi, dit Emma Thompson en souriant.

Et c'était un si beau sourire, si aimable et si charmant, que je ne pus faire autrement que sourire en retour.

— Sommes-nous au paradis ? demandai-je.

— Non, j'ai créé cet endroit spécialement pour toi.

— Ce doit être pratique d'être Dieu, fis-je avec un regard admiratif pour le splendide jardin.

— Oui, c'est certain ! dit Emma/Dieu en riant.

— Es-tu tout le temps une femme ?

Dans cette merveilleuse ambiance, je n'avais pas peur de poser des questions.

— Je pourrais te montrer ma véritable apparence, mais je préfère éviter cela.

— Pourquoi ?

— Parce qu'à cette vue, tu perdrais la raison.

— C'est un bon argument, dis-je en hâte, car là, elle me faisait tout de même un peu peur.

Du coup, je renonçai à poser d'autres questions dont j'avais pourtant toujours désiré connaître la réponse : qu'y avait-il avant que Dieu ait créé l'univers ? Le paradis terrestre avait-il vraiment existé ? À quoi pensait Dieu quand il a inventé les menstruations ?

Et quand il a inventé les tumeurs ?

Au lieu de cela, je repris une gorgée de darjeeling-café crème, tout en admirant le gazon vraiment tondu à la perfection.

— Il y avait plus de deux mille ans que je n'avais pas parlé comme cela avec un être humain, dit Emma/Dieu.

Que je le veuille ou non, j'étais flattée. Je relevai la tête et demandai :

— As-tu aussi invité Moïse à boire le thé, autrefois ?

— Non, après toutes ces années dans le désert, il voulait seulement remanger enfin du pain levé, répondit Emma/Dieu.

Elle sirota encore un peu de thé, puis se décida à aborder la question pour laquelle elle m'avait fait venir :

— Tu empêches mon fils d'accomplir sa mission.

— Oui, reconnus-je – car à quoi bon nier l'évidence ?

— Tu l'aimes ?

— Oui.

Là aussi, il ne servait à rien de démentir.

— Et comme tu ne devrais pas le faire en vérité ?

— Euh… bredouillai-je évasivement.

Je savais, bien sûr, que mes sentiments pour Joshua n'étaient pas dans les normes, mais je les éprouvais bel et bien. Comment cela pouvait-il être mal ?

— Je te demande de le laisser tranquille, me pria Emma/Dieu d'une voix douce, et elle reprit une gorgée de thé.

— Non, pas question ! répliquai-je impulsivement.

Emma/Dieu posa sa tasse de thé et me regarda avec un certain étonnement. Mais j'étais bien la plus étonnée des deux : j'avais osé contredire Dieu. Ça n'avait sans doute jamais réussi à personne.

— Tu ne veux pas le laisser en paix ?

— Non.

Maintenant, il était trop tard pour essayer de me rattraper.

— Tu doutes de mon plan divin ?

Cette fois, Emma/Dieu ne souriait plus.

— Oui, fis-je d'une voix tremblante.

Au point où j'en étais, ce n'était plus la peine de prendre des précautions. Je ne comprenais tout simplement pas la nécessité de cet étang de feu, pas plus que celle du Déluge autrefois (petite fille, j'avais imaginé une histoire où trois amis pingouins – je les avais baptisés Pingi, Pongo et Manfred – se dandinaient jusqu'à l'Arche, pour s'entendre dire par Noé que seuls deux d'entre eux pourraient s'embarquer. Pingi et Pongo grimpaient en hâte sur la passerelle, et Manfred restait en arrière, déçu par ses amis pour le reste de ses jours. Ce qui ne faisait d'ailleurs pas beaucoup de temps, puisqu'il commençait déjà à pleuvoir).

— Tu doutes de ma bonté ? demanda alors Emma/Dieu.

— Il est parfois difficile de savoir si tu es le Dieu d'amour ou le Dieu de colère, répondis-je bravement.

— Je suis le Dieu d'amour.

La réponse était claire, mais peu convaincante. Va dire ça à Manfred le pingouin ! pensai-je.

— Mais je suis aussi le Dieu de colère, ajouta Emma/Dieu.

La logique divine m'échappait une fois de plus, et cela dut se voir sur mon visage, car elle poursuivit :

— Vous, les hommes, vous êtes mes enfants, et, comme les enfants, vous ne cessez de grandir et de changer. Vous n'êtes plus ceux que vous étiez au paradis. Ou lors du Déluge. Et il faut vous élever comme des enfants, en changeant de manière à mesure que vous grandissez.

— Ah, bon…

Je commençais à comprendre. Au paradis terrestre, l'humanité d'Adam et d'Ève était un bébé innocent. Au moment de Sodome et Gomorrhe, c'était un adolescent à la puberté perturbée. Mais Dieu était toujours le parent aimant, tantôt gentil, tantôt sévère, selon la bonne vieille formule : « Si tu continues à faire du raffut, tu seras privé de télé. »

Jésus l'avait bien dit : dans la maison de Dieu, il y avait des règles de conduite précises, et chacun pouvait les lire dans la Bible. Dieu était donc une mère (ou un père, ou quoi que ce soit) qui avait de la suite dans les idées et les formulait clairement.

À la réflexion, comme parent, elle était même assez patiente. Finalement, elle ne tapait guère du poing sur la table que tous les deux mille ans, et le reste du temps, elle laissait ses enfants parfaitement libres de se développer, de commettre des erreurs et de les corriger pour en commettre d'autres ensuite. Selon les critères des spécialistes de la pédagogie, c'était même une sorte de mère idéale.

Pourtant, si je comprenais un peu mieux sa logique à présent, je me posais encore des questions. Devait-elle vraiment nous éduquer par des menaces de punitions ? Certes, beaucoup de gens refrénaient leurs impulsions égoïstes par peur d'une punition dans l'au-delà – en ce sens, c'était donc efficace. Mais fallait-il pour autant les menacer directement des flammes éternelles ? Une privation générale de télé n'aurait-elle pas suffi ?

Et puis, il y avait autre chose que je ne comprenais pas :

— La croix était-elle vraiment nécessaire ?

— Pardon ? fit Emma/Dieu, surprise.

— La crucifixion est une mort horrible. Un somnifère n'aurait-il pas pu aussi bien faire l'affaire ?

Maintenant que je connaissais Joshua, ses souffrances me touchaient encore bien plus qu'à peine quelques jours plus tôt, à l'église.

— Un père… une mère aimante peut-elle vraiment faire ça ? dis-je, la voix chargée de reproche.

— Ce sont les hommes, et non moi, qui l'ont crucifié, rectifia doucement Emma/Dieu.

— Mais pourquoi l'as-tu permis ?

Je n'allais pas la lâcher aussi vite.

— Parce que je vous ai donné le libre arbitre, à vous les hommes.

Nous en étions revenues à la question suprême, celle que je m'étais déjà posée lors de mon premier chagrin d'amour, à quatorze ans : pourquoi Dieu avait-il donné le libre arbitre aux hommes, si c'était pour qu'ils fassent des choses aussi stupides ?

— Parce que… commença Emma/Dieu, qui, visiblement, avait lu dans mes pensées ou tout au moins les avait devinées… parce que je vous aime.

Je la regardai dans les yeux. Elle paraissait sincère.

— Voudrais-tu donc vivre sans libre arbitre, Marie ?

À cette question, des images de Nord-Coréens, de scientologues à la Tom Cruise et d'autres zombies sans volonté se bousculèrent dans mon esprit.

— Non, répondis-je.

— Tu vois, reprit Emma/Dieu avec un gentil sourire.

Elle nous aimait donc vraiment, semblait-il. Peut-être même n'avait-elle créé l'humanité que parce qu'elle avait besoin de quelqu'un à aimer. Peut-être Dieu s'était-il senti seul dans ce grand univers parfaitement organisé, mais que les hommes ne peuplaient pas encore et n'avaient donc pas encore mis sens dessus dessous. Comme lorsqu'un couple vit dans une grande maison et attend avec impatience que la chambre d'enfants s'emplisse de rires, de cris et de chewing-gums collés sur le parquet. Un court instant, j'eus pitié de Dieu et de sa terrible solitude dans l'immensité de l'univers.

— Tu es le premier être humain à éprouver de la compassion pour moi, dit-elle avec un sourire ravi.

Et elle prit gentiment ma main dans la sienne – elle était chaude et tout à fait pareille à celle d'un être humain – avant d'ajouter :

— De même que tu as éprouvé de la compassion pour mon fils.

Apparemment, elle m'aimait bien. C'était la première fois que cela m'arrivait avec une belle-mère potentielle.

— Mais, reprit Emma/Dieu, si tu restes auprès de mon fils, il sera malheureux.

— Pou… pourquoi ? demandai-je tout en redoutant la réponse.

— Parce qu'alors, il devra se détourner de moi, dit Emma/Dieu en tournant pensivement sa petite cuillère dans son thé.

Cette pensée l'attristait visiblement. Elle aimait cet homme-là plus que tous les autres, et elle ne voulait à aucun prix le perdre.

— Et s'il se détourne de moi… reprit-elle d'une voix désolée.

J'achevai sa pensée :

— … Joshua en souffrira terriblement et aura le cœur déchiré.

— Tu es une créature avisée, dit-elle gravement.

— Alors, tu m'ordonnes de m'éloigner de lui ?

— Non, je ne te l'ordonne pas.

— Ah bon ?

— Tu as un libre arbitre. C'est à toi de décider.

À cet instant, tout ce qui m'entourait disparut – le jardin, la villa, le service en porcelaine, enfin tout, à commencer par Emma Thompson –, et je me retrouvai avec mes fringues habituelles au bord du lac de Malente, devant le buisson d'épines éteint, et d'ailleurs apparemment intact.

Je me mis à réfléchir à la décision que j'avais à prendre. Si je restais avec Joshua, il aurait le cœur brisé d'avoir agi contre Dieu. Si je me séparais de lui, c'en était fini de mon rêve stupide et enfantin d'aimer Joshua.

Je n'avais donc le choix qu'entre deux maux particulièrement horribles. Ah, il était chouette, le libre arbitre !

47

Révoltée, je me mis à engueuler le buisson d'épines en apparence si innocent :

— Ce que tu fais là, c'est pas juste !

— Tu parles avec un buisson, Marie ? fit derrière moi une voix étonnée qui me figea sur place.

Comme je ne bougeais toujours pas, Joshua me contourna pour se poster face à moi.

— Je croyais que tu étais rentrée chez toi depuis longtemps, dit-il devant mon visage fermé.

Que faire ? Je ne pouvais pas lui raconter que j'avais pris le thé avec Dieu ! J'essayai de gagner du temps en répondant n'importe quoi :

— Non, je ne suis pas rentrée.

Joshua hocha la tête. Il le voyait bien lui-même.

Après un petit silence, je m'avisai soudain que, peut-être, Dieu avait aussi invité son fils à boire le thé pour discuter de notre problème relationnel. D'ailleurs, il ou elle – ou quoi que ce soit – était sûrement capable de soutenir deux conversations à la fois. Je questionnai donc Joshua avec précaution :

— Et… tu as parlé avec Dieu ?

— Oui.

Mon cœur cessa un instant de battre. Peut-être Joshua savait-il déjà que j'avais une décision à prendre. Peut-être même voudrait-il m'ôter la responsabilité du choix. Cependant, je préférais éviter cela : j'aurais beaucoup de mal à supporter que ce soit Joshua qui me quitte.

— Qu'est-ce que... qu'est-ce qu'il t'a dit ? demandai-je nerveusement.

— Rien.

Joshua paraissait un peu déçu. Lui aussi avait dû espérer davantage de Dieu.

— Rien ??? fis-je, incrédule.

— Dieu ne parle que rarement aux hommes, dit Joshua.

— Sacré dégonflé ! m'écriai-je impulsivement.

— Quoi ?

Joshua était tout de même légèrement surpris de m'entendre blasphémer contre un Dieu qui, en apparence, me laissait libre de briser le cœur de son fils.

— Euh... je... je ne dis pas ça pour toi, m'empressai-je d'ajouter.

Joshua regarda autour de nous, mais il n'y avait absolument personne, ni sur le chemin ni dans les buissons, et pas davantage dans les arbres.

— De qui parles-tu, alors ? dit-il, déconcerté.

— Euh... de... de l'arbre !

Je ne pouvais tout de même pas lui avouer que j'engueulais Dieu, encore moins pour quelle raison.

— L'arbre ?

Joshua n'y comprenait plus rien. C'était le genre de conversation où on aimerait pouvoir rembobiner la bande.

— Cet arbre... euh... est un dégonflé, parce qu'il n'offre pas ses fruits à Dieu, dis-je, soulagée d'avoir pu m'en tirer par une explication non seulement presque plausible, mais de plus aux accents quasi bibliques.

— Mais… c'est un sapin, dit Joshua, surpris. Il ne porte jamais de fruits !

— Justement ! persistai-je faute de meilleure solution.

J'aurais peut-être été davantage peinée par la stupidité de mes propres paroles si je n'avais senti la colère contre Dieu monter à nouveau en moi. Après tout, c'était lui qui m'avait mise dans cette situation. Une chose était sûre : la prochaine fois que cette femme m'inviterait à boire un café, je l'enverrais sur les roses !

— Pourquoi as-tu soudain cet air furieux ? demanda Joshua.

Si je lui disais la vérité, réfléchis-je, il serait lui aussi en colère contre Dieu, pour la première fois de sa vie. Mais si Joshua se mettait en colère contre Dieu, cela lui ferait du mal, et… et… Rien qu'à l'idée de voir Joshua souffrir, ma colère s'envola et je me sentis toute triste.

— Qu'est-ce que tu as, Marie ?

Pas étonnant que Joshua ait du mal à s'y retrouver. En ce moment, je changeais d'humeur plus souvent qu'une femme ménopausée.

La question était de savoir ce qui lui ferait le plus de mal : être en conflit avec Dieu, ou renoncer à moi ? En fait, la réponse n'était pas trop difficile à trouver. Joshua ne pouvait pas laisser tomber Dieu. Être le fils de Dieu était sa raison d'être, sa vocation. Me laisser tomber, moi, ça, oui, ça lui serait certainement facile – comme à tous les autres avant lui.

Même si cela devait être dur pour moi – et peut-être pour lui –, mon libre arbitre venait de prendre la seule décision possible : je devais être la première femme à rompre avec Jésus.

— Je… je crois que ce n'est pas bien… que je reste avec toi, dis-je en hésitant sur chaque mot.

Joshua me regarda avec surprise.

— Tu dois suivre ton chemin et moi le mien, repris-je.

— Tu… tu ne veux pas rester auprès de moi ? dit Jésus, incrédule.

— Non…

Joshua ne comprenait tout simplement pas où je voulais en venir. Ça n'avait rien d'étonnant : il n'avait pas autant que moi l'habitude de se faire jeter.

— Nous… ne sommes pas bien assortis.

Comme phrase de rupture, il n'y avait pas plus rebattu, même si je pouvais dire ça sans mentir.

— Mais pourquoi ? demanda Joshua.

Ah, il ne comprenait pas vite. Mais cela ne l'en rendait que plus attachant. Et l'opération d'autant plus pénible pour moi.

Fallait-il invoquer la différence d'âge ? J'avais un peu moins de trente-cinq ans, lui aussi, physiquement, mais en réalité, il en avait plus de deux mille. Ou alors, devais-je arguer du fait que je n'étais pas digne de lui ? Après tout, il pouvait changer l'eau en vin, tandis que moi, ma faculté la plus remarquable était… de n'en avoir aucune.

— Le… le problème, ce n'est pas toi… c'est moi, dis-je sans entrer dans les détails.

Encore une phrase de rupture classique. Si je continuais comme ça, j'allais finir avec : « Nous pouvons quand même rester amis ! »

— Je… je ne comprends pas, dit Joshua.

J'essayai d'argumenter sans pour autant mettre Dieu en cause – je ne voulais pas détourner sa colère sur lui :

— Écoute, même si tu laisses tomber le Jugement dernier pour parcourir le monde et convertir les hommes, tu n'aurais avec moi que des relations platoniques, comme autrefois avec Marie Madeleine, et, très franchement, ça ne me dit rien du tout.

Je m'abstins tout de même de citer la phrase de ma sœur : « Platon était un parfait imbécile. »

Mais, à ma grande stupéfaction, Joshua me contredit :

— Ce ne sera pas comme avec Marie Madeleine.

— Ah bon ?

— Je voudrais connaître enfin l'amour.

Il me fallut un moment pour seulement commencer à assimiler cette information. Joshua parlait sérieusement ! C'était… c'était incroyable ! J'eus soudain très chaud. Puis froid. Puis de nouveau chaud. Voilà que j'avais aussi des bouffées de chaleur comme une femme ménopausée.

— Je crois que j'ai mérité de connaître la proximité des hommes, comme les gens ordinaires, dit Jésus.

Mon baiser avait libéré des désirs cachés, réprimés pendant des siècles à cause de toutes les privations qu'il avait endurées. Toutes les barrières protectrices qu'il avait édifiées jadis pour remplir son rôle de Messie étaient tombées, mettant ses sentiments à nu. À présent, il était tout à fait homme.

Et si un homme avait mérité de connaître l'amour après ce qu'il avait enduré, c'était bien lui !

Bon… peut-être pas forcément l'amour avec moi…

— Je ne suis pas digne de ton amour, dis-je.

— Tout être humain…

— S'il te plaît, ne me compare pas de nouveau au pape, l'interrompis-je.

— Tout être humain qui porte en lui un amour comme le tien est quelqu'un de spécial.

Cette fois, ma température monta plus que celle de n'importe quelle femme ménopausée.

Il posa sa main sur ma joue, et ce contact était presque aussi divin que notre baiser.

— Il y a une chose que je voudrais… j'ai aussi éprouvé cela jadis, avec Marie Madeleine…

— Et qu'est-ce que c'est ? demandai-je, un peu refroidie – il faudrait que quelqu'un lui explique un jour qu'il ne devait pas parler tout le temps de son ex.

— Mon souhait… (il hésita un peu)… Jadis, j'ai voulu l'avouer à Marie Madeleine, mais c'est alors qu'elle a prononcé ces paroles qui m'ont retenu…

Il se tut. Ce souvenir lui était douloureux.

Mais ma curiosité était à présent éveillée. Je voulais savoir ce que Marie Madeleine lui avait dit, et surtout savoir une chose bien plus intéressante :

— Quel était ce souhait ?

— Ce serait de… un jour…

Formuler ce désir lui coûtait un effort extraordinaire. Je sentais clairement qu'il avait peur que je refuse moi aussi.

— Que voudrais-tu faire un jour ? dis-je d'un ton encourageant, tout en essayant de ne pas laisser paraître mon agitation, car je pressentais qu'il allait dire quelque chose d'extraordinaire.

— … fonder une famille.

Mon cœur s'arrêta un instant de battre. Pour un désir extraordinaire, c'était un désir extraordinaire ! Une famille… Avec deux petites filles, peut-être ? Comme j'en avais toujours rêvé…

Pendant une minuscule seconde, je nous imaginai, Joshua et moi, parcourant le monde de l'Australie au Grand Canyon, dans un magnifique bus aménagé comme on n'en voit que dans les road-movies américains. Joshua prêchait la parole de Dieu tandis que j'instruisais nos deux petites filles, Marieke et Maïa

— leur interdisant, au cas où elles tiendraient de leur père, de changer l'eau en Coca.

Pendant cette infime seconde, je fus heureuse comme je ne l'avais jamais été dans la vie réelle. Mais ce rêve, bien sûr, ne pouvait pas se réaliser. Mes yeux s'emplirent de larmes.

— Marie ? Ai-je dit quelque chose de mal ? demanda Joshua d'une voix affligée, presque angoissée, même.

— Non... non... tu n'as rien dit de mal...

Bien au contraire.

Il poussa un soupir de soulagement. Alors que moi, je n'étais pas loin de me mettre à sangloter de désespoir. Il voulut me prendre dans ses bras pour me consoler. Je ne pouvais pas le laisser faire ça. Sinon, pas de doute, je resterais avec lui. Pour toujours. Quoi qu'en dise Dieu.

Alors, je repoussai Joshua et le tins à distance avec mes deux mains.

— Marie ?

Il ne comprenait plus rien. Je lui faisais du mal, mais il ne voulait pas abandonner. Il cherche à me prendre la main. Je devais dire quelque chose, n'importe quoi, qui l'éloigne définitivement de moi... Tout à coup, je trouvai les mots qui y parviendraient – et qui, de plus, étaient la vérité :

— Joshua... je... je ne crois pas assez en Dieu.

Visiblement choqué, il recula d'un petit pas. Je me demandai s'il fallait m'expliquer davantage, dire que je croyais à l'existence de Dieu, bien sûr – et pour cause, puisque j'avais pris le thé avec elle –, mais que je n'étais pas convaincue à cent pour cent qu'elle soit le Dieu d'amour. Cependant, j'y renonçai. Cela paraissait tellement futile... N'avais-je pas dit l'essentiel : que je ne croyais pas assez en Dieu ?

Joshua restait sous le choc. La femme avec qui il avait voulu fonder une famille n'était pas une candidate envisageable.

Je ne pouvais pas l'empêcher de souffrir – en cet instant, d'ailleurs, je souffrais beaucoup trop moi-même. Désespérée, je murmurai simplement :

— Nous pouvons quand même rester amis...

Et je m'enfuis à toute vitesse. En jetant un coup d'œil en arrière, je vis qu'il me regardait partir, l'air triste et troublé. Mais il ne courait pas derrière moi. Il ne suivrait pas une femme qui ne croyait pas assez en Dieu.

48

Je courus jusqu'à la maison sans m'arrêter, de peur de me mettre à sangloter comme une folle en pleine rue. D'accord, j'avais fait ce qu'il fallait, mais pourquoi fallait-il se sentir si mal quand on avait fait ce qu'il fallait ?

À peine avais-je ouvert la porte que papa m'accueillait à bras ouverts dans le couloir, me souriant pour la première fois depuis des jours :

— Je suis vraiment content que tu essaies de trouver un terrain d'entente avec Svetlana…

Ma première pensée fut : « Pour ce que ça m'a rapporté ! », puis je me rendis compte que ce n'était pas vrai. Grâce à la Règle d'or, j'avais au moins retrouvé mon père, semblait-il. Il me serra gauchement dans ses bras, comme ne le font que les pères de filles adultes, et je me laissai faire. Puis il me lâcha et dit :

— Ta sœur est partie, comme ça, sans prévenir.

— Quoi ? fis-je, incrédule. Elle… elle a dit où elle allait ?

— Elle a juste marmonné quelque chose à propos de Jérusalem.

Aussitôt, je saisis mon portable et essayai d'appeler Kata pour lui demander ce qui se passait. Je n'eus droit qu'à sa messagerie : « Aujourd'hui n'est pas un jour comme les autres. Je reviens, pas de problème. »

Elle n'avait pas le droit de partir en voyage ! Jésus devait encore guérir sa tumeur, il le ferait sûrement, même si je l'avais largué – ce n'était tout de même pas un ex-petit ami comme les autres, c'était Jésus, merde !

— Elle… elle a laissé quelque chose pour toi dans ta chambre, dit papa.

— Un cadeau d'adieu, fis-je, effrayée.

Il hocha la tête, et je montai en courant dans ma chambre. Là, sur le lit, il y avait un nouveau strip dessiné par elle.

Cette fois, j'éclatai en sanglots.

49

Pendant ce temps-là...

Sur la piste d'atterrissage d'un aérodrome militaire voisin, Satan, toujours sous la forme d'Alicia Keys, s'avançait en compagnie de ses trois cavaliers de l'Apocalypse vers l'avion privé qui les emmènerait à Jérusalem – un Learjet appartenant à un ancien culturiste autrichien qui devait énormément à Satan.

Même en gravissant la passerelle avec son léger bagage, Kata continuait de lutter désespérément pour son âme. Elle essayait de convaincre Satan de l'inanité de son petit jeu des cavaliers de l'Apocalypse :

— Puisque nous sommes certains de perdre la bataille finale ! Dieu est tout de même plus fort que toi, non ?

— Nous ne perdrons pas, dit Satan.

— Mais il est écrit que nous perdrons le combat contre Jésus, et que nous serons jetés tout vifs dans l'étang de feu, intervint, inquiet, le pasteur aux baskets.

À cette perspective, Sven commença à se ronger les ongles.

— Cela n'arrivera pas, déclara d'une voix ferme Satan, qui s'apprêtait à franchir les dernières marches de la passerelle.

Kata ne lâchait pas prise :

— Mais tu n'es peut-être qu'un instrument entre les mains de Dieu, tout comme nous le sommes dans les tiennes !

À ces mots, le front noir et lisse de Satan-Alicia se plissa. Cette femme qui le fascinait tant avait touché en lui une corde sensible, car c'était un doute qui le hantait lui-même depuis longtemps – pour tout dire, depuis qu'il avait été serpent au paradis, auprès d'Adam et d'Ève. Déjà, lors de l'affaire de la pomme, Satan n'avait pas tout à fait réussi à se débarrasser de l'impression que le Seigneur, là-haut dans le ciel, s'était peut-être servi de lui.

— En réalité, dans tout ce que tu fais, tu joues le jeu de Dieu, dit Kata.

Cette fois, Satan s'immobilisa. La belle dessinatrice avait raison : il suivait exactement le programme, et s'il continuait comme ça, il était donc certain de perdre, conformément au programme.

— Mais c'est vrai, admit-il après un bon moment de rumination.

Kata n'en croyait pas ses oreilles. Elle avait semé le doute dans l'esprit de Satan !

— Nous ne partons plus pour Jérusalem, annonça-t-il.

L'espoir renaquit en Kata. Était-il possible que ce soit aussi simple ?

— Et nous ne lancerons pas la bataille finale mardi prochain.

Kata jubilait intérieurement : oui, c'était aussi simple que ça ! Elle avait contrecarré les plans de Satan. Mais sa jubilation fut de courte durée, car déjà Satan déclarait :

— La guerre contre le Bien commence dès aujourd'hui ! À Malente !

Non, ça ne s'était pas passé exactement comme elle l'espérait, se dit Kata.

— *Je vais vous donner vos chevaux tout de suite !* annonça Satan.

— *Des chevaux ? dit Kata, qui détestait déjà ces bêtes à l'âge où ses camarades de classe tapissaient leurs chambres des posters de chevaux du magazine* Wendy.

— *Eh bien oui, vous n'êtes pas les « piétons » de l'Apocalypse, que je sache ! plaisanta Satan avec un humour que Kata trouva d'un goût douteux. Je t'ai désignée pour être la plus puissante après le numéro un, ajouta-t-il à son intention.*

Un honneur que Sven et le pasteur aux baskets n'allaient certainement pas lui disputer.

— *Pourquoi seulement la deuxième place ? demanda Kata avec une ironie mordante. Ne suis-je pas ta préférée ?*

— *Si, bien sûr. Mais la place du plus puissant est déjà attribuée, et je n'ai aucune influence là-dessus. C'est quelqu'un qui est sur terre depuis le commencement des temps, déclara Satan d'une voix qui fit frissonner Kata. J'aimerais te présenter cette créature, ajouta-t-il.*

Et, à la grande surprise de Kata, il désigna Marie, qui venait d'apparaître en haut de la passerelle, sortant de l'avion.

— *Voici le cavalier appelé « Mort », annonça Satan.*

— *Mais c'est ma sœur ! dit Kata, stupéfaite.*

Satan eut un sourire entendu :

— *La Mort prend volontiers l'apparence d'un être humain qu'elle emportera bientôt, dit-il.*

50

Je restai longtemps à sangloter sur mon lit, peut-être une demi-éternité, ou un peu plus. Quand je ne pleurais pas à cause de Joshua, c'était à cause de Kata, et quand ce n'était pas à cause de Kata, c'était à cause de Joshua. Un vrai carrousel de l'horreur. S'il n'avait tenu qu'à moi, le monde pouvait bien périr, maintenant je me fichais complètement de savoir si j'entrerais au royaume des cieux ou si je brûlerais éternellement dans l'étang de feu. Le principal, c'était que ça s'arrête, là, tout de suite.

— Marie ? fit une voix grave derrière moi.

Le pasteur Gabriel se tenait dans l'encadrement de la porte. En ce moment, j'avais autant besoin de lui que le *Titanic* d'un second iceberg.

— Ton père m'a dit que je pouvais entrer, dit-il. Mais tu pleures ?

— Non, j'arrose les plantes vertes ! répliquai-je.

La présence de Gabriel avait tout de même un avantage : comme je ne voulais pas continuer à pleurnicher devant lui, je trouvai la force de m'arrêter.

— C'est à cause de Jésus ? demanda Gabriel en s'asseyant sur le lit sans y avoir été invité. Il m'a raconté que tu l'avais éconduit.

Se pouvait-il que Joshua m'ait envoyé le pasteur pour essayer de me faire changer d'avis ? Peut-être n'acceptait-il pas que ce soit fini et voulait-il encore se battre pour moi ? Il doit bien exister des hommes qui se sentent stimulés lorsqu'une femme n'est pas trop facile à avoir.

— Il part cet après-midi pour Jérusalem, reprit Gabriel, faisant s'écrouler mes espoirs.

Pour ne pas refondre aussitôt en larmes, je lui demandai ce qu'il me voulait.

— M'excuser auprès de toi, répondit Gabriel. Tu n'es pas envoyée par Satan, sans quoi tu n'aurais pas laissé Jésus partir. Je regrette d'avoir dit ça.

— C'est bon, fis-je, bien trop abattue pour pouvoir me permettre d'être encore fâchée.

— J'ai été très injuste aussi envers ta mère, reprit Gabriel. Peut-être pourrais-tu lui dire un mot en ma faveur ? ajouta-t-il, tout contrit.

— Un mot ? Je crois qu'il en faudrait plutôt un bon paquet !

Gabriel hocha la tête avec compréhension. Puis, après quelques instants d'hésitation, il finit par se décider :

— Il y a autre chose que tu dois savoir, et elle aussi.

— Quoi donc ?

— Je suis un ange.

— Vous n'êtes pas particulièrement modeste.

— Non, ce n'est pas ça. Je suis un ange véritable. L'archange Gabriel, incarné en homme.

Deux jours plus tôt, je me serais contentée de lui rire au nez. Mais plus rien ne m'étonnait à présent. Et même, en y réfléchissant bien, cela expliquait beaucoup de choses. Par exemple les cicatrices dans son dos. Aussi le fait que Jésus loge chez lui, et que Gabriel ait affirmé avoir annoncé sa naissance à Marie.

— Ne devriez-vous pas combattre aux côtés de Jésus à Jérusalem, avec les légions célestes ? demandai-je.

— Oui, bien sûr, ce serait de mon devoir, même si je suis devenu un être humain.

— Mais… ?

— Mais j'ai désobéi. Je veux être auprès de Silvia et intercéder en sa faveur lorsqu'elle comparaîtra devant Dieu.

À mon grand étonnement, il m'expliqua que c'était à cause de ma mère qu'il avait autrefois demandé à Dieu de le faire homme, avant de passer des dizaines d'années à espérer en vain un signe d'amour de sa part. Je l'écoutai avec émotion. C'était tellement romantique de sa part, tellement charmant. Complètement stupide aussi, bien sûr, comme presque tous les actes romantiques.

Tout à coup, je me prenais à envier ma mère, pour l'amour de qui Gabriel avait tourné le dos – un dos jadis pourvu d'ailes – à Dieu.

J'appelai ma mère et la persuadai d'accepter une rencontre avec lui. Ensuite, je demandai à Gabriel de garder le secret sur ses origines, du moins jusqu'à la fin du monde : avant, elle ne le croirait certainement pas et penserait qu'il se payait sa tête.

Gabriel était du même avis. Il fit donc des excuses à ma mère pour sa conduite, mais sans lui révéler son secret. Après quoi ils restèrent assis tous les deux sur le lit de ma chambre de jeune fille, muets comme deux adolescents empruntés, pendant un long moment. Un très long moment. Au bout duquel je commençai à trouver que, par les temps qui couraient, il valait peut-être mieux ne pas en perdre davantage.

— Eh bien, alors, embrassez-vous ! dis-je.

Gênés, ils se mirent à rire. Puis ma mère, prenant courage, embrassa Gabriel. Qui hésita d'abord un peu – après tout, j'étais encore dans la chambre –, mais ma mère pressa si fort ses lèvres contre les siennes qu'il ne put faire autrement que de répondre par un long baiser. Beaucoup trop long à mon avis, parce qu'ils avaient fini par oublier complètement ma présence et commençaient même à se tripoter. C'est le moment ou jamais de disparaître, me dis-je, et je m'apprêtais à sortir… quand je me trouvai nez à nez avec mon père. Qui surprenait son ex-femme en plein pelotage.

— Silvia ? fit-il, étonné.

Sur le lit, les deux autres cessèrent de s'embrasser et le regardèrent d'un air coupable. C'était le genre de situation où je regrettais de ne pas être Speedy Gonzales, la souris la plus rapide du Mexique.

Je m'attendais à voir papa entrer dans une rage folle, lui qui avait traîné pendant plus de vingt ans le chagrin d'avoir perdu ma mère. Mais il n'arriva rien de tel. Au contraire, il sourit et dit :

— Il semblerait que nous ayons tous les deux trouvé notre bonheur.

— Oui, il semblerait bien ! répondit maman en lui rendant son sourire.

C'était drôle, jusqu'à il y avait deux jours à peine, j'avais toujours espéré en secret voir mes parents se remettre à vivre ensemble, et voilà que j'étais folle de joie parce qu'ils ne se disputaient plus et qu'ils avaient de nouveaux partenaires. Finalement, j'étais peut-être encore capable de devenir adulte – juste à temps avant la fin du monde.

Mon père nous invita tous à manger de la saucisse au chou dans sa cuisine et annonça en outre que, pour le dessert, il nous offrait à tous une bonne glace dans la zone piétonne. Pendant tout le repas, maman et Gabriel se jetèrent des regards énamourés par-dessus leur assiette, Svetlana et papa de même, tandis que, seule entre ces deux couples de tourtereaux, je gardais sans amour les yeux fixés sur mes patates. Ça ressemblait assez à un cauchemar de célibataire.

Joshua me manquait terriblement. Il ne restait plus que deux jours avant le mardi fatal, et j'allais les passer avec un chagrin d'amour. Formidable.

Papa sortit du four le supplément de pommes de terre qu'il avait préparé spécialement pour la fille de Svetlana, et elle arriva dans la cuisine en courant, suivie de sa nouvelle amie Lulu, une de ces fillettes de sept ans qui se mettent du gloss sur les lèvres. Elles s'installèrent à table et repoussèrent avec succès toute tentative de Svetlana de leur servir le moindre légume vert. La vue de ces petites filles me fit irrésistiblement penser à Maïa et à Marieke, les deux filles que j'avais toujours rêvé d'avoir, et je compris tout à coup à quel point Joshua était un homme hors du commun. Non pas à cause de ses pouvoirs de guérison. Ni pour sa manière peu ordinaire de faire du jogging sur l'eau. Rien de tout cela. Mais parce qu'il avait été le premier homme à vouloir fonder une famille avec moi, et avec qui j'en avais eu envie moi aussi. Avec Marc, c'était moi qui désirais des enfants, alors qu'il les appréciait à peu près autant que la monogamie, et, pendant les années que j'avais passées avec Sven, c'était lui qui rêvait secrètement d'une famille, tandis que je tenais soigneusement la comptabilité de ma boîte de pilules. Et voilà que le seul homme de toute la terre dont je n'aurais jamais dû tomber amoureuse se révélait être exactement celui qu'il me fallait.

Et c'était cet homme fantastique, cet homme hors du commun, que j'avais repoussé, tout cela parce que Dieu l'avait ordonné. Bon, pas exactement ordonné, mais au moins suggéré. Le fait est qu'il avait laissé la décision à mon libre arbitre. Et moi, j'avais décidé contre ma propre volonté.

En essayant d'ouvrir une bouteille de ketchup pour Lilliana et sa copine au gloss, papa s'aspergea de sauce rouge, et elles éclatèrent de rire. Un rire pas franchement suave – à vrai dire, ça ressemblait plutôt au ricanement de deux petites hyènes qui tomberaient sur une antilope à la patte cassée. Mais cela me fit penser au rire de Maïa et de Marieke, qui, j'en étais sûre, serait infiniment plus charmant.

Pourquoi ne m'étais-je pas battue pour notre amour ?

Seulement parce qu'il n'était pas réaliste ?

Et parce que Dieu y trouvait à redire ?

Des arguments stupides, non, lorsqu'on aimait vraiment ?

Gabriel, lui, ne s'était pas soucié de l'ordre divin. Il appréciait visiblement que ma mère pose la main sur sa cuisse d'une manière absolument pas convenable en public. Si Gabriel pouvait être aussi heureux en refusant de suivre son destin, Joshua le pouvait peut-être aussi. S'il éprouvait réellement des sentiments pour moi – et je n'en doutais pas, car Joshua ne savait pas mentir –, il supporterait bien, lui aussi, d'être en conflit avec Dieu. D'ailleurs, il était temps qu'il s'y mette ! Il n'allait tout de même pas rester éternellement le petit garçon à son papa (ou à sa maman, ou à Dieu sait qui).

Je regardai ma montre : Joshua pouvait à tout moment prendre le train de Hambourg afin de s'embarquer pour Jérusalem. Peut-être même était-il déjà au

Moulin Rouge en train de chanter des psaumes avec les clients et les prostituées.

Si je continuais à regarder fixement mon assiette de pommes de terre, je ne le saurais jamais.

Et je serais assurée de ne jamais fonder une famille.

J'étais évidemment bien consciente de n'avoir qu'une chance sur environ deux cent trente-quatre milliards de milliards d'y parvenir. Mais je devais la tenter. Et si cela déplaisait à Dieu, il n'avait qu'à me retirer le libre arbitre ! Ou alors, il n'aurait pas dû inventer ce sacré amour.

51

Je me levai de table, expliquai à papa que mon départ précipité n'avait absolument aucun rapport avec sa façon de cuisiner – pourtant, il y avait de quoi déclencher une panique générale –, sortis en trombe de la maison et courus vers le presbytère par le chemin du bord du lac, tel naguère Harry dans *Quand Harry rencontre Sally*. Malheureusement, je n'avais pas la même forme physique : au bout de quatre cents mètres, je haletais, à sept cents mètres, j'étais à bout de souffle, après quoi le point de côté arriva très vite. Comment diable les gens faisaient-ils, dans les comédies sentimentales, pour traverser la moitié de New York en courant ? Bon, c'est vrai que le metteur en scène les emmenait faire des prises de vues aux quatre coins de la ville, moyennant quoi ils devaient courir au total quelque chose comme quarante secondes. Et puis, ils avaient rarement des hauts talons comme il se trouvait justement que j'en portais. Ou alors, la femme les ôtait tout en courant, sans pour autant se casser une jambe, et elle continuait à cavaler pieds nus à travers la ville sans jamais marcher ni sur un éclat de verre ni dans une crotte de chien.

Mais je n'étais pas dans un film, le sentier du bord du lac était truffé de crottes de chiens, de tessons de bouteilles et même de préservatifs usagés (raison pour laquelle les joggeurs malentois l'appelaient « le chemin de la vie »). Je ne pouvais donc pas ôter mes chaussures. La réalité, c'est parfois très con.

Tourmentée par mon point de côté, je montai péniblement l'escalier qui, du bord du lac, menait au presbytère. En arrivant sur le chemin gravillonné, je vis Joshua sortir de la maison avec son sac de voyage. Malgré la douleur, je me précipitai vers lui, hors d'haleine, ahanant et suant, espérant qu'il ne remarquerait pas les auréoles sous mes bras.

— Marie, on croirait que tu viens de traverser le désert du Sinaï, fit-il, étonné.

Je ne répondis pas, j'étais bien trop contente qu'il ne soit pas déjà parti. Lui, en revanche, ne paraissait pas du tout se réjouir de me trouver là. Bien au contraire.

— Écarte-toi de mon chemin, s'il te plaît, dit-il avec autorité.

— Je…

Il me coupa la parole :

— Tu ne crois pas en Dieu.

— Je n'ai jamais dit ça ! protestai-je. J'ai seulement dit que je ne croyais pas assez en Dieu.

J'essayais de relativiser. Mais il me répondit sèchement :

— Pas assez, ce n'est pas assez.

Et il passa devant moi. Me laissant en plan. Comme ça.

Non, personne n'avait le droit de me laisser tomber comme ça ! Pas même lui !

— Ne joue pas les vertus offensées, et viens parler avec moi entre adultes ! lui criai-je, en colère.

Joshua se retourna :

— Je ne vois pas comment ma vertu pourrait être offensée, dit-il.

— C'est juste une expression, expliquai-je avec impatience.

— Et moi, c'était de l'ironie, répliqua-t-il.

Formidable, me dis-je, c'est maintenant qu'il se met à avoir le sens de l'humour !

Furieux l'un et l'autre, nous nous regardions droit dans les yeux. Comme seuls peuvent le faire deux êtres qui éprouvent des sentiments l'un pour l'autre. Pourtant, j'avais de plus en plus l'impression que nous n'étions pas près de nous réconcilier, encore moins de fonder une famille. Le moment était donc venu d'appliquer la Règle d'or : à la place de Joshua, de quoi aurais-je eu envie ? D'un bon exposé des faits ! Je commençai donc d'une voix plus douce :

— Je crois en toi, et je trouve plutôt bien la plupart des choses que tu as dites dans le Sermon sur la montagne...

Cela dut le rasséréner, car il cessa de froncer les sourcils.

— ... même si je n'ai pas tout compris dans l'histoire des perles et des pourceaux...

— Cela veut dire...

Il allait me l'expliquer, mais je l'interrompis sans douceur :

— Pour le moment, je m'en fous complètement !

Il se tut, et j'eus l'impression que, pour le moment, il s'en fichait un peu lui aussi de cette histoire de cochons.

— Grâce à toi, repris-je plus calmement, j'ai fait la paix avec ma mère, avec mon père, et même avec cette femme que j'avais traitée de « pétasse buveuse de vodka »...

— « Pétasse buveuse de vodka » ? Qu'est-ce que ça veut dire ?

— Ça aussi, on s'en fout. Bon. Et puis, je crois que je suis devenue un peu plus mûre, un peu plus adulte. Il y a seulement trois jours, personne n'aurait parié un centime là-dessus, pas même moi… Mais il reste un truc que je n'arrive pas à comprendre : c'est cette histoire de châtiment divin et d'enfer… Moi, tu vois, je suis plutôt pour une éducation antiautoritaire.

— Une éducation antiautoritaire ? répéta Joshua, perplexe. Marie, ta parole est aussi confuse que celle du possédé de Gadara.

Je ne savais pas qui était ce possédé, et j'imaginais d'ailleurs qu'il valait mieux ne jamais l'avoir rencontré. Mais Joshua avait raison : je devais parler plus clairement, et surtout, m'exprimer d'une façon qu'il puisse comprendre. Je lui demandai donc :

— Comment dit-on ça dans la Bible ? N'ayez pas la peur au cœur. Ne vivez pas dans la crainte d'une punition ou des feux de l'enfer. Faites le bien autour de vous parce que vous le voulez librement, et quand bien même ce ne serait que pour vous, parce que votre vie en sera enrichie et embellie.

Joshua resta d'abord silencieux. Puis il dit :

— Ce… ce n'est pas dans la Bible.

— Mais ça devrait !

J'avais enfin réussi à formuler clairement ce que j'avais à dire.

Visiblement, cela lui donnait à réfléchir. Je poursuivis donc :

— Tel que j'ai appris à te connaître, il me semble que tu n'es pas le genre d'homme à vouloir punir les autres !

Il hocha presque imperceptiblement la tête.

— Tu es tellement d'autres choses, insistai-je. Un homme capable d'enseigner... capable de guérir les gens... de les inspirer... un homme...

Je voulais surtout dire : un homme qu'on a sacrément envie d'embrasser. Mais, à ce souvenir, la voix me manqua.

— Tu as raison, répondit-il enfin. Ce n'est pas la peur qui devrait gouverner les hommes, mais l'amour.

Et, tandis qu'il prononçait ce mot « amour », il y eut un glissement progressif du sens qu'il lui donnait. En disant « a », il parlait encore de l'amour du prochain. Mais, à la syllabe « mour », il commençait déjà à penser à nous.

Il me regarda comme il l'avait fait juste avant le baiser. Le merveilleux baiser. Je ne pus résister... De nouveau, mes lèvres s'approchèrent des siennes... Et cette fois, les siennes se rapprochèrent aussi...

Plus près... plus près... toujours plus près...

C'est alors que nous entendîmes les hennissements.

Des hennissements furieux, d'une violence et d'une force inconnues en ce monde. Et qui venaient d'en haut. Nos têtes s'écartèrent l'une de l'autre, se levèrent vers le ciel, et nous vîmes jaillir des nuages, au-dessus de Malente, quatre coursiers enflammés comme des torches. Les chevaux fonçaient vers la terre, portant sur leur dos des créatures que je ne pouvais distinguer nettement à cette distance. Mais je savais d'instinct que ces cavaliers devaient être plus terrifiants encore que leurs montures.

— Les cavaliers de l'Apocalypse, dit Joshua, d'une voix claire et ferme qui ne trahissait pas sa surprise.

De frayeur, mon cœur se contracta en une toute petite boule.

— Je dois y aller, dit Joshua.

Et moi, après une peur pareille, il faut absolument que j'aille faire pipi, complétai-je in petto.

52

Pendant ce temps-là...

Le premier cavalier à atterrir sur son coursier enflammé dans la zone piétonne de Malente était l'homme appelé Guerre. Satan avait accordé à Sven deux pouvoirs surnaturels, d'abord – comme pour les autres cavaliers – celui de ne pas se brûler les fesses sur son cheval de feu, ensuite celui de déchaîner, par sa seule présence, toute la haine refoulée des hommes. À titre personnel, Sven portait déjà en lui bien assez de haine refoulée, surtout envers les femmes. Il avait toujours été gentil avec elles : sa mère, les médecins de l'hôpital où il était infirmier, sa fiancée Marie... Et qu'avait-il reçu en retour ? Sa mère trouvait qu'il ne valait pas les douleurs de son enfantement, les femmes médecins le tournaient en dérision en l'appelant « Sœur Sven », et Marie, le jour de son mariage, avait établi un nouveau record sur l'échelle ouverte de l'humiliation. Mais aujourd'hui, grâce à Satan, Sven pouvait enfin donner libre cours à sa haine. En quelques secondes, la zone piétonne de Malente était devenue une sorte de zone interdite. Les inoffensifs amateurs de lèche-vitrine se transformaient en créatures écumantes qui ne pensaient plus qu'à se fendre mutuellement le crâne. Une mère de famille donnait un

313

coup de pied à son mari là où ça fait très mal, parce qu'il refusait catégoriquement – alors qu'ils avaient déjà quatre enfants – de se faire stériliser. Une femme un peu enveloppée griffait le visage de sa meilleure amie parce qu'elle ne pouvait plus supporter de la voir manger tout ce qu'elle voulait sans prendre un seul gramme. Deux témoins de Jéhovah brandissaient un couteau devant un homme pour le forcer à les laisser enfin entrer chez lui, et un jeune musulman décidait de ne pas faire de formation dans l'hôtellerie, mais d'embrasser plutôt une carrière où on lui promettait des vierges en récompense. En outre, le patron turc du meilleur döner kebab de Malente criait à un skinhead : « Quitte ce pays ! » et se précipitait, armé de son couteau électrique, sur le néonazi, qui avait tout juste le temps de bafouiller avec terreur : « Mais... mais... c'est vraiment de l'intolérance ! »

C'est alors que le deuxième cavalier de l'Apocalypse atterrit au milieu de la zone des hostilités. Dennis, le pasteur aux baskets, avait été un enfant obèse, affublé par les autres enfants de surnoms tels que « Jabba le Hutt », « Convoi exceptionnel » ou « S'il te plaît, ne me saute pas dessus ». Jeune homme, Dennis s'était lancé comme un fou dans l'entraînement sportif, ne mangeant que des carottes et buvant des boissons énergétiques au goût aussi synthétique que ses chemises en polyester, qu'il mordillait sans cesse, tant il était angoissé. Dennis était enfin devenu svelte et élancé, mais la faim ne l'avait plus jamais quitté, une faim qu'il n'apaisait jamais, par peur de redevenir comme autrefois. À présent, le cavalier nommé « Famine » constatait soudain que tous les hommes avaient en eux des désirs que leur existence ne leur permettait pas de satisfaire. Les uns désiraient *l'amour, d'autres l'argent, le sexe, ou ne serait-ce qu'une abondante chevelure. Dennis pouvait maintenant, par sa seule présence, libérer tous ces désirs inassouvis et refoulés. Un quinquagénaire traitait de « vieille carne » la femme qui était son épouse depuis trente-cinq ans et se mettait à suivre des filles de vingt ans avec le nombril à l'air. Des femmes seules volaient des bébés dans des landaus, et une mère célibataire épuisée se laissait faire sans protester. Les membres du groupe local des Weight Watchers pillaient les confiseries, des écoliers les boutiques de téléphonie mobile, et un nombre surprenant d'hommes assaillaient les magasins de vêtements pour en ressortir habillés en femmes. En outre, un honnête citoyen qui n'avait encore jamais manifesté son penchant pour la pyromanie découvrait avec allégresse la haute inflammabilité des maisons à colombages classées monuments historiques.*

Sur son destrier de feu, le troisième cavalier de l'Apocalypse, la Peste, tournait en rond au-dessus de cet enfer. Tandis que Sven et Dennis savouraient avec ivresse leur nouvelle puissance, Kata luttait encore, mais le besoin de céder à son propre désir de vengeance devenait de plus en plus pressant. Quand son cheval se mit à décrire des cercles au-dessus de l'hôpital local, elle ne put y tenir davantage. Elle se précipita dessus, ou plutôt sur le dernier étage, dont la maçonnerie vola en éclats dès que les flammes la touchèrent. Les malades regardaient Kata avec terreur et angoisse, mais, toute droite sur son cheval au milieu du couloir de l'hôpital, elle n'avait d'yeux que pour les médecins, cette corporation qu'elle haïssait entre toutes. La plupart d'entre eux n'avaient manifesté devant ses souffrances qu'une parfaite indifférence. À présent, grâce à ses nouveaux pouvoirs, elle pouvait attirer sur chacun toutes les maladies qui étaient déjà potentiellement en lui et qui, normalement, n'auraient dû se déclencher que bien des années plus tard. À la femme qui dirigeait le service, elle envoya une combinaison de diabète et de Parkinson qui lui vaudrait bien du plaisir quand elle essaierait de se faire elle-même ses piqûres d'insuline. Chez le médecin-chef adjoint, elle déclencha la boulimie associée à un large spectre d'allergies alimentaires. Et le jeune interne eut droit à la fois à la démence et à l'incontinence, de sorte qu'il devait absolument uriner, mais sans pouvoir se rappeler où se trouvaient les toilettes.

Kata ne songeait plus du tout à échapper à Satan par ruse. À présent, elle aussi était grisée par son nouveau pouvoir.

Le seul cavalier à se tenir dignement à l'écart, tournant en cercles lents, comme un vautour, au-dessus de Malente, était la Mort. Toujours sous l'apparence de Marie, il attendait paisiblement qu'elle devienne la première victime du Jugement dernier.

53

Joshua se hâtait vers la zone piétonne, au-dessus de laquelle des nuages de fumée noire s'élevaient déjà. Je le suivais tant bien que mal – saletés de chaussures !

Malgré les cavaliers de l'Apocalypse et la ville en flammes, en voyant Joshua s'avancer d'un pas rapide et décidé, je ne pouvais penser qu'à une seule chose : le baiser manqué. Que ce moment magique ait été interrompu me plongeait dans une profonde tristesse. Mais, l'instant d'après, j'étais terriblement heureuse en me rappelant que Joshua avait de nouveau voulu m'embrasser. Puis mon cœur se serrait une fois de plus, parce que j'avais peur qu'il ne soit trop tard pour nous deux, à présent que le Jugement dernier s'était prématurément déclenché. Entre deux ahanements, je tentais d'interroger Joshua :

— Qu'est-ce qui se passe ? Je croyais qu'on avait encore jusqu'à mardi prochain pour le Jugement dernier ? Et puis, on est à Malente, pas à Jérusalem…

— Ne sous-estime jamais la puissance et la ruse de Satan, répondit gravement Joshua.

Une pensée inquiétante me traversa l'esprit :

— Euh… mais… qu'est-ce qui va arriver, s'il gagne la bataille finale ?

— Dans ce cas, dit Jésus, le mal régnera pour l'éternité.

Je tremblai en imaginant les assassins, les sadiques et les investisseurs financiers prenant définitivement les rênes du pouvoir. Ils harcèleraient, tortureraient et dépouilleraient les bons, et, puisque personne ne pourrait plus mourir, cela se poursuivrait indéfiniment, pour l'éternité. En comparaison, l'étang de feu était un établissement thermal de luxe.

Le centre-ville ressemblait à l'un de ces théâtres d'opérations qui, lorsque vous tombez dessus aux informations, vous font aussitôt zapper pour regarder s'il n'y aurait pas plutôt une bonne émission de cuisine. Des maisons brûlaient, une populace avide pillait les magasins, des gens couverts de sang couraient dans les rues, et un Turc poursuivait un skinhead avec un couteau électrique – ce dernier spectacle, il faut le reconnaître, n'étant pas des plus courants au journal télévisé. Mais, avant que j'aie eu le temps de me dire qu'à la télévision, j'aurais peut-être regardé quand même le sujet sur le skinhead découpé au couteau électrique, Jésus s'avança vers un homme assis au bord du trottoir et qui, aveuglé par une blessure ouverte sous l'œil, marmonnait sans cesse :

— Elle ne m'avait encore jamais dit qu'elle me trouvait nul au lit…

Joshua s'assit à côté de lui, et l'homme sursauta avec terreur, comme s'il s'attendait à être de nouveau frappé.

— N'aie pas peur, lui dit Joshua.

Il cracha sur le sol et fit avec sa salive une sorte de pâte qu'il étala sous l'œil du blessé. Puis il versa goutte à goutte sur la pâte l'eau d'une gourde qu'il avait dans son sac, et, quand il eut fini de la rincer, la blessure avait disparu et l'homme y voyait de nouveau. Mais ce n'était pas tout : la seule présence de Joshua avait pour effet que tous ceux qui se trouvaient dans un rayon de quelques mètres autour de lui oubliaient leur fureur et leur avidité insatiable. Les mauvais sentiments faisaient place à la paix intérieure. Les pillages et les actes de violence cessaient, et une femme rendit sa poussette à une mère, sans susciter d'ailleurs chez celle-ci un enthousiasme délirant. Pourtant, je n'éprouvai pas longtemps moi-même cette paix intérieure : dans cet enfer effroyable, je me rappelai subitement, avec des sueurs froides, que mes parents avaient prévu d'aller manger une glace en ville avec Gabriel, Svetlana et les enfants. Je voulus demander à Joshua de partir aussitôt avec moi à leur recherche, mais il était précisément occupé à sauver une contractuelle à qui des mauvais conducteurs enragés avaient entrepris de faire bouffer ses contraventions (le carnet entier de deux cents), réalisant ainsi un vieux fantasme très répandu parmi les automobilistes. Je compris que Joshua ne pouvait pas abandonner des personnes en détresse uniquement pour chercher ma famille à qui il n'était peut-être rien arrivé – avec un peu de chance, ils étaient encore à la maison à digérer l'indigeste cuisine paternelle. C'est donc seule – et les pieds endoloris – que je courus vers la boutique du glacier, passant devant des maisons en feu, des hommes travestis, des enfants qui tapaient à bras raccourcis sur un vendeur de téléphones portables. Je fus soulagée d'entendre une sirène d'ambulance : il y avait donc maintenant des médecins pour aider Joshua. Mais, quand la voiture fut plus proche, je m'aperçus qu'elle roulait en zigzag… et que ces zigzags se dirigeaient inexorablement vers moi ! La stupeur me figea sur place. Le véhicule se rapprochait toujours, mais

mon cerveau avait beau crier à mes gambettes : « Vite !
Remuez-vous ! », je restais paralysée. La peur de
mourir avait bloqué la connexion entre mon petit cerveau et mes grosses pattes.

— On va passer, Scotty ?
— Ça va être juste.
— À quel point ?
— Plus juste qu'avec le rocher d'Uhura !
— C'est vachement juste !

À travers le pare-brise de l'ambulance, je voyais
déjà le visage rouge et enflé du conducteur, qui se grat-
tait partout comme s'il souffrait d'une allergie
généralisée. Une maladie pareille existait-elle ? Et
qu'est-ce qui avait pu la provoquer ? Peut-être les
bananes que l'homme engloutissait l'une après l'autre
avec avidité ? Me voyait-il seulement, à travers ses
paupières enflées ? Et s'il me voyait, n'était-il pas trop
occupé à s'empiffrer pour faire attention à moi ?
Qu'est-ce qui avait pu le faire dérailler à ce point ?

Dans quelques secondes, la voiture allait me passer
sur le corps, et savoir que les services d'urgence
seraient déjà sur place ne me consolait pas vraiment.

C'est alors que j'entendis au-dessus de moi les hennissements stridents des chevaux de feu de l'enfer.
Levant les yeux, je vis qu'ils se rassemblaient dans
les airs, et je pus apercevoir fugitivement leurs
visages. Un instant, je crus avoir reconnu... non, c'était
impossible !

Cependant, à la seule pensée que j'avais peut-être
bien vu, une onde de choc se propagea dans mon corps,
si violente qu'elle rétablit la connexion entre mon cerveau et mes petites jambes. Ces dernières captèrent

enfin l'ordre de mon cerveau : « Sautez, ou vous n'aurez plus jamais de problèmes de cellulite ! » Mes muscles se contractèrent. La voiture n'était plus qu'à quelques mètres, mais, au lieu de freiner, le conducteur enfourna un plein sachet de noisettes, ce qui fit encore gonfler son visage. Je sautai le plus loin possible, c'est-à-dire à un peu moins de deux mètres. L'ambulance, à présent totalement incontrôlable, vint s'écraser contre un réverbère à quarante centimètres de moi.

Je me relevai péniblement, les jambes pleines d'écorchures. À peine remise de ma première frayeur, je jetai un coup d'œil à l'intérieur du véhicule. Le conducteur était apparemment indemne, du moins pour ce qui concernait l'accident, car pour le reste, à cause du gonflement allergique et de la fureur avec laquelle il s'était gratté, même Éléphant Man n'aurait pas voulu être vu en public avec lui.

Espérant pour lui que Joshua viendrait bientôt à son secours, je repris ma course à cloche-pied en direction du glacier. Je devais absolument savoir si ma famille – et, sans que je sache comment cela s'était fait, à présent j'y incluais aussi Svetlana et sa fille – était en danger. J'évitai un jeune homme qui, sans trop savoir comment s'y prendre, essayait de se fabriquer une ceinture avec des bouteilles remplies d'engrais chimiques, et aussi une femme qui ne cessait de sauter sur les parties molles de son époux en criant : « Tu vas voir, je vais te stériliser, moi ! »

Par chance, la plupart des gens agressifs ne se souciaient pas de moi, occupés qu'ils étaient à mener leurs guerres personnelles. C'était un petit miracle qu'il n'y ait pas encore eu de mort, et surtout, ce n'était plus qu'une question de temps. Tout à coup, un homme à la cinquantaine bien sonnée me barra la route en disant :

— Ce que je préfère, c'est les filles de vingt ans…

— Alors, avec moi, vous arrivez trop tard, répondis-je.

Et je voulus poursuivre mon chemin, mais il ne me laissa pas passer :

— … Celles-là, j'arrive pas à les attraper.

— Les attraper ?

— Mais toi, t'es pas encore une vieille carne ! constata-t-il, et, à ces mots, un filet de bave se mit à couler de la commissure de ses lèvres.

— Toi, c'est juste le contraire, répliquai-je en essayant de passer.

Mais il se remit devant moi et m'agrippa en déclarant :

— J'aime aussi les filles bien rembourrées !

Je ne savais pas ce qui me rendait le plus enragée, que ce type ait posé ses sales pattes sur moi ou qu'il m'ait traitée de « bien rembourrée ». Quoi qu'il en soit, je n'allais pas me laisser faire :

— Va plutôt voir ta grand-mère ! dis-je en lui flanquant un bon coup de pied dans le tibia.

Il poussa un cri, tandis que je m'enfuyais aussi vite que me le permettaient mes pieds en compote et mes jambes esquintées. Par bonheur, le vieux schnock n'était pas des plus rapides non plus. Notre course-poursuite à travers la zone piétonne en flammes fut donc sans conteste l'une des plus lentes de l'histoire des zones de catastrophe. Pour finir, l'homme fut arraisonné par deux témoins de Jéhovah bien décidés à lui parler de Dieu en prenant tout leur temps, et pour qui « Non, merci » n'était plus une réponse acceptable.

Je continuai à courir jusqu'à la terrasse du glacier, où, sur le sable entre les tables, les deux petites se tapaient dessus, se griffaient et se mordaient, parce que Lilliana voulait absolument prendre le brillant à lèvres de son amie. Maman Svetlana s'en fichait pas mal :

armée d'une bouteille de San Pellegrino cassée qu'elle tenait par le goulot, elle était bien trop occupée à attaquer indistinctement tous les hommes, voyant en chacun d'eux un client potentiel. Pendant ce temps-là, mon père essayait d'étrangler ma mère en criant : « J'ai été malheureux pendant vingt ans à cause de toi ! » Juste comme je m'apprêtais à les séparer, je levai les yeux vers la maison d'en face, qui avait quatre étages, et vis Gabriel debout sur le toit, les bras écartés. Quelque chose avait dû réveiller en lui le désir de voler, désir impossible à réaliser, puisqu'il était devenu un être humain et qu'il n'avait plus d'ailes. Je ne savais plus qui retenir en premier : fallait-il empêcher les fillettes de se battre, Svetlana de péter les plombs, papa d'étrangler maman, ou Gabriel de se transformer en flaque sur le trottoir ? Heureusement, Joshua arriva à la rescousse, m'épargnant les affres du choix. Il convainquit Gabriel, par de douces paroles, de descendre du toit, apaisa la colère de mon père et celle de Svetlana en leur imposant les mains, et amena les deux petites à partager le gloss en sœurs en leur déclarant :

— N'amassez pas de trésors sur cette terre, mais amassez-vous des trésors dans le ciel. Car où est ton trésor, là sera aussi ton cœur.

Tandis qu'il disait cela, ses yeux étaient remplis d'amour pour les hommes. Et je compris subitement quelles paroles Marie Madeleine avait dû prononcer jadis. Oui, elle avait certainement dit…

— Il t'en faut un temps pour venir !

Non, elle n'avait pas pu dire ça.

— Tu ne vas pas appeler tes légions célestes, qu'on puisse enfin passer aux choses sérieuses ?

Ça non plus, bien sûr.

En me retournant, je vis à une table une femme noire qui dégustait un espresso tout en observant Joshua d'un air moqueur. Elle ressemblait beaucoup à Alicia Keys, cette chanteuse dont Kata raffolait. Kata ? Mais alors, là-haut… non, ça ne pouvait pas… ça ne *devait* pas être elle !

— Nous ne nous étions pas revus depuis longtemps, Jésus, attaqua la diva de la soul, qui, bien sûr, était tout sauf une diva de la soul.

— La dernière fois, c'était dans le désert de Judée, quand tu as essayé de me tenter, répondit Joshua.

— Tu étais sacrément coriace, ricana Alicia.

Et, d'un seul coup, elle se transforma en une abominable créature rouge avec cornes et sabots. Même Stephen King n'aurait pas osé imaginer ça pour son théâtre de marionnettes géantes.

— Scotty ?

— Oui, capitaine ?

— Moi aussi, je démissionne.

— Et si on devenait agriculteurs bio, tous les deux ? Qu'en pensez-vous ?

— Excellente idée, Scotty, excellente idée.

Tout mon corps tremblait, une épouvantable odeur de soufre m'emplissait les narines et la fumée me piquait les yeux. Joshua, lui, ne cillait même pas. Satan l'invita du geste à s'asseoir à sa table, mais Joshua ne bougea pas. D'un bref signe de la main, il ordonna à Gabriel de nous mettre en sécurité. Tout le monde se laissa emmener docilement – mes parents, Svetlana et les enfants –, mais je restai immobile. Quand Gabriel revint en courant et me toucha le bras pour que je le suive, je déclarai simplement :

— Je ne le quitte pas d'une semelle.

Pour une fois, Gabriel était fier de moi. Il me sourit et dit :

— Je t'ai mal jugée.

Puis il partit très vite avec les autres. Pour Méphisto, ça n'avait aucune importance : il était certain de les rattraper tôt ou tard. Il se tourna vers Joshua.

— Il est temps pour toi de combattre, dit-il. La guerre a commencé.

Pour illustrer ses paroles, en même temps qu'il portait à ses lèvres d'un air gourmand, à l'aide de son horrible queue, sa tasse d'espresso, il tendit la main vers le chaos qui ravageait la zone piétonne de Malente.

— Je ne combattrai pas, dit Jésus.

La tasse s'arrêta à mi-parcours.

— Tu... tu ne veux pas engager la bataille finale ? dit Satan, déconcerté.

— Non, répondit Joshua d'une voix douce mais décidée.

— Tu me refais ton numéro de « je tends l'autre joue » ?

Satan cherchait à se donner une contenance. Il espérait cette bataille depuis si longtemps, et Joshua la lui refusait !

— Je ne le dirais pas de cette façon, mais, pour ce qui est du sens général, tu as raison, reconnut Joshua.

Satan hésitait. Peut-être, me dis-je avec exaltation, était-il tellement déstabilisé qu'il allait laisser tomber ? On ne pouvait pas faire la guerre sans adversaire !

Mais Satan eut alors un de ces sourires malins dont le prince des ténèbres avait le secret :

— Dans ce cas, mon cher Jésus, il me faudra t'anéantir sans que tu te défendes !

Aïe ! Cette histoire de tendre l'autre joue, ça ne marcherait décidément jamais !

— À MOI ! cria Satan en direction du ciel.

Et les quatre cavaliers fondirent sur nous sur leurs chevaux de feu. Cette fois, je pus distinguer leurs visages, et... l'un d'eux était le nouveau pasteur ?

Le suivant était... Sven ???

Et derrière lui... Kata ??????

Quant au quatrième cavalier, on aurait dit moi.

Pourquoi ? Là, je ne me posais plus la question. J'avais épuisé mon stock de points d'interrogation.

Les cavaliers atterrirent juste devant nous. Les chevaux s'ébrouèrent, et des flammes infernales jaillirent de leurs naseaux. Combiné au soufre que la transformation de Satan avait laissé en suspension dans l'air, tout cela dégageait une puanteur épouvantable. Sven et le nouveau pasteur, ivres de pouvoir, se réjouissaient visiblement du carnage en perspective. À l'inverse, la cavalière qui me ressemblait avait un regard vide et froid, et, comme je connaissais déjà les noms des cavaliers et que je savais additionner deux et deux, je devinai que c'était la Mort. Quant à sa ressemblance avec moi, il m'apparaissait avec une probabilité confinant à la certitude que ce n'était pas un heureux présage.

Cependant, la peur de ma propre mort était totalement éclipsée par un autre sentiment : j'avais pitié de Kata. Assise sur sa monture de feu qui ne lui roussissait même pas le derrière, elle me regardait avec des yeux pleins de tristesse.

— Il m'a menacée de souffrir de ma tumeur pour l'éternité, me souffla-t-elle d'une voix brisée. Je ne suis pas assez forte pour résister... ni pour lui échapper... pardonne-moi...

Je n'avais rien à lui pardonner. Je la comprenais. Ce n'était déjà pas facile de vivre selon les principes du Sermon sur la montagne quand on était en bonne santé. Mais quand on était malade et qu'une tumeur vous bouffait le corps, on n'était que trop heureux de vendre son âme au diable.

— Moi non plus, je n'aurais pas été assez forte, répondis-je à Kata.

L'ombre d'un sourire triste passa presque imperceptiblement sur ses lèvres. Elle m'était reconnaissante de ne pas la juger.

Satan vint s'interposer entre nous :

— J'espère ne pas trop perturber votre petite conversation entre sœurs si je donne l'ordre de détruire Jésus maintenant ?

— Avec le plus grand plaisir, répondit Sven en regardant Joshua.

— C'est ta faute, aussi, dit à Joshua le pasteur aux baskets en souriant d'un air sadique. Si tu m'avais donné autant de pouvoir que m'en a donné Satan, je ne serais jamais passé de son côté. Mais tu m'as toujours laissé seul. Même au collège, quand le maître nageur a dit devant toutes les filles de la classe que ma vue polluait le paysage.

Joshua ne répondit pas, mais son regard décidé et toute son attitude montraient qu'il n'éprouvait aucune crainte. C'est ainsi, sans doute, qu'il s'était tenu jadis devant Ponce Pilate.

Le seul des cavaliers à ne pas se concentrer sur lui était la Mort. Elle n'avait d'yeux que pour moi. Une attention dont je me serais fort bien passée.

Dennis et Sven allaient maintenant déchaîner toute la force de leurs nouveaux pouvoirs. Je ne compris pas très bien ce qu'ils faisaient, mais ils étendirent leurs mains vers Joshua, et celui-ci poussa un cri. Tout son corps se crispa. Tour à tour, la colère, le désir et même la haine flamboyèrent dans ses yeux. Mais, à chaque fois, il parvint à maîtriser ces sentiments. À l'évidence, cela déplaisait beaucoup à Satan. Cessant de sourire avec arrogance, il se tourna vers Kata et lui ordonna :

— Aide-les !

Ma sœur aurait voulu pouvoir refuser, mais, comme elle l'avait dit elle-même, elle n'était pas de force. Aiguillonnée par la peur d'une souffrance éternelle, elle s'avança vers Joshua avec son cheval, et soudain, les anciennes blessures de celui-ci aux mains et aux pieds se rouvrirent et se mirent à saigner. Je ne sais lequel des deux spectacles était le plus terrible : la douleur de Joshua, ou celle qu'éprouvait ma sœur parce que, devenue le cavalier nommé Peste, elle infligeait à présent aux hommes cette même souffrance qu'elle avait endurée et dont elle redoutait tant la torture éternelle. Je devais l'arrêter, non seulement pour l'amour de Joshua, mais aussi pour l'amour d'elle. Je m'avançai entre les cavaliers et Joshua, qui avait peine à se maintenir debout et ne se retenait de hurler de douleur qu'au prix de toute sa volonté.

— Si vous voulez Jésus, il faudra me tuer d'abord, dis-je aux cavaliers.

Il me restait un petit espoir que Sven et Kata éprouvent encore assez de sentiments envers moi pour nous laisser partir. Joshua agita faiblement la main – dans son terrible combat, il n'avait plus la force de parler –, mais son geste signifiait clairement que je devais m'enfuir. Il ne voulait pas que je me sacrifie pour lui. Mais je tins bon.

Kata fit reculer sa monture de quelques pas. Elle ne voulait pas m'infliger d'abominables maladies, et, en cet instant, son amour pour moi était plus fort que sa peur.

— Bats-toi ! lui ordonna Satan.

Mais elle se contenta de secouer la tête. Il n'avait donc pas tout pouvoir sur elle. À sa manière, elle lui échappait encore malgré tout.

Satan était fort mécontent. De sa queue qui se tordait comme un serpent, il fit signe à Sven. Celui-là au moins ne pouvait résister à son pouvoir, d'ailleurs il ne le voulait pas, dévoré qu'il était depuis si longtemps par la haine.

— D'accord, dit Sven en me regardant. Ça me va très bien de te tuer.

Entendant cela, Kata se mit à trembler de tout son corps. Joshua aussi souffrait, mais, à cause des cavaliers, il devait lutter contre les démons qui habitent tout être humain. À présent, le cavalier qui me ressemblait souriait froidement. Je savais que j'allais mourir. Je n'éprouvais aucune peur. Seulement de la colère. Contre Dieu. Parce que Kata souffrait. Et Joshua. Et qu'ils souffriraient encore plus si je mourais maintenant.

Alors, je criai avec rage vers le ciel :

— *Eloi, Eloi, frika sabati !*

Et une voix me répondit :

— Ça veut dire : mon Dieu, mon Dieu, ma fricadelle est stérile.

54

Autour de moi, tout se figea subitement, comme si on avait fait un arrêt sur image. Chacun s'immobilisa, telle une statue. Le diable à la queue fourchue avec son air furibond, Jésus courbé par la souffrance... Le feu qui jaillissait des naseaux des chevaux resta comme congelé dans l'air. Même Kata ne tremblait plus. Personne ne pipait mot, on n'entendait plus les cris de douleur, de désir ou de guerre, même le couteau électrique du marchand de *döner kebab* ne vrombissait plus. Tout était soudain devenu calme et silencieux.

Dans ce silence, on n'entendait qu'un seul bruit : le grésillement des flammes du buisson ardent qui venait tout à coup d'apparaître devant moi.

— *Eloi, Eloi, dharma sabalili !* lui lançai-je d'une voix accusatrice, espérant cette fois avoir trouvé les bons mots.

— Et ça, ça signifie : mon Dieu, mon Dieu, mon intestin est surmené.

— Tu sais très bien ce que je veux dire ! l'engueulai-je.

Je lui aurais bien vaporisé toute une bonbonne de neige carbonique sur les feuilles.

— Excuse-moi, répondit le buisson.

Aussitôt après, il se retransforma en Emma Thompson. Une Emma Thompson qui portait non plus une robe anglaise fin XVIIIe, mais des fringues ordinaires de chez H&M – apparemment, Dieu n'était pas le genre de femme à courir les boutiques de luxe.

— Je ne t'ai pas abandonnée. Je n'abandonne aucun humain, dit Emma/Dieu.

— Oui, il n'y a qu'à regarder ton fils ! répliquai-je, tremblante de rage.

Emma/Dieu regarda avec compassion, et même avec pitié, Joshua immobile et comme figé dans la douleur qui lui tordait le visage.

— Mon fils ne veut pas du Jugement dernier, dit-elle.

— Si tu veux dire que c'est ma faute et que c'est moi qui l'ai fait changer d'avis, ne te gêne pas ! J'en suis même fière !

— Ta faute ? Il est vrai que tu en es responsable, constata Emma/Dieu d'une voix paisible.

— Alors, jette-moi dans ton fichu étang de feu et qu'on n'en parle plus !

Je n'avais plus peur de rien, ni de Satan ni de Dieu. De personne !

— Moi, je devrais te faire brûler ? dit Emma/Dieu.

— À moins que tu ne préfères me changer en statue de sel, grondai-je. Après tout, ça aussi, ça pourrait te faire plaisir.

— Pourquoi ferais-je une chose pareille ?

La question me surprit – et me calma un peu :

— Eh bien… parce que j'ai fichu une grosse pagaille…

— Ça, on peut le dire.

— Mais alors ?

— Alors, tu l'as fait par amour.

Devant son aimable et ravissant sourire, toute ma colère s'évanouit.

— Oui, c'est vrai...

Le ravissant sourire d'Emma/Dieu se fit encore plus aimable :

— Comment pourrais-je te punir pour cela ? dit-elle. Rien ne saurait me causer davantage de fierté.

55

Tandis que je restais là, sidérée, Emma/Dieu se mit à regarder autour d'elle. Partout où ses yeux se posaient, le monde guérissait. Les humains figés sur place ne saignaient plus, les flammes et la fumée se retiraient, les maisons brûlées se relevaient, intactes, tout comme l'ambulance et le réverbère contre lequel elle s'était écrasée. Même le jeune interne était redevenu un être humain normal. Emma/Dieu regarda Satan et les chevaux de feu, et je les vis se dissoudre dans les airs, ainsi que la Mort, dont la disparition fut tout de même pour moi un grand soulagement. Kata, Sven et le pasteur aux baskets étaient désormais gentiment assis à une table du glacier, et la zone piétonne ressemblait de nouveau à une zone piétonne d'une affligeante banalité, si l'on faisait abstraction du fait que les gens y étaient immobiles, et que l'un d'eux était Joshua. Doucement, Emma/Dieu lui caressa les cheveux, et il disparut à son tour.

— Vais-je le revoir ? demandai-je avec angoisse.

— Cela ne dépend que de lui, répondit Emma/Dieu, et je sentis bien qu'elle aussi n'allait pas tarder à disparaître.

— J'ai encore une question, fis-je en hâte.

— Pose-la.

— Pourquoi les tumeurs existent-elles ?

— Et pourquoi les règles chaque mois ? demanda Emma/Dieu en souriant.

Je hochai la tête.

— Sans la naissance et la mort, il n'y a pas de vie.

— Oui, bien sûr, mais… est-ce que ça ne pourrait pas se faire d'une manière un peu plus agréable ? demandai-je encore.

Mais elle avait déjà disparu.

À cet instant, la vie reprit bruyamment son cours dans la zone piétonne, exactement comme si rien ne s'était passé : les gens ne rôdaient plus dans les rues, ils faisaient leurs courses sans casser les vitrines. Tout le monde semblait avoir complètement oublié les événements. Tout le monde, ou presque : les ci-devant cavaliers de l'Apocalypse me regardaient d'un air coupable et honteux. Sven et le pasteur, je m'en fichais, mais pas…

— Kata…

Je m'avançai vers elle, mais elle se leva et s'enfuit en courant, ne pouvant supporter ma vue. J'allais courir après elle, quand Gabriel, qui s'était approché de moi, me retint :

— Laisse-lui un peu de temps. Elle en aura besoin pour digérer tout ça.

Je hochai la tête : l'ange retraité avait raison. Il se souvenait lui aussi de ce qui s'était passé, et il m'exposa sa théorie : selon lui, aucun de ceux qui avaient joué un rôle dans ces événements surnaturels ne les oublierait jamais.

— Mais… pourquoi Dieu a-t-il renoncé au Jugement dernier ? demandai-je.

— Il ne peut y avoir que deux explications, répondit Gabriel. Soit Dieu avait prévu tout cela depuis longtemps pour mettre les hommes à l'épreuve, comme il l'avait fait avec Abraham et Job...

— Abraham et Job ?

— Oui. Abraham n'a finalement pas été obligé de sacrifier son fils, alors qu'il pensait que c'était la volonté de Dieu. Ce n'était donc que pour l'éprouver. De même, Job, qui a supporté tous les maux que Dieu lui envoyait, a seulement été mis à l'épreuve par le Tout-Puissant. À la fin, le Seigneur l'a délivré de sa terrible maladie et lui a rendu sa famille.

— Je ne vois pas bien le rapport, fis-je, perplexe.

— Le Jugement dernier, la façon dont il est annoncé dans l'Apocalypse de Jean, tout cela n'est peut-être qu'une illusion. Peut-être n'a-t-il jamais été question que cela arrive pour de bon, mais seulement de tester le potentiel de l'humanité. Et cette fois, la personne choisie pour cette épreuve n'était ni un Abraham ni un Job, mais toi, Marie.

Je ne comprenais pas encore tout à fait.

— Ton amour a rassuré Dieu sur les hommes.

Je pris une profonde inspiration, ce qui amusa Gabriel :

— Toi, une créature biblique... qui l'eût cru ? dit-il en souriant.

Sa théorie selon laquelle tout cela – le Jugement dernier, ma rencontre avec Joshua, le thé avec Dieu – n'avait été qu'un test pour l'humanité, avec moi dans le rôle du représentant exemplaire, me mettait tout de même très mal à l'aise.

— Et... quelle est l'autre explication possible ?

— Que tu as eu beaucoup de chance.

Je ne sais pas si j'avais eu de la chance, mais je n'éprouvais pas ce sentiment. Joshua n'était plus auprès de moi – le reverrais-je jamais ? Je pris congé de Gabriel et me dirigeai sans trop d'espoir vers notre endroit favori, au bord du lac. Et voilà que l'incroyable s'était produit : Joshua était là, assis sur le débarcadère, contemplant l'eau qui miroitait paisiblement au soleil. Follement heureuse, je m'assis à côté de lui, mes jambes se balançant au-dessus de l'eau. Au bout d'un moment de silence, il dit :

— J'ai parlé avec Dieu.

J'aurais pu commencer par lui demander si la théorie de Gabriel était fondée, si j'avais vraiment servi de cobaye quasi biblique pour tester la résistance au choc de l'humanité. Mais j'avais une autre préoccupation infiniment plus importante :

— Est-ce qu'il nous laisse… nous deux…

Je n'achevai pas ma question : je redoutais bien trop la réponse. En fin de compte, j'avais plutôt envie de proposer à Joshua de ne rien dire et de passer le reste du siècle simplement comme ça, assis à côté de moi sur le débarcadère.

— Il nous laisse le libre choix de notre avenir, dit Joshua.

J'en bégayai de surprise :

— Toi… toi… toi… moi ?

— Oui, toi et moi, si nous le voulons.

— Tu… tu… tu ?

Cette fois, je lui demandais bien quel était son libre choix. Sa réponse fut tout simplement inconcevable :

— Oui.

Et il me prit la main. Au moment où ses doigts touchaient les miens, il ajouta :

— Je deviendrai mortel, comme Gabriel.

— Mortel ? répétai-je, surprise.

— Je reviendrai sur terre, et je vivrai la vie d'un être humain, jusqu'à ma mort terrestre.

Il voulait réellement renoncer à tout pour moi, même à l'immortalité. C'était extrêmement romantique. Jamais un homme n'avait voulu faire pour moi une chose aussi formidable.

Pourtant, je n'étais pas tout à fait satisfaite.

— Euh… mais… faut-il vraiment que tu deviennes mortel ? demandai-je en retirant ma main.

— Oui, dit Joshua, sans quoi je ne pourrai pas vieillir. Imagine-toi à quatre-vingt-dix-sept ans, et moi ayant le même âge qu'aujourd'hui…

— Alors, j'aurais un jeune mari, quel mal y a-t-il à ça ? l'interrompis-je hâtivement.

— Mais il n'y a pas d'autre possibilité si nous voulons mener une vie normale, avoir des enfants, fonder une famille.

— Une famille… soupirai-je avec nostalgie.

— Que je nourrirai en travaillant comme charpentier.

Je n'étais pas sûre qu'un salaire de charpentier suffise à nourrir une famille, cela dépendait sans doute de l'évolution de la conjoncture dans le bâtiment, mais je pouvais bien travailler moi aussi. Et puis, si c'était là son libre choix, qui étais-je pour m'y opposer ?

À cet instant, je reçus un marron sur la tête. Cela venait du lac, plus exactement d'un pédalo manœuvré par la fille de Svetlana et son amie. Les petites, qui avaient maintenant toutes les deux du gloss sur les lèvres, se tordaient de rire, et j'avais de plus en plus de mal à les trouver mignonnes. Joshua, lui, leur souriait. Alors, je me rappelai la façon dont il était venu à leur secours en plein enfer, et comment j'en avais déduit ce que Marie Madeleine avait dû lui dire jadis.

Un profond chagrin m'envahit, et je regardai Joshua.

— Qu'est-ce que tu as ? demanda-t-il, et, pour la première fois, je crus entendre dans sa voix d'ordinaire si ferme quelque chose qui ressemblait à de la crainte.

— Notre libre arbitre doit décider contre nous, murmurai-je tout bas.

— À présent... ta parole est bien plus confuse que celle du possédé de Gadara, dit Joshua, saisi d'un léger frisson.

Et c'était terrible de le voir trembler ainsi.

— Quand Marie Madeleine a dit que vous n'aviez pas le droit de vivre votre amour, elle t'a dit pourquoi, n'est-ce pas ?

Il se tut. Il cessa de trembler. À la fin, il répondit d'une voix douloureuse :

— Parce que mon amour doit appartenir à tous.

— Et c'est pour cela que tu n'as pas le droit de mourir... ni de rester avec moi, repris-je d'une voix presque inaudible.

Il ne répondit pas. Parce que j'avais raison. Et que Marie Madeleine avait eu raison aussi.

Ce n'est jamais agréable de s'apercevoir qu'une ex est plus intelligente que soi-même.

Joshua avait cessé de lutter pour avoir un avenir avec moi, pour devenir un simple charpentier. Son libre arbitre obéissait à son destin. Et il avait décidé contre nous.

Et mon libre arbitre suivait le sien.

Savoir qu'on est du même avis ne suffit pas toujours pour être heureux.

Nous restâmes assis en silence, à contempler une dernière fois le lac ensemble. Je luttais contre les larmes qui menaçaient de déborder, et je parvins à en contenir le plus grand nombre, mais une unique petite larme insolente et décidée réussit à s'échapper.

Joshua caressa ma joue, puis y posa tendrement ses lèvres pour en ôter cette larme.

Je cessai de pleurer.

D'un baiser, il avait fait disparaître mon chagrin. Comme l'épilepsie de la petite Lilliana.

Alors, Jésus me caressa la joue une dernière fois et dit :

— Je t'aime.

Puis il s'évanouit dans l'air de ce soir d'été.

Me laissant seule sur le débarcadère.

Jamais un homme ne m'avait laissée tomber d'une façon aussi merveilleuse.

56

Pendant ce temps-là...

Emma Thompson et George Clooney étaient assis au bord du lac et donnaient à manger aux canards. Chaque fois que l'un de ces derniers avalait un bout du pain empoisonné de Clooney, Emma le ressuscitait, ce qui faisait enrager Clooney. Mais ce qui le fâchait le plus, c'était de s'apercevoir qu'il n'était lui aussi qu'une variable dans l'ordonnance divine de la tentation. Finalement, voyant que, même avec les canards, il n'avait pas le dessus, Clooney se décida à poser la question :

— Alors, il n'y aura pas de Jugement dernier ?

— L'humanité est devenue adulte, répondit Emma.

— Mais elle est encore loin d'être parfaite.

— Aucun adulte ne l'est, dit Emma avec un sourire satisfait.

Clooney ne pouvait pas sourire comme elle. Depuis toujours, il vivait dans l'attente fébrile de la bataille finale, et voici que, tout à coup, sa raison d'être avait disparu. Tout chômeur prêt à vendre son âme pour retrouver un salaire pouvait comprendre ce qu'il ressentait.

— Tu vas recevoir ce que tu désirais le plus ardemment, lui dit Emma pour le réconforter.

— *Un libre arbitre ?*

Satan osait à peine espérer.

— *Oui. Désormais, tu peux partir sur l'île déserte des mers du Sud dont tu as toujours rêvé.*

Clooney sourit, terriblement soulagé. Il allait enfin pouvoir vivre seul, sans plus se préoccuper de ces stupides pêcheurs. Dieu venait de lui offrir son petit paradis personnel.

— *Puis-je... commença-t-il.*

— *Non, tu ne peux pas emmener la dessinatrice avec toi.*

Un instant, Clooney se mordit les lèvres. Puis il haussa les épaules :

— *On ne peut pas tout avoir, dit-il.*

Et il s'en alla sans dire merci. Il prendrait le Learjet du gouverneur de Californie pour s'envoler vers les mers du Sud.

Quand Satan eut disparu, Jésus s'avança sur le sentier du lac et vint s'asseoir sur la berge auprès d'Emma Thompson.

— *Et toi, mon fils, viendras-tu me rejoindre au ciel ?*

— *Non, dit Joshua d'une voix décidée.*

— *Tu restes avec Marie ?*

Emma était étonnée, mais pas fâchée. Jésus avait le droit de faire ce qu'il voulait de son libre arbitre.

— *Ce n'est pas ça non plus. Mais, grâce à elle, je sais maintenant ce que j'ai à faire.*

— *Ah oui ?*

Emma était vraiment curieuse de savoir.

— *Je vais voyager à travers le monde.*

— *Et tu ne reverras plus Marie ?*

— *Si, je la reverrai, dit Jésus d'une voix pleine de mélancolie. Je reviendrai souvent la voir, sans qu'elle*

le sache, et je m'assurerai que tout va bien pour elle...
et pour ses enfants... et ses petits-enfants...

— Et ses arrière-petits-enfants aussi ? dit Emma, ne
pouvant s'empêcher de sourire.

Jésus lui rendit son sourire.

— Et leurs enfants, dit-il.

57

Je restai encore un long moment sur le débarcadère à contempler le lac, en paix avec moi-même. Je n'éprouvais plus aucun sentiment douloureux. Le tendre baiser de Joshua avait réellement permis que je ne souffre pas, que je sois libre de retomber amoureuse dans cette vie.

Ce n'est qu'au coucher du soleil que je me levai enfin pour rentrer à la maison. En chemin, le besoin aussi trivial que pressant de faire pipi se rappela à mon souvenir. Étant donné les sentiments ambivalents que m'inspiraient depuis peu les buissons, je préférai me diriger vers la vidéothèque de Michi, qui n'était pas loin de là. Michi était naturellement impatient de savoir ce qui s'était passé, et, à travers la porte des toilettes, je lui expliquai que la fin du monde était remise à une date ultérieure.

— C'est fantastique ! s'écria-t-il, fou de joie.

Mais il y avait encore un problème entre nous : il était amoureux de moi. Après m'être lavé les mains, je le rejoignis dans le magasin et le questionnai prudemment :

— Alors, que va faire Franko Potente, maintenant qu'il a tout ce temps devant lui ?

— Ce bon vieux Franko a compris que la vie n'est pas éternelle, dit Michi.

— Et alors ?

— Alors, il va faire son deuil d'un amour qu'il n'obtiendra jamais, et s'inscrire sur tous les sites de rencontres possibles sur Internet. Sauf peut-être les sites sadomaso.

— Franko est vraiment un type intelligent, affirmai-je.

— Je n'ai jamais pensé autrement, dit Michi avec un grand sourire.

Et je me sentis tout heureuse à l'idée que notre amitié platonique allait pouvoir continuer.

En arrivant à la maison, je trouvai Kata dans le jardin, installée sous un arbre et profitant des derniers moments de clarté de la journée pour dessiner. Je m'assis à côté d'elle, et elle me dit avec tristesse :

— Je ne suis pas une héroïne.

— Pour moi, si.

— Je l'ai suivi.

— Pas jusqu'au bout.

— J'aurais dû résister dès le début… mais, toute seule, je ne suis pas aussi forte que je le croyais. Sinon, j'y serais peut-être arrivée…

Kata donnait maintenant l'impression d'une grande fragilité.

— … mais je ne veux plus être seule, j'ai besoin de quelqu'un…

Ma sœur avait besoin de moi.

Et moi d'elle.

— Tu restes encore un peu à Malente ? demandai-je.

— Pourquoi poses-tu cette question ?

— Il vaut mieux que je reste encore un peu avec toi, jusqu'à ce que tu ailles bien, dis-je.

— Pendant les cent prochaines années ? demanda-t-elle tristement.

— Aussi longtemps qu'il le faudra.

Et je lui souris. Alors, elle me serra dans ses bras.

— Tu m'étouffes ! gémis-je.

— C'est ce que je veux ! dit-elle avec tendresse.

Alors, à mon tour, je la serrai très fort. Après toute cette folie, c'était bon de retrouver dans ses bras quelque chose qui ressemblait à la paix.

— Scotty ?

— Oui, capitaine ?

— J'aime bien notre petite ferme écologique.

— Moi aussi, capitaine, moi aussi.

Au bout d'un moment, nous étant suffisamment serrées l'une contre l'autre, nous regardâmes le nouveau strip que Kata avait dessiné sur son bloc.

— Tu as écrit « *The End* » en bas, constatai-je avec surprise.

— Parce que c'est le dernier dessin de ma série *Sisters*.

— Le dernier ?

— Oui, je suis devenue quelqu'un d'autre maintenant. Et toi aussi, dit-elle en souriant.

Kata avait raison. Je m'étais réconciliée avec mes parents, j'avais même trouvé le courage de contredire Dieu et de résister à Satan. J'avais découvert mes ressources cachées.

Je n'étais plus une l.i.m.a.c.e.

Et tout ça uniquement parce que j'étais tombée amoureuse !

Remerciements

Remerciements tout particuliers à Ulrike Beck, qui a toujours cru à ce projet ; à Marcus Gärtner, Marcus Hertneck et Michael Töteberg, les meilleurs agents de cet univers et de tous les autres.

Composé par Nord Compo
à Villeneuve-d'Ascq (Nord)

Imprimé en Allemagne par
GGP Media GmbH, Pößneck
en mars 2011

POCKET – 12, avenue d'Italie – 75627 Paris cedex 13

Dépôt légal : avril 2011
S20364/01